La Vierge enceinte

Un processus de transformation psychologique

Les Éditions de la Pleine Lune
C.P. 28
Lachine (Québec)
H8S 4A5

Illustration de la couverture
Détail de *La Primavera* de Sandro Botticelli, 1445-1510.
(Galerie Uffizi, Florence)

Maquette de la couverture
Guy Lafrenière

Infographie et montage
Typo Data Plus

Distribution
Prologue
1650, boul. Lionel-Bertrand
Boisbriand (Québec)
J7E 4H4
Téléphone: (514) 434-0306
Télécopieur: (514) 434-2627

La Vierge enceinte

Un processus de transformation psychologique

Marion Woodman
analyste jungienne

Traduit de l'anglais par:

Solange Boissonneault et Geoffrey Vitale
Université du Québec à Trois-Rivières

Conseillère technique:

Dr Ginette Hébert

la pleine lune

Titre original:
The Pregnant Virgin
A Process of Psychological Transformation
Publié par Inner City Books, Toronto, en 1985.

ISBN 0-919123-20-1

ISBN 2-89024-068-1

Dépôt légal — Deuxième trimestre 1992
Bibliothèque nationale du Québec
Bibliothèque du Canada

À ceux avec qui je fais le voyage.

J'adresse toute ma gratitude à Daryl Sharp, Ross Woodman, Shirley Grace Jeffries, Fraser Boa, Greg Mogenson et à tous mes analysants.

Flora (détail de l'illustration de la page couverture)

INTRODUCTION

CHARNIÈRES POUR UNE GRENOUILLE

Puisque les sentiments priment
Celui qui arrête son attention
À la syntaxe des choses
Ne saura jamais vous embrasser totalement;
Alors
Riez, blotti dans mes bras
Car la vie n'est point un paragraphe

Et la mort, je crois, n'est pas une parenthèse.

E.E. Cummings, (traduction libre).

La Vierge enceinte est une étude évolutive. Au moment de sa conception, elle s'intitulait *Chrysalide*, mais une fois mise en route, la portée de ce nom devenait déjà trop restrictive. S'il est vrai que la charpente — le processus de métamorphose de la chenille en chrysalide, puis en papillon — convenait toujours, l'ensemble de l'ouvrage avait dépassé la somme de ses parties. En effet, les parties portent surtout sur le temps de séjour dans la chrysalide, cette période où la vie, telle que nous l'avons connue, est terminée. La personne que nous étions n'est plus: la personne que nous deviendrons reste à découvrir. Nous sommes vivants, mais amorphes, apeurés par le voyage à travers le canal de la vie. L'ensemble de l'ouvrage traite du processus de la grossesse psychologique — la vierge qui reste vierge à jamais, enceinte à jamais, ouverte à jamais à toute possibilité.

Je ne suis pas la première à constater cette analogie entre la vierge qui porte un enfant et la chrysalide qui couve son papillon. Dans la Grèce antique, l'âme, que l'on appelait la *psyché*, était souvent représentée par un papillon. L'éclosion du papillon émergeant de la chrysalide correspondait à la naissance de l'âme quittant la matière, naissance généralement perçue comme une libération symbolisant l'immortalité. L'Enfant divin, le Rédempteur, l'enfant de l'esprit qui prend chair dans les entrailles de la Vierge trouve sa contrepartie naturelle dans le papillon ailé qui se transforme au cœur de la chrysalide et s'apprête à se libérer de la créature rampante. Dans le présent ouvrage, cependant, je n'établis pas cette distinction traditionnelle entre le corps et l'âme, la chenille et le papillon, la mortalité et l'immortalité. Je m'intéresse plutôt à la présence de l'un dans l'autre en suggérant que l'immortalité est une réalité à l'intérieur de la mortalité et qu'elle dépend de cette dernière pendant notre vie terrestre. En d'autres mots, *La Vierge enceinte* cherche les moyens de rétablir l'unité du corps et de l'âme.

Flore, l'un des personnages de la *Primavera* de Botticelli, rend bien le paradoxe de la quiétude extérieure et de l'incandescence (la nouvelle ardeur) intérieure de la femme enceinte. Elle est l'image de la beauté fugace de la jeune fille en voie de devenir femme. Nymphe timide, elle s'est abandonnée au souffle de Zéphir et s'éveille à présent sous la forme de Flore, calme et verdoyante. À l'instar de Marie, remplie de l'Esprit saint, elle se tient debout, radieuse, pleine de grâce; attendrissante et franche dans sa féminité, elle regarde dans les yeux celui qui la contemple.

La rédaction de *La Vierge enceinte* a été une grossesse de neuf mois. L'ouvrage n'acceptait pas le modèle que j'aurais voulu lui imposer: il évoluait selon son propre processus de métamorphose. Au mois d'août dernier, deuxième mois de grossesse, je souffrais de nausées matinales. Il me suffisait de regarder une feuille de papier vierge pour me sentir malade. Je craignais la fausse couche. Alors, comme cela m'arrive généralement quand je suis assez consciente pour me poser la bonne question, la réponse m'est venue par le biais d'un rêve.

Je suis assise sur des marches, près des eaux du détroit de Géorgie. J'essaie d'enrouler une grande feuille de nénuphar pour lui donner une forme cylindrique. Mais elle ne veut pas obéir à mes doigts: quand j'arrive à en maintenir un bout enroulé, l'autre aussitôt s'ouvre à nouveau. Derrière moi se trouve une vieille auberge. Sur le balcon deux hommes sont en train de se battre. Je ressens les coups qu'ils échangent jusque dans mes os. Je commence à penser que je devrais intervenir d'une façon ou d'une autre, mais une voix me commande: «Façonne ton tube.»

Je continue de travailler la feuille de nénuphar quand soudain l'un des hommes balance l'autre en bas du balcon, au-dessus de ma tête. Il faudrait maintenant que je réagisse. Je suis sur le point de me lever quand le commandement est répété: «Façonne ton tube.»

Enfin j'ai compris — je suis en train de fabriquer un instrument. A côté de moi, un peu en retrait, j'aperçois une grosse grenouille, toute souriante, assise dans une mare d'œufs verts. Elle est fière d'elle et attend que je vienne à bout de terminer ma flûte pour que ses œufs puissent y passer et s'y transformer en sons signifiants.

À mon réveil, je savais quel était le problème. Au lieu de me concentrer pleinement sur le «tube» que je façonnais, je laissais les coups qu'échangaient les deux hommes sur le balcon drainer mon énergie. Leur voix m'était familière: «Laisse tomber tes écrits. Vis ta vie comme tu l'as toujours fait. De toute façon, tu n'es pas écrivain.» Mais une autre voix se faisait entendre, une voix féminine lointaine, tenace et fière: «Je veux écrire, mais je ne veux pas écrire des essais; je veux écrire à ma façon.» Voilà où se trouvait l'impasse.

Je traversais à pied la lande sauvage qui borde Iris Bay et je songeais au nénuphar, lotus canadien dont la fleur a une portée symbolique semblable à celle de la rose. C'est dans les profondeurs de la boue vivifiante que ses racines puisent la nourriture qu'elle envoie par sa tige robuste aux feuilles et aux fleurs. Dans sa simplicité blanche et laiteuse, la fleur sereine ouvre un à un ses pétales au soleil, symbole de la Déesse — Prajnaparamita, Tara, Sophia — symbole de la Création qui s'ouvre au Conscient. La

Déesse est la fleur qui habite le cœur; elle est la connaissance, l'éveil de Dieu dans l'âme. Sa sagesse divine nous affranchit de la passion et de la douleur des désirs qui enchaînent le moi.

J'ai cueilli une feuille de nénuphar et j'ai mis toute mon attention à la fabrication de ma flûte. Je revoyais ma grenouille souriante. Il ne pouvait y avoir de doute: la feuille de lotus était l'instrument tout indiqué pour y faire passer ses œufs de façon harmonieuse. Mais comment faire? Comment faire passer des concepts psychologiques dans une feuille de nénuphar? À quoi pouvait bien ressembler la syntaxe d'une grenouille? Et ses charnières? Certainement pas à «et», «mais» ou «afin de». Non, ses conjonctions à elle se rapporteraient davantage aux bonds dans les airs, aux longs plongeons sous l'eau, d'une feuille à l'autre; élans intuitifs, guidés par l'imagination. Saute — il y aura toujours une autre feuille de nénuphar. Saute, sachant que d'autres grenouilles te comprendront. Saute donc, saute et pense à ton journal intime, tu sais, celui qui ressemble à un manuscrit de Beethoven, éclaboussé d'encre bleue, rouge, jaune et verte. Et ces pages déchirées par une plume en colère, maculées de larmes, où la joie saute sur des points d'exclamation et des tirets qui en disent bien plus long que les mots qui les séparent: mon journal qui danse au rythme des battements du cœur de la chrysalide. Comment façonner une flûte qui puisse à la fois renfermer cette franchise et conserver une crédibilité professionnelle? Comment une femme peut-elle écrire en puisant dans son authenticité propre sans qu'on l'étiquette comme «histrionique» ou même «hystérique»? Plouf! Long silence!

Et voici que ma grenouille me parle depuis la boue:

«Et si tu écrivais ce que tu ressens? Sois vierge... Laisse-toi emporter par le tourbillon et vois ce que ça donne.»

«Impossible, lui dis-je. Pas question d'avoir l'air imbécile. Tu veux que je me transforme en pigeon d'argile? Merci, j'ai déjà fait face aux fusils!»

Cette conversation a été à l'origine du cocon de *Chrysalide*. Des semaines durant, j'ai essayé de trouver une syntaxe pouvant à la fois concilier la subjectivité raisonnée de mon cœur et l'objectivité analytique de mon esprit.

J'étais rassurée, cependant, quand je regardais un tableau où figure une déesse indienne dont les mains sont placées comme pour englober une feuille de nénuphar. Dans ce geste qui représente «le lien de fructification» et qui signifie «mariage» ou «couronnement», les doigts, bien différenciés, semblent former le berceau d'une perle ou d'une fleur[1]. Les bouts des majeurs, ramenés délicatement ensemble, symbolisent la coïncidence des éléments opposés. Je comprenais qu'il me fallait trouver un style ferme, doux et androgyne.

Ce qui vint éclairer davantage ma lanterne fut la lecture de l'essai de Nietzsche intitulé «Vérité et mensonge», dans lequel il dit: «Je crains que nous ne puissions nous débarrasser de Dieu, parce que nous croyons encore à la grammaire[2].» Mais oui, je me sentais toujours responsable face au Dieu de la vengeance — Jehovah, appelez-le comme vous voudrez — ce dieu qui regarde d'en haut et qui nous livre ses commandements gravés dans la pierre, parodie démoniaque de l'imagination créatrice. Lui ne sait pas que l'on peut «sauter»... pour lui tout doit rester figé dans la réalité la plus concrète.

Puis j'ai lu une critique de la biographie de Virginia Woolf écrite par Lyndell Gordon. La critique littéraire, Carolyn Heilbrun, y soulignait que Woolf, comme toutes les femmes, avait appris le silence; que «la femme désagréable a toujours été celle qui se servait de mots qui portent juste». On ne se gênait pas pour la qualifier de commère, de chipie, de mégère et même de sorcière. Les femmes se sentaient ainsi «forcées de renoncer au langage, et les femmes *bien* savaient se taire[3]». Carolyn Heilbrun concluait en disant que «rendues silencieuses, par des siècles d'endoctrinement, les auteurs féminins, plus spécifiquement, ont découvert que lorsqu'elles essayaient de se raconter en toute franchise, la langue n'arrivait pas à rendre compte de leur expérience particulière[4]».

Si cela est vrai pour l'artiste, cela n'en est pas moins vrai pour toute femme qui essaie de parler avec sa propre voix. Et cela est aussi vrai pour l'homme qui ose exprimer son processus spirituel. Le mot «féminin», tel que je le conçois, se rapporte peu à la question du genre et je ne crois pas que la féminité soit l'apanage de la femme. Les hommes, comme les femmes, sont à la recherche de leur vierge enceinte. Elle est la portion de nous qui a été rejetée, la portion qui arrive au conscient en passant par les ténèbres, se frayant un chemin dans la noirceur jusqu'à ce que la lumière en soit extraite.

Quiconque s'attaque à un travail de création comprendra ce que j'entends par là. Je me rappelle, par exemple, l'époque où je dirigeais un projet de théâtre d'improvisation auquel participaient des élèves d'une école secondaire. Pendant les mois précédant la représentation, nous travaillions sans script. Pour les étudiants formés dans la perspective d'une «performance de qualité», notre approche était intolérable. Leur raideur, leur crainte d'être «le trou dans le programme» bloquaient toute créativité. Ils attendaient qu'on leur donne la réplique, qu'on dirige leurs mouvements, qu'on leur dicte des attitudes. En revanche, les participants introvertis, tranquilles, qui avaient l'habitude de l'espace qu'ils s'étaient réservé, n'éprouvaient aucune difficulté à se concentrer en attendant que les images issues de leur propre corps prennent vie. Ils adoraient cette liberté. Ils adoraient jouer. Ils aimaient le défi qui les amenait à avancer toujours plus loin dans le noir, à laisser arriver tout ce qui voulait arriver.

Et des choses se passaient. Le théâtre tout entier prenait vie: on criait, on pleurait, on riait; il y avait des gestes d'une beauté poignante, d'une ironie hilarante. Le curieux qui s'aventurait dans notre théâtre haussait les épaules et fuyait ce chaos. Mais pour nous, initiés, il s'agissait d'un chaos ordonné dont l'intensité nous était familière. Deux mois avant la première, les étudiants, la directrice de la danse, la directrice de la partition musicale et moi-même avions décidé des mouvements, des poèmes et de la musique que nous voulions explorer davantage. Et, malgré cela, nous avons ajouté et retranché des éléments jusqu'à la représentation finale[5].

Tous ceux qui y travaillaient, acteurs, directeurs artistiques ou machinistes, étaient responsables de leur propre évolution. Ainsi, à mesure que nous prenions de l'assurance, notre performance devenait plus énergique, si bien que notre régisseur, lui-même étudiant, devait inventer des moyens de maintenir la discipline dans les coulisses, sans pour autant freiner nos initiatives. Je n'ai pas alors spéculé sur ce processus, mais quand j'y songe, à présent, notre théâtre m'apparaît comme les entrailles de la Grande Mère où les âmes vierges de nos étudiants naissaient à même leur propre corps pour ensuite émerger et se placer à un niveau de conscience psychologique, où elles avaient assez de confiance et de souplesse pour se laisser pénétrer par le souffle de l'esprit. Ce processus consistait en partie à vérifier chez soi et chez l'autre le degré d'autonomie accordé à la création: est-ce que cette danse, ce poème, vit sa propre vie ou entrave-t-on sa liberté au nom d'une «bonne performance»?

Nous nous intéressions au processus individuel, au processus du groupe et, enfin, au processus qui s'enclenche et qui relie spectateurs et acteurs. Puisqu'il s'agissait de théâtre en rond, les étudiants faisaient souvent asseoir leurs parents là où, à un moment de la représentation, ils pourraient s'agenouiller à moins d'un mètre d'eux et les regarder droit dans les yeux. Plusieurs parents ont été bouleversés par cette rencontre directe avec leur propre enfant-adulte et ont eu du mal à retenir leurs larmes.

Ce n'était pas le produit final qui comptait, ni l'aspect externe de la performance. Au Tostal, notre théâtre, il n'y avait pas d'examen, pas de but prédéterminé: la seule façon d'échouer était de trahir le processus. Ailleurs dans l'école, on risquait d'être fractionné: l'étudiant en histoire se retrouvant dans la salle 13; le piètre athlète, au gymnase; le bon flûtiste, à la salle de musique. Dans la société, on risquait également de se voir démembré: les pieds puants chez le marchand de chaussures, les yeux myopes chez l'optométriste, l'acnée chez le docteur, les aisselles malodorantes chez le pharmacien. Au Tostal, le corps était retiré de la culture, qui le divise en élément distinct, et il était traité comme un tout, un ensemble. Nous avions pour source notre propre vulnérabilité et, en la respectant, nous prenions la mesure de nos forces et de nos blessures.

La Vierge enceinte a puisé aux mêmes sources: tous mes analysants font partie de cet ouvrage. Ensemble nous avons connu la mort et la renaissance; ensemble nous avons explicité des centaines de rêves. Grand nombre de thèmes répétitifs dont j'ai parlé dans mes deux ouvrages précédents sont traités plus en détail dans les pages qui suivent. Bien que mes analysants souffrent pour la plupart de troubles de l'alimentation et soient aux prises avec quelque forme de dépendance alimentaire, leur démarche psychologique s'apparente sous bien des aspects à celle, entre autres, des fanatiques du travail, de la drogue, du sommeil ou des rapports personnels sans valeur. Mes analysants ont généreusement accepté que je présente ici le matériel sorti de leur âme car ils espèrent, en le partageant, contribuer à éclairer la conscience féminine émergente. La route semble moins difficile quand on sait que d'autres l'empruntent, chargés du même fardeau.

Et je suis aussi du voyage. Le processus entamé dans la cuisine (chapitre 1) se poursuit en Inde (chapitre 7), à une différence près, différence cependant cruciale. Le papillon sur le rideau (page 19) se métamorphose selon les lois de la nature; le papillon au plafond (page 271) sort transformé par le feu d'un choix conscient. Même cet ouvrage fait partie du voyage: deux chapitres doivent leur existence à des conférences; deux autres ont d'abord été écrits pour des revues scientifiques. Quant au reste, il représente une tentative de faire jaillir un peu de lumière de l'obscurité. Chaque chapitre constitue un prisme qui permet d'entrevoir, sous des angles différents, les difficultés que l'on éprouve à Devenir et à Être.

Je n'ai pas encore résolu le problème des charnières de grenouille, mais ma grenouille continue de pondre des œufs. Je crois qu'elle aime bien ma grossesse syntactique. Cependant, il ne s'agit pas ici de l'apologie d'un têtard. Non, il s'agit, pour moi et mes lecteurs, d'un défi: celui d'écouter avec le cœur, d'entendre le langage qui habite le silence tout aussi sûrement qu'il habite le Verbe.

Je ne suis pas un mécanisme, un assemblage de
pièces diverses
Et ce n'est pas parce que le mécanisme est déréglé
que je suis malade.
Mon mal vient de blessures à l'âme, au Soi émotif et
profond
et les blessures de l'âme durent longtemps, très
longtemps, et seul
le temps y peut quelque chose,
avec la patience, et un certain repentir difficile,
un repentir long et difficile, la constatation des
erreurs d'une
vie, et le fait de s'affranchir
de l'éternelle répétition de la faute
que le genre humain a choisi de célébrer.

D.H. Lawrence, Healing, *(traduction libre).*

Aucun oiseau ne vole trop haut, s'il vole de ses
propres ailes. [...]
Les prisons sont bâties avec les pierres de la loi; les
bordels avec les briques de la religion. [...]
La joie engendre. La douleur met au monde. [...]
Soyez toujours prêts à dire votre opinion, et les
esprits vils vous éviteront. [...]
L'aigle ne perdit jamais mieux son temps que
lorsqu'il se contraignit à imiter la corneille. [...]
Attendez-vous à trouver le poison dans l'eau
stagnante. [...]
L'insulte stimule, la louange détend. [...]

William Blake, Poèmes, *extrait de* Le Mariage du
ciel et de l'enfer, *traduit de l'anglais par M.L.
Cazamian, Aubier-Flammarion, Paris, 1968.*

1

SUIS-JE VRAIMENT CHRYSALIDE?

Le premier rayon de l'aube caressa ma chrysalide
Je me levai — et commençai à vivre —

Emily Dickinson, (traduction libre).

J'avais trois ans quand j'ai fait la plus importante découverte psychologique de ma vie. J'ai appris qu'une créature vivante, obéissant à ses propres lois internes, passe par des cycles de croissance, meurt, et renaît sous une forme nouvelle.

Un jour, je m'affairais à aider mon père dans le jardin, tout en fumant ma pipe à bulles. J'ai toujours aimé travailler avec mon père, parce qu'insectes et fleurs n'avaient pas de secrets pour lui, et qu'il savait d'où venait le vent. J'aperçus quelque chose d'informe accroché à une branche et mon père m'expliqua que madame Chenille s'était fabriqué une chrysalide. Nous allions l'emporter à la maison pour l'épingler sur le rideau de la cuisine et, un jour, un papillon en sortirait.

J'avais déjà assisté à bien des tours de magie dans le jardin de mon père, mais cela me dépassait. Néanmoins nous prîmes soin de bien enfoncer les épingles dans le rideau, et chaque matin, attrapant poupée et pipe au passage, je m'empressais de descendre à la cuisine pour leur montrer le papillon... Toujours rien! Mon père me dit qu'il fallait patienter. La chrysalide pouvait nous sembler morte, mais des choses merveilleuses se produisaient en elle. Il fallait comprendre que la vie d'une chenille n'était en rien semblable à celle d'un papillon. Ils avaient besoin de corps très différents. La chenille se nourrissait de feuilles alors que le papillon s'abreuvait de nectar. La chenille était asexuée, presque aveugle et rivée au sol, tandis que le papillon pondait des œufs, pouvait voir et voler. La plupart des organes de la chenille allaient se liquéfier et ces fluides contribueraient à la formation des ailes minuscules, des yeux et du cerveau du papillon en devenir. Mais il s'agissait là d'un travail long et ardu, à un point tel que la créature ne pouvait rien faire d'autre tant que durerait la métamorphose. Elle devait demeurer à l'abri, dans son enveloppe.

Et j'attendais que cette gloutonne paresseuse se change en un délicat papillon, mais je soupçonnais mon père de s'être trompé. Puis, un matin que ma poupée et moi étions en train de manger nos céréales, j'eus l'impression de ne pas être seule dans la cuisine. Je demeurai immobile, sentant une présence sur le rideau. Il était là... déployant ses ailes translucides et vibrantes — un ange capable de voler. Le cocon était vide. C'est de ce mystère, vécu sur le rideau de la cuisine, que m'est venue ma première notion de la mort et de la renaissance.

Des années plus tard, j'ai appris que le papillon est un symbole de l'âme humaine. J'ai aussi découvert qu'à peine sorti de son enveloppe nymphale, le papillon évacue, sous la forme d'une goutte, les excrétions qui se sont accumulées pendant sa transformation. Cette goutte est souvent rouge et tombe parfois au cours du premier vol. Ainsi, une nuée de papillons peut produire une nuée de sang, phénomène qui a souvent semé la terreur et le doute chez les anciens, provoquant parfois des massacres.

Par analogie symbolique, pour pouvoir libérer notre propre papillon, nous devons aussi consentir au sacrifice d'une goutte de sang, laisser derrière nous le passé et nous tourner vers l'avenir.

Cette étape précaire de la transformation à l'intérieur de la chrysalide correspond à la zone nébuleuse qui se situe entre le passé et le futur. Une partie de notre être se tourne vers le passé et sa magie perdue; une autre se réjouit de pouvoir dire adieu à ce passé informe; une partie de notre être doit s'armer de tout son courage pour faire face à la vie; une autre s'enthousiasme devant la perspective du changement; une autre encore reste figée, n'osant regarder dans l'une ou l'autre direction. Les personnes qui acceptent la chrysalide, que ce soit en analyse ou dans leur vie personnelle, ont accepté le paradoxe de la vie et de la mort, paradoxe qui revient sous une forme différente à chaque étape de la croissance. Dans *Le Voyage des Mages* de T.S. Eliot, l'un des rois, de retour dans son pays, décrit ainsi son séjour à Bethléem:

> [...] aussi nous continuâmes
> Pour arriver le soir; ayant, mais juste à temps,
> Trouvé l'endroit: c'était (pourrait-on dire)
> Un résultat satisfaisant.
>
> Tout ceci est fort ancien, j'en ai mémoire
> Et serais prêt à le refaire, mais notez bien
> Ceci, notez
> Ceci! tout ce chemin, nous l'avait-on fait faire
> Vers la Naissance ou vers la Mort? Qu'il y ait eu
> Naissance, la chose est sûre, car nous en eûmes
> La preuve, indubitable. J'avais vu la naissance
> Et j'avais vu la mort; mais je les avais vues
> Toutes deux différentes. Cette Naissance-là
> Fut pour nous agonie amère et douloureuse,
> Fut comme la Mort, fut notre mort.
> Nous voici revenus chez nous, en ces royaumes,
> Mais sans plus nous sentir à l'aise dans l'ancienne
> dispensation
> Avec ces peuples étrangers qui se cramponnent à leurs
> dieux.
> Une autre mort serait la bienvenue[1].

Si nous acceptons ce paradoxe, nous ne serons pas déchirés par ce qui nous semble être une contradiction inacceptable. La naissance, c'est la mort d'une vie que nous avons connue; la mort, c'est la naissance d'une vie que nous avons encore à vivre. Nous avons besoin de maintenir cette tension bipolaire pour que s'élargisse notre sphère d'expérience.

Les gens immobilisés dans un état nymphal perpétuel, ceux qui trouvent tout l'ordinaire de cette vie «abject, plat, fatiguant, improfitable[2]» ou, selon l'expression moderne, «ennuyeux», ces gens ont des problèmes. Figés dans un état de stase psychologique, ils s'accrochent aux choses de leur enfance, se coupant de la réalité présente de leur situation, et attendent passivement que quelque force surnaturelle vienne les sortir de leur souffrance pour les conduire vers un monde «juste et bon», un monde imaginaire de candeur enfantine. Craignant de mettre fin à des relations qui entravent pourtant leur évolution, craignant d'affronter parents, partenaires ou enfants qui se complaisent dans des attitudes puériles, ils s'enfoncent dans un état de maladie chronique ou de mort psychique. Leur vie devient un enchevêtrement d'illusions et de mensonges. Plutôt que d'accepter la responsabilité de ce qui leur arrive, plutôt que de relever le défi de la croissance, ils refusent de sortir du cadre rigide qu'ils se sont fixé ou qui leur a été dévolu à leur naissance. Ils se veulent «immuables». Cependant, une telle attitude va à l'encontre de la vie, car l'évolution est une loi de la vie. Ce qui stagne croupit, tout particulièrement dans le jardin d'Éden.

Pourquoi craignons-nous tant le changement? Pourquoi alors que nous avons une telle envie de changement, devenons-nous de plus en plus inquiets dès sa première manifestation? Pourquoi perdons-nous notre foi d'enfant en grandissant? Pourquoi nous accrochons-nous à nos vieilles habitudes plutôt que de nous ouvrir à des perspectives nouvelles qui nous permettraient d'explorer les mondes inconnus de notre corps, de notre esprit et de notre âme? Nous plantons le bulbe d'une amaryllis, nous l'arrosons, lui donnons du soleil, surveillons l'arrivée des premières tiges, leur pousse rapide et l'éclatement des bourgeons et nous nous émerveillons devant ces cloches odorantes qui percent le tapis de neige pour chanter leur alléluia. Pourquoi donc aurions-nous davantage foi en un bulbe d'amaryllis qu'en nous-mêmes? Est-ce parce que nous savons que l'amaryllis règle sa vie sur quelque loi interne à laquelle nous sommes devenus étrangers? Si nous prenons le temps d'écouter l'amaryllis, nous pourrons vibrer de son silence. Nous connaîtrons sa quiétude infinie. Nous nous retrouverons au cœur même du mystère, dans ce lieu privilégié de la Déesse, où nous pouvons accepter la naissance et la mort. L'éclatante floraison disparaîtra mais, dans le calme et l'obscurité, le bulbe se préparera à refleurir l'année suivante.

C'est l'insécurité qui est à la source de la peur du changement. Quand on se sent valorisé par ceux que l'on aime, on peut les quitter et revenir à eux sans appréhender de rupture. On se sait apprécié pour soi-même. Notre société informatisée, aussi fascinante et efficace qu'elle soit, empiète de plus en plus sur les vraies valeurs humaines. La machine, malgré toute sa complexité, n'est pas pour autant dotée d'une âme et ne sait épouser le rythme de l'instinct. L'ordinateur peut bien être programmé pour régurgiter l'histoire de ma vie en séquences codées, il sera néanmoins incapable de sonder les profondeurs de ma solitude, de déchiffrer mes silences ou encore de réagir aux ombres qui viennent assombrir mon regard. Il est incapable de jauger l'âme humaine. Ainsi, lorsqu'une société s'impose volontairement un ensemble de règles qui tiennent très peu de l'instinct, de l'amour ou de l'intimité de l'être, ceux qui ont opté pour l'individualité, confiants en la dignité de leur âme et en la créativité de leur imagination, ceux-là ont toutes les raisons d'avoir peur. Ce sont des marginaux, coupés de la société et déjà atteints dans leurs instincts. Travaillant dans le silence de leur cocon, ils ont souvent l'impression d'être fous. Ils croient cependant qu'ils seraient encore plus fous s'ils renonçaient à croire en leur propre cheminement. Telle la chrysalide épinglée au rideau de la cuisine, ce mot de Blake est épinglé au mur de leur cabinet de travail: «Si le sot persistait dans sa sottise, il deviendrait un sage[3].»

Dans toutes les sociétés, le courage de se tenir debout dans l'adversité, «empanaché d'indépendance et de franchise[4]», a été la marque du héros. De nos jours, il faut encore plus de courage et de force qu'autrefois pour se tenir debout tout seul. Dès le bas âge, on conditionne l'enfant pour qu'il soit performant. Ainsi, au lieu de vivre en harmonie avec ses besoins et ses sentiments, il apprend à évaluer les situations en fonction des attentes des autres. Sans l'intime certitude de sa propre valeur, certitude qui doit être ancrée au plus profond de son être, il lui manque les ressources nécessaires pour assumer son individualité. Harcelé sans cesse par les médias, subissant les pressions de ses pairs, il en arrive à perdre totalement son identité au profit d'une stéréotypie collective. Faute de rites de passage appropriés, ce sont les professionnels de la publicité qui tiennent lieu de grands prêtres dans l'initiation au monde de la consommation chronique. Partout on exploite le rite de l'innocence.

Sans rites reconnus de tous, il est difficile de savoir exactement qui nous sommes à l'intérieur de notre société. L'enfant qui a vécu sa puberté dans les ténèbres aborde l'adolescence en clamant son besoin d'indépendance, mais s'indigne qu'on lui demande d'assumer ses responsabilités. Le garçon qui n'a jamais quitté sa mère et qui craint son père n'arrive pas à s'intégrer dans le monde des hommes adultes. La jeune fille qui n'a valorisé que son énergie masculine refusera de renoncer à son P.A.R.A. (Prestige, Autorité, Réputation, Argent) et à opter pour une vie où elle se sentirait en harmonie avec le cosmos. Même les rites du mariage portent à confusion. Les couples non mariés vivant ensemble depuis plusieurs années peuvent finir par croire que «le mariage ne va rien changer» à leur union, ils sont alors complètement déroutés lorsque, une fois leurs vœux prononcés, ils éprouvent des problèmes d'ordre sexuel. À l'approche de l'âge mûr, ceux qui n'apprécient pas la beauté tardive de l'automne se sentent déchirés. Ils voient leurs rides se creuser, de nouvelles taches de vieillesse apparaître chaque jour sur leur peau, mais ne ressentent pas cette douceur compensatrice qui s'installe dans l'âme avec le passage des années. Le culte des aînés étant disparu dans nos sociétés, ils ne peuvent plus prétendre aux honneurs de la vieillesse et, bien souvent, ils en viennent à faire peu de cas de leur propre sagesse. Certains n'osent même pas contempler la mort, dont la dignité leur échappe.

Un mot allemand décrit bien le courant de désespoir sous-jacent qui s'installe dans notre société. Il s'agit de la *torschlusspanik* (que l'on prononce TOR-CHLUSH-PANIC); ce terme a été employé en anglais, pour la première fois, en 1963, et s'est mérité une entrée dans le *Oxford English Dictionary* (Supplément, 1985). Il y est défini comme étant la «panique qui s'installe chez un individu, à la pensée qu'une porte, entre soi et les possibilités de la vie, a été fermée». L'introduction d'un nouveau mot dans une langue correspond au besoin de nommer une nouvelle réalité: la *torschlusspanik* existe maintenant. Les portes que nous ouvraient autrefois les rites initiatiques demeurent autant de seuils que l'âme humaine doit franchir. Si ces portes demeurent closes, ou si on en ignore la signification, la vie se resserre au point de n'être plus qu'une kyrielle de rejets, entraînant chacun sa part de *torschlusspanik*: le bal de fin d'études auquel personne ne nous a invité; le mariage qui n'a pas eu lieu; l'enfant qui n'est jamais né; l'emploi qui ne s'est jamais matérialisé. Avec un peu de recul, nous nous apercevons que bien souvent ce n'est pas nous qui avons décidé quelle porte serait ouverte ou fermée. Nous avons été choisis dans telle occasion; rejetés dans telle autre.

La *torschlusspanik* fait maintenant partie intégrante de notre culture parce que de nos jours, il reste peu de rites auxquels nous sommes prêts à nous soumettre pour transcender nos pulsions égoïstes. Sans la vision plus large que nous offrent les rites, il devient difficile de comprendre le sens du rejet. Quand la porte se referme sourdement, nous demeurons figés, amers ou résignés. Cependant, s'il nous était possible de parvenir à un état de concentration totale, d'atteindre ce point culminant où, comme dans les rites de passage, il faut soit avancer, soit reculer, alors il nous serait possible de prendre notre propre mesure. Plutôt que de sombrer dans la désillusion et le désespoir, nous placerions toute notre énergie dans cette tentative d'affirmation absolue. C'est la terreur qui se cache derrière le mot *torschlusspanik* et qui conduit beaucoup de gens chez leur analyste — la dernière porte s'est refermée, on a essuyé l'ultime refus. Aucune porte ne s'ouvrira plus. Rien n'a plus de sens.

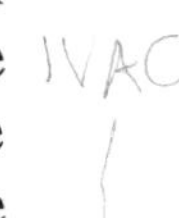

La chrysalide fait aussi peur à notre société parce que celle-ci a perdu ses lieux d'actualisation. Nous mettons l'emphase sur la croissance linéaire et sur la réussite et ce faisant, nous nous éloignons du rythme cyclique de la mort et de la renaissance, si bien que lorsque nous nous approchons de la mort ou que nous rêvons que nous sommes en train de mourir, nous appréhendons l'anéantissement. Les sociétés primitives sont assez près des cycles naturels de la vie pour pouvoir se doter de lieux d'actualisation qui permettent aux membres de la tribu de faire l'expérience de la mort et de la renaissance, à chaque étape difficile de transition ou de passage. Ainsi, pour citer Arnold van Gennep, dans son ouvrage classique *Les Rites de passage* :

> Dans de telles sociétés, tout changement dans la situation d'un individu implique des actions et des réactions entre le profane et le sacré, actions et réactions qui doivent être réglementées et surveillées afin que la société générale n'éprouve ni gêne ni dommage. C'est le fait même de vivre qui nécessite les passages successifs d'un groupe à un autre et d'une situation sociale à une autre: en sorte que la vie individuelle consiste en une succession d'étapes dont les fins et commencements forment des ensembles de même ordre: naissance, puberté sociale, mariage, paternité, progression de classe, spécialisation d'occupation, mort. Et à chacun de ces ensembles se rapportent des cérémonies dont l'objet est identique: faire passer l'individu d'une situation déterminée à une autre situation aussi déterminée. [...] En outre, ni l'individu ni la société ne sont indépendants de la nature[5].

Ainsi, par le biais de l'initiation, on reconnaît les garçons en tant qu'adultes responsables. On rompt leurs liens avec leur mère, on les entraîne à devenir des guerriers, on leur transmet la culture de leur tribu.

Chez les filles, les rites de la puberté diffèrent quelque peu. Je cite ici un passage de *Emerging from the Chrysalis*, de Bruce Lincoln:

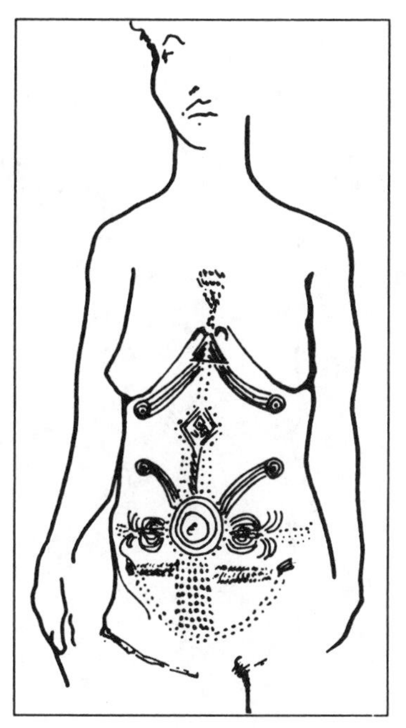

Scarification rituelle
***Bruce Lincoln,* Emerging from the Chrysalis.**

Plutôt que de modifier le statut de la femme, l'initiation agit sur son être profond, s'attachant à l'aspect ontologique plutôt que hiérarchique. Une femme ne devient pas plus puissante ou impérieuse, mais plus créative, plus vivante, plus ontologiquement réelle. [...] Le modèle d'initiation féminine est par conséquent un modèle de croissance ou d'augmentation; un prolongement des pouvoirs, des aptitudes, des expériences. Cette augmentation s'accomplit en investissant peu à peu l'initiée des objets symboliques qui feront d'elle une femme et, au-delà de cet état, un être cosmique. Ces objets peuvent être matériels, tels les vêtements ou les bijoux, comme ils peuvent être immatériels, tels les chansons s'adressant à la femme en puissance, les mythes répétés en sa présence, les cicatrices ou les peintures dont on couvre son corps[6].

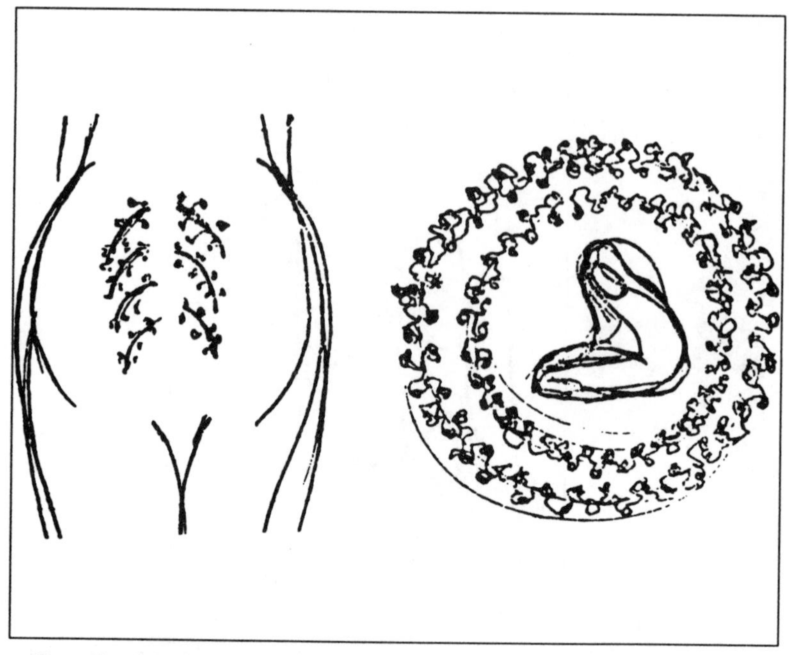

Croquis réalisés par une femme et qui représentent des images vues en rêve. À gauche, elle a dessiné des «zébrures cicatrisées» sur son ventre, d'où pendent de petites baies de chair. Dans son rêve, ces fruits se transformaient en guirlandes formant un double cercle autour d'une femme agenouillée (à droite). Le fruit de ses blessures s'était transformé en l'amour protecteur de la Déesse, symbolisé par les* mandala *en fleurs. (Ce rêve initiait cette femme à l'acceptation de son corps. Par la suite, elle a étudié la danse.)

La scarification rituelle vise à faire connaître à l'initiée l'expérience de la douleur intense dont on grave le souvenir dans sa peau. Ce rituel fait de la personne un être unique. Par cette glorification, la femme «entre dans l'arène cosmique: elle reçoit l'eau de la vie avec laquelle elle alimentera l'arbre cosmique[7].»

Les rites primitifs ne modifiaient en rien la façon dont vivaient les gens. Ils donnaient plutôt un sens à leur vie. Par ces rituels, leur relation avec l'aspect immuable, archétypique, de l'existence était confirmée et renouvelée. Ce qui aurait été autrement une corvée pénible et sans intérêt, source de *torschlusspanik*, était investi d'un sens qui transcendait celui de la survie animale.

Grâce au rituel, l'activité humaine rejoignait le divin.

Dans les sociétés plus sophistiquées, l'église et le théâtre devinrent les lieux d'actualisation du rituel. Dans l'enceinte protectrice où se déroulait la cérémonie de la Messe, l'individu pouvait s'abandonner à Dieu et connaître le démembrement et la mort, la descente aux Enfers et, le troisième jour, la résurrection de l'Esprit. Il pouvait expérimenter l'amplification de son propre esprit en vivant lui-même l'expérience de l'immolateur et de l'immolé. Tout comme l'homme primitif, le participant quittait le rituel avec un sens élargi, une impression profonde d'appartenance à un cosmos et à une communauté qui respectait ce cosmos.

Le théâtre était aussi un lieu d'actualisation du rituel, une chrysalide publique. On y jouait des situations archétypiques de la réalité. Sur scène, hommes et femmes voyaient s'incarner leurs propres profondeurs inconscientes et, de ce fait, étaient encouragés à réfléchir sur leur propre condition humaine.

Nous avons perdu nos lieux d'actualisation; nous sommes menacés par le chaos. Sans les rituels qui tracent la ligne de démarcation entre le profane et le sacré, entre ce qui est nous et ce qui n'est pas nous, nous avons tendance à nous identifier à des modèles archétypiques existants: le héros, le Père, la Mère, etc. Nous oublions le fait de notre individualité, nous laissant «gonfler» par le pouvoir de l'inconscient au point de nous en accaparer. Et nous le faisons sans savoir ce que nous faisons, sans même savoir que nous le faisons. Affranchis de nos croyances «superstitieuses» en dieux et démons, nous réclamons pour nous-mêmes les pouvoirs dont ils étaient autrefois investis. Et nous ne sommes même pas conscients d'avoir usurpé ou volé ces pouvoirs. Comment donc expliquer nos inquiétudes, notre insatisfaction? Le pouvoir nous rend craintifs; le manque de pouvoir nous rend inquiets. Peu de gens sont satisfaits de ce qu'ils possèdent. Bien qu'apparemment libérés des dieux et des démons, peu sont capables de s'en passer. Leur absence ne rend pas les choses meilleures. Même, elle peut les aggraver.

À titre d'exemple, un enfant, qui a servi de tampon entre ses parents, peut finir par craindre que son foyer ne se désintègre s'il cesse de jouer son rôle d'intermédiaire. Il s'est inconsciemment investi du pouvoir de sauver son petit monde. Une fois adulte, lancé sur la scène plus grande de la vie, il aura tendance à jouer ce rôle archétypique partout où il se trouvera. Il se sentira également coupable devant l'échec; coupable, même, de ne pouvoir faire tomber de la neige lorsque sa famille se propose d'aller faire du ski une fin de semaine. Une telle outrecuidance peut nous sembler risible une fois que nous en sommes devenus conscients, mais, si nous n'en prenons pas conscience, nous donnons prise au découragement et au désespoir: «J'aurais dû pouvoir faire quelque chose. J'ai échoué.» Plutôt que de laisser les autres mener leur propre destin et d'accepter le nôtre, nous nous improvisons maîtres du Destin et, par conséquent, nous voyons dans la porte qui se referme la preuve de notre insuffisance. Le sentiment de culpabilité qui en découle peut rapidement se transformer en rage, une rage qui trouve ses échos dans l'impuissance de l'enfance: «Qu'attendez-vous donc de moi? Je ne suis pas capable de faire ça. Arrêtez de me harceler. Arrangez-vous avec vos problèmes. LAISSEZ-MOI TRANQUILLE!»

Beaucoup, par exemple, sont convaincus que la vie n'a de sens que s'ils connaissent l'amour exaltant d'un Prince Charles et d'une Lady Diana, que s'ils se consacrent à une grande cause, telle une Mère Teresa, ou encore, que s'ils meurent pour un rêve, tel un Martin Luther King. Ils évaluent leur comportement en fonction de modèles qui projettent des images archétypiques puissantes: Marilyn Monroe, John F. Kennedy, Michael Jackson. Le masque cesse d'être masque. Pis encore, teintures et chirurgie aidant, le masque devient visage. Le fard se fait identité, caractère, Destin. En s'identifiant à un archétype plutôt que d'en rester détachés, ils transforment la vie en théâtre et se transforment eux-mêmes en acteurs. Vivant sur scène, ils sont en proie à l'inflation diabolique aussi bien qu'angélique. Sans lieu d'actualisation, ils confondent le monde du sacré et celui du profane.

Nous sommes de la lignée de Freud et de Jung. Il est vrai que les poètes et les fous ont fait libre appel à l'inconscient bien avant eux, mais ce n'est que depuis l'avènement de ces deux géants que

Qu'est-ce que l'Homme?
La lumière du Soleil quand il la déploie
Dépend de l'Organe qui la voit.

le monde des archétypes est étalé devant le grand public, sans la protection d'un cadre rituel. Si nous vivons aveuglément un archétype, nous n'assumons pas notre propre vie. Nous sommes des possédés, et cette possession agit comme un aimant sur notre entourage inconscient. Dans la vie de tous les jours, l'illusion et la réalité arrivent à se confondre d'une manière dangereuse.

Dans une vie authentiquement vécue, les voiles de l'illusion tombent continuellement, l'un après l'autre, découvrant graduellement l'essence de l'être individuel. La psychanalyse peut accélérer ce processus. Des personnes se voient parfois sous la forme d'une chenille qui avance en rampant. De l'extérieur, tout semble aller bien. Cependant, dans leur for intérieur, la voix de l'intuition leur chuchote: «À quoi bon essayer? Il n'y a personne ici. J'ai besoin d'un cocon. Je dois retourner en arrière et me trouver.» Elles ne se rendent peut-être pas entièrement compte que la chenille qui entre dans son cocon n'en ressort pas en super-chenille; et elles ne sont peut-être pas préparées à l'agonie de la métamorphose dans la chrysalide. Pas plus qu'elles ne sont préparées à la beauté ailée qui en émergera lentement et qui obéira à des lois bien différentes de celles qui régissent l'existence d'une chenille. Finalement, ce qui est plus troublant encore, c'est que leurs amis et relations, sans doute des chenilles relativement heureuses, n'auront peut-être pas beaucoup de temps à consacrer à une chenille silencieuse, courroucée, tournée sur elle-même — «une chrysalide égoïste, paresseuse, sybarite». Et ils auront encore bien moins de temps à accorder à un papillon confus, encore mal adapté aux lois de l'aérodynamique.

Il est toutefois étonnant de constater combien souvent, d'autres chenilles, s'inspirant des papillons, sacrifient leur condition de rampant, fabriquent leur propre chrysalide et trouvent leurs propres ailes. Jung nous dit que devenir conscient, c'est «sacrifier l'homme naturel, cet être inconscient et naïf dont la tragique carrière a débuté au Paradis, quand il a croqué la pomme[8]».

Pour pouvoir nous trouver nous-mêmes, il nous faut absolument une chrysalide. Et pourtant, notre société extravertie accorde peu de place à la contemplation introvertie. Nous sommes censés être des gens d'action, au service des autres, se dévouant pour de bonnes causes; nous nous devons d'être généreux, énergiques, fidèles au devoir social. Si nous choisissons tout simplement d'*être*, ceux que nous aimons risquent, par réflexe, de s'imaginer que nous ne faisons rien. Il se peut même qu'au début nous partagions nous-mêmes cette impression. Nous commençons à regarder la boue primitive qui fait surface dans nos rêves. C'est le chaos. Nous nous demandons à quoi cela sert d'aller fouiller au fond, pour ne soulever que de la vase. Un débat intérieur s'amorce en nous: «Je devrais être en train de faire quelque chose d'utile. Mais, en vérité, je ne peux rien faire d'utile s'il n'y a pas de moi pour le faire. Je ne peux aimer personne d'autre s'il n'y a pas de moi pour aimer. Si je ne me connais pas moi-même, je ne peux pas m'aimer; et si je ne m'aime pas, l'amour que je porte aux autres n'est probablement qu'une projection de mon besoin d'être accepté. Je joue un rôle afin d'être aimé. Je crains le rejet. Si personne ne m'aime, je n'existerai plus. Mais qui aiment-ils au juste? Qui suis-je?»

Et voilà pourquoi nous entrons dans la chrysalide: pour subir une métamorphose qui nous permettra d'être un jour capables de nous lever et de dire *Je suis*. Cette faim tenaillante, ce désir constant qui sont au centre de bien des vies remontent à la naissance, existaient peut-être même *in utero*. Pour survivre dans un environnement exigeant, où l'un ou l'autre parent et parfois les deux projettent leurs rêves inassouvis (ou leurs cauchemars) sur leurs enfants, ceux-ci cessent d'essayer de vivre leur propre vie. On ne les accepte pas à titre de petits êtres humains avec des besoins et des sentiments bien à eux. On ne s'arrête jamais à leur propre mystère, si bien que leur esprit se développe en fonction de la réaction des autres. En d'autres mots, ils acquièrent une *persona* charmante, un masque créé avec beaucoup de soins qui, une fois qu'ils sont adultes, les sert à merveille ou les conduit droit vers la catastrophe. L'image chatoyante du succès qu'ils projettent ne sert souvent qu'à cacher leur vide intérieur. Ils n'arrivent pas à comprendre pourquoi leurs relations intimes n'aboutissent jamais et, tout en étant conscients de ce fait, ils ne peuvent toutefois rien y changer. Dans leurs rêves, ils sont des acteurs, sous la lumière des projecteurs, mais ils ont oublié le nom de la pièce; ils ont oublié jusqu'à leur rôle. Si leur moi est à peine développé, il se peut qu'ils soient même absents de leurs propres rêves ou qu'ils y apparaissent sous la forme d'objets ou de petits animaux.

Il est cependant important de souligner que nous avons besoin de plusieurs *personae*, c'est-à-dire de différents masques selon les occasions. Jung donnait un jour une conférence à ce sujet lorsqu'un étudiant l'attaqua en associant le port d'un masque à l'hypocrisie. Jung lui répondit qu'il venait tout juste d'avoir une dispute avec sa femme et qu'il était encore en colère. Mais puisque cette colère n'avait rien à voir avec les étudiants, ou encore avec les motifs qui les avaient amenés à l'Institut ce matin-là, Jung estimait qu'il eût été injuste, tant pour eux que pour lui-même, de laisser paraître son mécontentement. Il ajouta toutefois qu'il avait bien l'intention de vider cette discussion dès son retour à la maison. De cette anecdote, il importe de retenir que notre conscient doit être en mesure de déterminer quand nous portons le masque et pourquoi. Autrement, nous pourrions facilement nous identifier avec les personnages que nous jouons, réprimant de ce fait nos propres sentiments. Nous serions alors incapables de faire appel à eux au moment propice et au bon endroit. La *persona* est nécessaire car, selon le niveau de conscience, les gens perçoivent différemment une situation donnée. S'exposer aux blessures psychiques, par naïveté ou délibérément, ne relève pas du raisonnable. Y penser deux fois avant de jeter des perles aux pourceaux, ce n'est pas faire preuve de suffisance, mais de bon sens.

Il arrive souvent qu'au fur et à mesure que s'opère le processus de transformation, grossesses et nouveau-nés apparaissent dans les rêves d'un individu. Quand le moi conscient arrive à libérer l'énergie psychique réprimée, qu'il retourne puiser dans l'énergie inconsciente du corps ou qu'il prend ses propres décisions, cette nouvelle énergie trouve son symbole dans une vie nouvelle. Quand la psyché se prépare à passer à un autre niveau de conscience ou que l'attitude consciente de quelqu'un a permis la création d'un nouveau lien avec l'inconscient, alors il arrive qu'on fasse des rêves où le moi, l'ombre ou l'*anima* sont représentés sous forme d'images de grossesse. Neuf mois plus tard, pour autant que le processus n'ait pas avorté, il arrive souvent en rêve, qu'on franchisse des frontières, qu'on entre dans un nouveau pays, qu'on se déplace dans des tunnels souterrains ou que l'on donne effectivement naissance (page 240). Si le moi maintient le contact, le nouveau-né reçoit la nourriture de l'âme. Si le moi hésite, n'arrive pas à se ressourcer à cette nouvelle énergie, le bébé peut alors apparaître mutilé, affamé, mort même, ou encore, il peut tout simplement disparaître.

J'ai constaté que les individus ont tendance à répéter l'événement de leur propre naissance chaque fois que la vie leur demande de passer à un niveau de conscience nouveau. Ils revivent leur propre entrée dans le monde chaque fois qu'ils abordent une nouvelle étape de leur croissance. Ainsi, quand leur naissance s'est déroulée normalement, ils ont tendance à affronter les transitions avec un courage et une confiance tout à fait naturels. Si leur naissance a été difficile, ils se font craintifs, ont l'impression de suffoquer, deviennent claustrophobes (psychiquement et physiquement). Nés avant terme, ils tendent toujours à être en avance sur eux-mêmes; mais si leur naissance a été retardée, le processus de renaissance risque de s'accomplir très lentement. S'ils se sont présentés par le siège, ils sont portés à traverser la vie à reculons. S'ils ont été mis au monde par césarienne, ils ont tendance à fuir les confrontations. Nés d'une mère fortement anesthésiée au moment de l'accouchement, ils risquent d'affronter la vie avec beaucoup d'énergie jusqu'au moment d'une transition et alors, sans raison apparente, ils ont tendance à s'arrêter ou à reculer pour attendre que quelqu'un d'autre intervienne à leur place. C'est souvent à ce moment que les phénomènes de dépendance refont surface: excès de nourriture, de boisson, de travail — tout ce qui leur permet d'esquiver la réalité d'un monde plein de défis.

Nombreux sont les bébés charmants présents dans les rêves, et tout aussi nombreux sont les petits tyrans qui ont besoin d'une discipline à la fois ferme et aimante. Cependant, un type d'enfant ressort parmi tous les autres. C'est l'enfant abandonné, qui peut apparaître parmi les joncs, sur la paille dans l'étable, dans un arbre, presque toujours dans quelque endroit oublié ou éloigné. Cet enfant rayonne; il est fort, intelligent, sensible. Souvent, il peut parler quelques minutes à peine après sa naissance. Il a de la Prestance. C'est l'Enfant divin, qui porte en lui «l'agonie amère et douloureuse» du nouvel Évangile, l'agonie du Mage d'Eliot. À sa naissance, les anciens dieux sont détrônés.

Puisque la psyché tend naturellement vers la complétude, le Soi tâchera d'en faire reconnaître les éléments laissés dans l'ombre, car ceux-ci renferment une énergie de la plus grande importance: l'or caché sous le fumier. Dans la Bible, c'est la pierre que les maçons ont rejetée qui est devenue la pierre angulaire[9]. Mais cette énergie nouvelle constitue une menace pour le moi qui essaie par tous les moyens — modification subtile ou brutale de la personnalité ou, inversement, accès de fanatisme — de la repousser. Si le moi n'arrive pas à franchir le passage psychique qui mène vers la vie, il y aura apparition de symptômes neurotiques sur les plans physique et psychique. La douleur peut être intense, elle découle néanmoins de l'adoration de faux dieux. Elle n'a rien de la souffrance réelle qui accompagne l'effort d'intégration à une vie nouvelle. Le névrosé est toujours en retard d'une phase sur la réalité. Alors qu'il devrait être en train de mettre fin à ce qui était propre à l'enfant, il s'y attarde. Alors qu'il devrait assumer sa vie d'adulte, il s'accroche aux folies de sa jeunesse. Toujours en désaccord avec lui-même ou avec les autres, il n'est jamais là où il semble être. Il est incapable de vivre au *présent*.

Chez beaucoup, la psyché œuvre à travers le quotidien pour les rapprocher de la complétude, mais comme ils ne comprennent pas les rites de l'initiation, le sens des événements leur échappe. Ils affichent une *persona* heureuse toute la journée, mais rentrent chez eux le soir et passent la nuit à verser des larmes. L'être aimé les a quittés pour quelqu'un d'autre; ils ont échoué en affaires; ils ont perdu tout intérêt pour leur travail; ils sont aux prises avec une maladie incurable; un être cher est mort; pire encore, tout s'est mis à mal aller sans raison apparente. Si les rites de passage leur sont totalement étrangers, ils se voient comme des victimes, impuissants devant un Destin qui les accapare. Cette souffrance, dont ils ne comprennent pas la signification, les amène à chercher une porte de sortie: excès de table, alcool, drogue, plaisirs sexuels. Ou, encore, ils se dressent contre les dieux en criant: «Pourquoi moi?»

Ils ne comprennent pas qu'on leur offre la possibilité de renaître dans une vie différente. Ces échecs, ces symptômes, ces sentiments d'infériorité et les problèmes qui les accablent sont là pour les convaincre de renoncer aux attaches désormais superflues de la vie. La renaissance éventuelle coïncide avec l'effondrement du passé: c'est pourquoi Jung s'attache à nous faire voir l'aspect positif de la névrose[10]. Mais, faute de comprendre ceci, nous nous accrochons à ce qui est familier; nous refusons de consentir aux sacrifices nécessaires; nous résistons à notre propre croissance. Ne pouvant rompre avec des habitudes bien ancrées, nous demeurons inaptes à recevoir une vie nouvelle.

À moins que des rites culturels ne nous confortent dans ce bond d'un niveau de conscience à un autre, il nous manquera le lieu d'actualisation où pourra se dérouler le processus. Celui qui ne comprend pas les mythes, les religions ou la relation qui existe entre destruction et création, entre mort et renaissance, se retrouve seul à contempler les mystères de la vie qui, pour lui, font figure de violence insensée. Pour alléger ses souffrances inutiles, il se crée des dépendances afin d'écarter les impératifs confus du processus de croissance, que l'absence de structures culturelles lui empêche de comprendre.

La grande question qui se pose au début des séances chez l'analyste est: «Qui suis-je?» Cependant, dès que les émotions fortes commencent à faire surface, un autre problème surgit, plus immédiat, celui de la dissociation somato-psychique. Même si les femmes ont tendance à parler de leur corps beaucoup plus que ne le font les hommes, il n'en demeure pas moins que, dans notre société, les deux sexes sont cruellement isolés de leur propre expérience corporelle. Quand une femme dit: «Je n'ai pas un beau corps!», quand un homme passe un temps exagéré à développer sa musculature, quand les deux se préoccupent de leur apparence physique sans tenir compte de leurs besoins psychiques, c'est qu'ils perçoivent le corps comme un ensemble à part. On les entend souvent dire: «Je ne ressens rien au-dessous du cou. Je ressens avec ma tête, mais pas avec mon cœur.» L'absence de réaction émotive devant l'image puissante d'un rêve vient confirmer cette rupture. Mais lorsque par l'imagination active, ils prennent contact avec l'image du rêve, leurs muscles, dans leur corps, vibrent sous le choc de la douleur refoulée. Ce corps devient leur souffre-douleur. S'ils souffrent d'anxiété, il sera, par ricochet, privé de nourriture, ou, inversement, il sera gavé, drogué, enivré, forcé à vomir; on le poussera jusqu'à l'épuisement, jusqu'à ce que, aux abois, il soit contraint à se défendre sauvagement contre cette auto-destruction. Mais lorsque le magnifique animal tente d'émettre des signaux d'avertissement, on le réduit au silence à coups de pilules.

Bien des gens font plus de cas de leur chat que de leur propre corps méprisé. Parce qu'ils prennent un soin affectueux de leur petit animal, celui-ci leur rend leur amour. Leur corps, cependant, doit parfois lancer des appels déchirants pour se faire entendre. Et pourtant, avant l'apparition de ce symptôme ultime, des cris moins percutants se font entendre à travers les rêves: ceux d'un bébé éléphant abandonné, d'un chaton affamé, d'un chien à la patte arrachée. Presque toujours, l'animal blessé tente, avec douceur ou avec violence, d'attirer l'attention du rêveur qui répond parfois, tel quel, à cet appel et qui parfois, n'y répond pas. Dans les contes de fées, c'est souvent grâce à l'amitié d'un animal que le héros ou l'héroïne atteint son but. Cet animal représente l'instinct qui sait comment obéir à la Déesse quand la raison fait défaut.

Il est possible que l'appel du corps délaissé, appel qui se manifeste sous la forme d'un symptôme, soit le seul moyen que l'âme ait trouvé de se faire entendre. Si nous avons passé notre vie derrière un masque, tôt ou tard — avec un peu de chance — le masque sera brisé. Il nous faudra alors faire face à notre propre réalité, dans notre propre miroir. Il se peut que nous soyons épouvantés. Que verrons-nous alors? Peut-être les yeux terrifiés de l'enfant que nous étions autrefois, cet enfant qui n'a jamais connu l'amour et qui nous implore maintenant de le reconnaître. Il est seul; sa solitude date de notre gestation, de notre naissance, ou encore du jour où nous nous sommes mis à jouer le jeu de nos parents, apprenant à bien entrer dans notre rôle pour nous faire accepter. En vieillissant, il nous arrive de continuer de tourner le dos à cet enfant en jouant le jeu des autres — enseignants, professeurs, patrons, amis et partenaires, analystes même. Pendant ce temps, l'enfant qui est notre propre *âme* nous appelle de sous les décombres de notre vie, son cri s'élève parfois du fond de notre pire complexe. Cet enfant nous implore de lui dire: «Tu n'es pas seul. Je t'aime.»

Il ne faut à aucun prix relâcher la tension bipolaire. Pour élargir la sphère de notre conscience, il nous faut garder les deux bras sur la croix. Rejeter une partie de nous-mêmes, c'est nous couper de notre passé; rejeter l'autre partie, c'est nous défaire de notre futur. Il faut s'agripper à nos racines et bâtir à partir de celles-ci. Ces racines prennent souvent la forme d'un chez-soi psychique: la petite maison à la campagne que le rêveur affectionne particulièrement; son pays d'origine ou celui de ses ancêtres. Ce désir ardent de retourner «chez soi» doit être perçu comme un symbole: en effet, il constitue souvent bien autre chose que la nostalgie régressive du fœtus. Il peut très bien être l'unique racine qui ait soutenu toute une vie, la seule voie par laquelle monte la vraie sève de la croissance spirituelle.

Que cela nous plaise ou non, nous devons composer avec les opposés psychiques à tous les niveaux de notre conscient jusqu'à ce que corps, âme et esprit vibrent d'un commun accord. Les rites de l'initiation, lorsqu'ils nous sont imposés au moment opportun, servent à nous détacher du superflu, nous ouvrant aux nouvelles possibilités que nous offre notre unicité. Ils arrachent les voiles de l'illusion jusqu'à ce qu'enfin nous soyons assez forts pour nous tenir debout, dans la nudité de notre propre vérité.

Ce processus se reflète souvent dans les rêves par des images de travail en cuisine, d'autos, d'armoires ou de vêtements. Les tâches de Cendrillon s'accomplissent à la cuisine. Une fois qu'on y a apporté les offrandes de la nature, pour les plumer et les vider; une fois qu'on les a fait cuire et rendues acceptables pour le conscient, l'âme se sent forte. Le Père et la Mère ne sont plus au volant de l'auto. On a cessé de faire du rangement dans les armoires et tiroirs de la vie réelle tandis que dans nos rêves, le tri porte sur des détails subtils. Nous n'en sommes plus à l'état de constante frustration de ne pas savoir quoi porter. Les chaussures désassorties se sont enfin alignées en paires de même couleur, aux talons de même hauteur. Il peut même arriver qu'il n'y ait pas de chaussures: rien que des pieds bien solides sur la terre ferme. Le Soi accorde habituellement au moi le temps de savourer sa nouvelle force — parfois des mois, parfois des années. Chaque cas est unique et évolue à son propre rythme.

L'existence et la continuité du moi sont indispensables au déroulement normal d'une vie. Il est important qu'on ne dissocie pas la personne qui se réveille le matin de celle qui s'est endormie la veille, même si ce qui s'est passé pendant ses heures de sommeil peut sembler si étranger à son état de veille, qu'il ne parviendra jamais à pénétrer le conscient. Une façon pour le moi de préserver son intégrité est de se défaire de tout ce qui ne lui apporte pas un appui direct. Il exclut ou supprime alors tout simplement ce qui ne concorde pas avec sa connaissance consciente de lui-même.

Mais en limitant ainsi son champ de vision, le moi risque de se durcir et de se dessécher, tout comme la terre durcit et se dessèche faute d'arrosages réguliers. Le moi a besoin de s'abreuver aux sources de l'inconscient. Il lui faut la vie compensatrice des rêves pour se prolonger au-delà de la simple survie et de la perpétuation. Le moi a également besoin d'être guidé et motivé. Cependant, dès qu'il cherche à se dépasser, il se sent menacé, non seulement par la crainte de ne pas atteindre son nouveau but, mais par la sensation croissante que ce but, avec ses exigences, est son ennemi. D'une certaine façon, le moi a l'impression de se nuire à lui-même. À la longue, cela est vrai, mais c'est pour un plus grand bien.

Le but de notre engagement dans le processus d'individuation est la reconnaissance du Soi, le centre régulateur de la psyché. Cette reconnaissance détermine la place relative du moi dans la structure psychique et amorce le dialogue entre le conscient et l'inconscient. «Le Soi ne peut se manifester que dans le conflit», écrit Marie-Louise von Franz. «La rencontre du conflit insoluble et éternel, c'est la rencontre avec Dieu; ce qui marquerait la fin du moi et de toutes ses sornettes[11].»

Si le moi refuse ce conflit, le but sera alors contaminé par le désir du moi: un désir grandissant de pouvoir, de richesses ou de bonheur. Il en résultera une inflation du moi. Selon Jung:

> Une conscience souffrant d'inflation est toujours égocentrique et n'est consciente que de sa propre présence. Elle est incapable de tirer la leçon du passé, incapable de comprendre les événements contemporains et incapable de tirer les conclusions valables pour le futur. Elle est hypnotisée par elle-même et c'est pourquoi il est impossible de s'en faire entendre. Par suite, elle est condamnée

> à des catastrophes qui peuvent la frapper à mort. Assez paradoxalement, l'inflation est une perte de conscience et une rechute dans l'inconscience. Le cas se produit lorsque la conscience s'attribue des contenus de l'inconscient et perd la faculté de discrimination, condition *sine qua non* de toute conscience[12].

Le moi «gonflé» tend à l'idolâtrie. Il se concentre sur une seule image qu'il façonne et vénère. Bien résolu à créer cette image, il se retrouve prisonnier du rituel profane.

D'un point de vue religieux, ces rituels profanes font tous partie de l'adoration du Veau d'Or. Par exemple, l'image qu'a la femme obèse de son corps peut très bien être son Veau d'Or. Peu importe à quel point elle croit le détester, tous ses rituels s'y rapportent. Et c'est cet asservissement à l'image qu'elle s'est créée de son corps dont elle aura éventuellement à faire le sacrifice. Le culte du profane doit être sacrifié pour faire place au culte du sacré. La fin de l'un marque le début de l'autre. Nous ne pouvons nous dégager de l'un sans nous engager dans l'autre. Se dégager équivaut à s'engager. Si nous accentuons l'un ou l'autre, nous accentuons la même chose.

Les débuts de ce processus se traduisent parfois dans les rêves par le son du glas, par une sonnerie d'alarme ou par le bruit de la foudre. Ils peuvent également s'annoncer par des symptômes physiques. Le processus est parfois déclenché par la perte de la foi, la rupture d'une amitié ou l'imminence de la mort. Quelque chose d'à peine perceptible commence alors à se produire. Ceux qui observent leurs rêves remarqueront que le glas sonne généralement quelques semaines avant l'événement. Dans la vie réelle, leur comportement demeure inchangé, mais une voix intérieure peut commencer à retentir clairement en eux, laissant entendre que les choses ne sont pas ce qu'elles paraissent être. Il pourrait nous arriver de fredonner des chansons qui donnent une tournure ironique à nos actions conscientes. Le bouffon qui nous habite pourrait se mettre à chanter «Vivre avec toi!» sur l'air de «Je veux te dire adieu». Le moi qui manque de force ou de souplesse deviendra en proie à la panique et régressera jusqu'à la terreur première de son anéantissement, ou encore il endossera son ancienne camisole de force — d'une façon ou d'une autre, il refusera de franchir le passage vers la vie.

Le moi doit maintenant avoir la force de demeurer concentré dans la tranquillité, afin de pouvoir faire la part positive et la part négative de ce qui arrive. Il doit demeurer détaché, se fiant tantôt à sa féminité différenciée qui appelle à la soumission, tantôt à sa discrimination masculine qui l'incite à remettre en question et à trancher. Cependant que le conscient vit ce conflit comme une crucifixion, quelque chose d'immense commence à se produire au plus profond de la personnalité. Les désirs du moi ne sont plus pertinents. Les questions d'avant ne veulent plus rien dire; d'ailleurs, elles sont sans réponses. On pourra lancer quelques «pourquoi» angoissés, mais ces questions relèveront de la logique et de la discipline alors que ce qui arrive est irrationnel et échappe à l'emprise du moi. À un certain niveau, le moi en est conscient. Il sait que ce qui arrive doit arriver. Il sait que ses désirs personnels doivent être sacrifiés au nom du transpersonnel. Il se sait en train de se confronter à la mort.

Moments de douleur vibrante, c'est le roi Lear qui hurle dans la lande, qui se traîne à genoux, qui retrouve sa fille dont la seule dot est sa vérité. Enfin, il lui dit:

Sur de tels sacrifices, ma Cordélia,
les dieux mêmes jettent l'encens[13].

C'est Job couvert de furoncles, passant de «Ne me traite pas en coupable, fais-moi connaître tes griefs contre moi» à «Je ne te connaissais que par ouï-dire, maintenant, mes yeux t'ont vu[14].»

C'est Jésus suant le sang à Gethsémanie, passant de «Mon père, s'il est possible, que cette coupe passe loin de moi!» à «Que ta volonté se réalise[15]!»

Pendant une telle étape de désengagement-engagement, pendant ce passage d'un culte à un autre, une femme a eu cette vision:

Je marche le long du Saint-Laurent par un jour ensoleillé d'été. Je me crois en route pour la Maison. Soudain, le ciel s'obscurcit et la terre devient froide. Je ne vois plus avec mes yeux;

je n'entends plus avec mes oreilles. Je vois et j'entends du dedans. Je m'aperçois alors que je me trouve sur la glace, flottant sur place, puis emportée par la force du courant. La glace commence à se fendiller. Je saute d'une banquise à l'autre, mais la surface glacée s'ouvre devant, derrière, sur les côtés. Je pense que je vais mourir dans cette eau glacée, ou être broyée entre les glaces flottantes qui s'entrechoquent. Et pendant tout ce temps, je sais que je suis poussée vers la mer. Et je ne fais que sauter et crier: «S'il te plait, mon Dieu, ne me tue pas. Pas encore. Pas cette fois-ci.»

En de tels moments, ces paroles de Rilke peuvent être rassurantes:

> Je voudrais vous prier, [...] d'être patient en face de tout ce qui n'est pas résolu dans votre *cœur*. Efforcez-vous d'aimer *vos questions elles-mêmes*, chacune comme une pièce qui vous serait fermée, comme un livre écrit dans une langue étrangère. Ne cherchez pas pour le moment des réponses qui ne peuvent vous être apportées, parce que vous ne saurez pas les mettre en pratique, les «vivre». Et il s'agit précisément de tout vivre. Ne vivez pour l'instant que vos questions. Peut-être, simplement en les vivant, finirez-vous par entrer insensiblement, un jour, dans les réponses[16].

De telles situations, qu'elles se produisent en analyse ou dans la vie quotidienne, ou dans les deux, peuvent nous amener à nous poser de profondes questions d'ordre religieux. «S'agit-il d'une confrontation entre Dieu et moi? Ai-je fait fausse route? M'oblige-t-on à prendre un autre chemin? Suis-je forcé de me soumettre? Dois-je obéir au Destin? En fait, ai-je une *parcelle* de volonté bien à moi? Dieu est-il en train de détruire les voiles de l'illusion ou suis-je en face du diable? Est-ce une dernière tentative pour me dérober à ma propre vie?»

Du point de vue psychologique, les questions sont toutes aussi virulentes les unes que les autres. Est-ce le Soi qui exige un

***William Blake, frontispice de* Les Portes du Paradis,**
traduit de l'anglais par Pierre Leyris dans William Blake, Œuvres (4 vol.),
Paris, Aubier-Flammarion, 1974.

sacrifice? Ou est-ce là le vrai visage du complexe qui a empoisonné ma vie? Juste au moment où je me sentais délivré, le voilà qui vient me détruire. Tout ce que je me suis acharné à conscientiser est maintenant remis en question. Pourquoi est-ce que je me réveille brusquement toutes les nuits à la même heure? D'où me vient cette douleur aiguë? Pourquoi ai-je les mains aussi faibles? Suis-je vraiment *seul* ? Ma situation est pire qu'elle ne l'a jamais été. Je suis retombé dans les même cercles vicieux. C'est le retour dans la matrice — le retour au Jardin que je reconnais pour la première fois. Cet être est-il vraiment moi? Est-ce là cet être que j'ai fui toute ma vie?

Sur le plan psychologique, le moi, tout comme le roi Lear, Job et Jésus, pénètre dans l'âme universelle archétypique tout en s'imprégnant d'elle, dans sa tentative de ramener au conscient ce qu'il peut de ce vaste inconnu. Il fait l'expérience de cette autre loi, cette loi interne qui opère en lui; il commence à se rendre compte qu'il doit obéir à un autre destin, un destin qui lui est propre. Il est conscient d'assister à une naissance nouvelle; il doit accorder sa respiration au rythme de la douleur et se laisser aller.

Grand nombre de ceux et celles qui appartiennent à notre culture essaient de franchir ce passage seul, sans aucun contenant rituel, sans aucune tribu, pour les épauler face à cet afflux de puissance transcendantale. À l'instar du Mage d'Eliot, ils perçoivent cette naissance comme une «agonie amère et douloureuse [...], comme la Mort [...], notre Mort». Ils ne se sentent plus «à l'aise dans l'ancienne dispensation, avec ces peuples étrangers qui se cramponnent à leurs dieux».

Sans lieu d'actualisation, sans groupe d'appartenance, nous sommes en proie à un esseulement quasi intolérable. Le moi individuel doit être assez fort pour fabriquer sa propre chrysalide et établir ainsi des liens de communication aimants avec ses propres symboles internes. C'est leur caractère sacré qui apporte la confiance, l'intégrité, l'humour et l'illumination sans lesquels le moi ne saurait ni survivre, ni prendre de l'expansion. Un moi infantile, primitif, inconscient ne peut garantir la viabilité d'une chrysalide. Il veut tout actualiser et, en accord seulement avec l'ordre naturel des choses, il met sur le dos de la magie tout ce qui dépasse son entendement. Il surestime la valeur de la chrysalide en soi, la protège d'un vernis sentimental. En revanche, le moi enfantin — au premier sens du mot — permet de contenir la tension bipolaire, de se réapproprier les images projetées, de méditer sur le mystère intérieur. Sur le plan transpersonnel, les symboles sont à la fois personnels et universels. À ce niveau, personne ne se trouve seul. Des rapports nouveaux prennent forme, passant outre aux masques éphémères pour rejoindre le monde d'une manière bien différente.

Quelques heures avant sa mort, Thomas Merton, auteur de *The Seven Storey Mountain*, donnait une communication qu'il terminait en exhortant son auditoire à s'ouvrir «à la douleur qui accompagne la transformation intérieure»:

> L'essentiel [...] n'est pas encastré dans les biens immobiliers, ni dans les parures; rien ne dit même qu'il soit enchassé dans une loi. Il y a quelque part une ligne de

conduite qui va au-delà de ce qu'est une loi. Il s'agit de toute cette affaire de transformation intérieure[17].

Selon ses propres écrits, c'est au cours de son voyage en Asie que Merton a achevé sa propre transformation intérieure alors qu'il se tenait, pieds nus, devant les Bouddhas géants de Polonnâruwa au Sri Lanka. «Je sais ce que je cherchais vaguement», a-t-il écrit, «et je l'ai vu. Je ne sais pas ce qu'il reste d'autre, mais maintenant j'ai vu et j'ai transpercé la surface et je suis allé au-delà de l'ombre et du masque[18].»

Quand Merton demanda au supérieur d'un temple bouddhiste: «La connaissance de la liberté, c'est quoi?», le religieux répondit: «Il faut franchir toutes les marches, et quand il n'en reste plus, il faut alors faire le bond. La connaissance de la liberté, c'est la connaissance, l'expérience de ce bond[19].»

Échos de la chrysalide

Faire confiance à la vie, je trouve ça difficile. Ce qu'il me faut, c'est lui mettre la main au collet, bien la tenir par le cou et y mordre à pleines dents. Comme ça, je sais qu'elle ne m'échappera pas.

J'essaie de savoir où je suis rendu, non pas combien de chemin il me reste à parcourir.

Maintenant que je suis en contact avec mon horloge intérieure, j'avance si lentement. Ma vie m'écrase. Le choc des valeurs me dépasse. Est-ce que je perds mon temps?... Je ne sais pas... La terrible solitude.

Je me suis toujours identifié à ce que je ne suis pas. Mais qui suis-je? Ma culpabilité, ma honte et ma peur commencent à faire de moi un être humain.

Toujours, j'attendais que toutes les responsabilités soient acquittées: alors il y aurait du temps pour moi. Comment? Je ne me suis jamais posé la question. J'ai été si occupé à *faire* que je suis passé à côté de quelque chose qui m'importait beaucoup. Je ne crois pas avoir jamais été enfant. Je n'ai aucun souvenir d'avoir été un très jeune enfant, conscient d'être MOI.

Je me demande s'il faut en arriver à un holocauste, extérieur ou intérieur, pour nous aider à nous rendre compte de ce qui est essentiel dans la vie.

J'ai vécu en souriant à la vie, en souriant à la vie... au point où j'en mourais.

J'ai la rage de vivre. Je veux tellement être libre.

J'essaie de croire... croire que je naîtrai un jour.

Je suis tellement décontenancé. Tous les jours, je prie le ciel qu'il me guide et m'empêche de trébucher sur les choses. J'arrive à m'endormir quand je m'oriente sur les étoiles.

L'esprit est dans le volcan intérieur. Ces jours-ci, mes relations avec autrui ne sont pas très réussies, alors je retourne au travail. J'y suis en sécurité. Mais même là, tout n'est pas parfait.

Si je dois réagir à une chose de plus, j'éclaterai... Je me retire. Je suis dépassé par les pressions du monde extérieur et les pressions accumulées du monde intérieur me rendent physiquement malade.

Autrefois, je me sentais capable: je savais parler, écrire. Maintenant, je ne me sens jamais en sécurité parce que les mots m'échappent.

Est-ce que je me bats contre mon destin ou est-ce mon destin qui demande que je prenne position?

Quand j'atteins cette essence et que je reconnais en moi ce que je fuyais, je me sens humble.

Je suis mademoiselle Compassion, mademoiselle Humanité. Je suis la pièce manquante. Je suis aussi un enfant de Dieu.

Pour se débarrasser de son passé, il faut pardonner — faire face et pardonner — et repartir au présent. Il faut se pardonner à soi, et pardonner à Dieu.

Je détestais mon père. Comme je l'imitais, je savais que je me détestais moi-même.

2

«Prendre la vie comme un homme»: l'abandon chez la femme créatrice

> Chaque nuit, je suis figée sur place
> et j'oublie qui je suis.
> Papa?
> C'est une autre sorte de prison.
>
> *Anne Sexton, «Sleeping Beauty».*

Pour bien des femmes, qui sont nées et ont grandi dans une culture patriarcale, l'initiation au monde de la femme adulte passe par l'abandon, réel ou psychologique. C'est à travers cette expérience qui leur confère leur identité qu'elles se libèrent de leur père.

Certaines femmes sont capables d'accepter leur destin au sein d'une relation patriarcale traditionnelle, trouvant dans ses contraintes évidentes — sociales, intellectuelles ou spirituelles — des compensations qu'elles estiment importantes. D'autres, ayant accepté ce destin tout en demeurant réfractaires à ses entraves, se voient forcées, pour des raisons financières, politiques ou sociales, de se plier à ses impératifs.

Cependant, un nombre grandissant de femmes dont la vie avait comme pôle psychique le père, réel ou imaginaire, sont aujourd'hui décidées à s'engager dans l'initiation. Ces femmes, poussées par un besoin intérieur, sont des créatrices, des «bâtisseurs d'âme», c'est-à-dire qu'en cherchant un sens à leur vie, elles sont poussées vers la découverte de leur propre histoire intérieure. Elles rejettent l'imposition importune des valeurs collectives masculines, mais, presque inévitablement, leur quête intérieure d'une identité propre les amène à une confrontation avec les forces mêmes qu'elles s'acharnent à apprivoiser. Alors qu'elles tentent d'échapper aux restrictions réelles que leur impose la culture patriarcale, elles ont tendance, même en toute conscience, à devenir les victimes de cette culture. Soit que le père intérieur auquel elles cherchaient à plaire en bâtissant leur âme se retourne contre elles — ou du moins, semble-t-il le faire — dès que l'image du père est projetée sur un homme; soit qu'elles cherchent reconnaissance et récompense dans des domaines de créativité encore à prédominance masculine.

Bien que cette situation soit en voie de changer, il reste beaucoup de chemin à parcourir. Nous sommes loin de comprendre la dynamique psychique de ce changement. Les hommes et les femmes qui sont pris dans cette dynamique ont beau être consciemment engagés dans des rapports qu'ils veulent ouverts, ils n'arrivent toujours pas à se rejoindre, en dépit de leurs efforts héroïques. Ils refusent d'avouer leur échec même quand c'est ainsi qu'ils éprouvent leur expérience. La relation analytique, qui joue souvent le rôle de microcosme culturel, sert à mettre clairement ce constat en évidence.

Si le mot «abandon» vient de l'ancien français (à bandon: sans permission), tel n'est pas le cas de sa racine «ban» (ordonnance, proclamation). Le «banni» n'avait donc plus de destin, car il s'était soustrait à l'autorité et, par conséquent, à la protection de son seigneur. Mais, si ce destin est dicté par le père, peut-être vaut-il mieux ne pas avoir de destin. Hors de la tutelle du père, la fille peut enfin «s'abandonner» au processus de création de soi. Ce rite de passage porte en lui le double sens de l'abandon. Emily Dickinson nous le résume, dans son style elliptique habituel:

> Je suis cédée, j'ai cessé d'être leur;
> Le nom qu'ils laissèrent tomber sur mon visage
> Avec de l'eau, dans l'église campagnarde,
> C'est fini de l'employer;
> Et ils peuvent le mettre de côté avec mes poupées,

Mon enfance et le cordon de bobines
Que j'ai aussi fini d'enfiler.

Baptisée jadis sans mon choix,
Mais cette fois consciemment de par la grâce
Vers le nom suprême,
Appelée à ma plénitude, le croissant étant tombé,
L'arc tout entier de l'existence rempli
D'un petit diadème.

Mon second rang; le premier était trop petit;
Couronnée, chantant sur le cœur de mon père,
Reine à moitié inconsciente;
Mais cette fois, adéquate, debout,
Avec la volonté pour choisir ou rejeter,
Et je choisis — rien qu'un trône[1].

La «reine à moitié inconsciente», telle que je la perçois, est unie, pour le meilleur ou pour le pire, à son imagination créatrice, situation qui trouve sa source dans sa filiation psychologique au père. Même dans l'enfance, cette femme est «au ban», c'est-à-dire qu'elle se soustrait à l'ordonnance à laquelle se conforment les autres enfants. Pendant l'adolescence, pendant que ses sœurs consacrent leurs énergies à s'assurer jonc, bébés et bans de mariage, elle est bannie par son propre décret. Sa créativité est de nature différente: pièces de théatre, tableaux, sonates ou expériences scientifiques. D'une certaine manière, elle se sent continuellement bannie de la vie et désire ce que les autres tiennent pour acquis. Mais bien que par certains côtés, elle se sente abandonnée, elle sait que renoncer à sa propre créativité entraînerait l'abandon de son âme.

Plusieurs variables entrent dans la définition de la femme créatrice. Certaines femmes expriment leur créativité dans la façon dont elles aménagent leur foyer: elles créent pour leur mari et leurs enfants un environnement d'amour, de spontanéité; un lieu d'où partir et où retourner. D'autres sont créatrices par le biais d'un travail professionnel qui les appelle à s'extérioriser. Quelques-unes arrivent à mener de front les deux projets. Mais je pense ici à la femme créatrice en tant que personne contrainte intérieurement à établir un rapport avec sa propre imagination créatrice.

Bien que ce jeu de lumière et d'ombre soit plus ou moins nuancé selon la personne, nous pouvons arrêter un modèle type de la psychologie d'une telle femme. Petite fille, elle aime et admire son père, ou l'image qu'elle s'est faite d'un père absent. Et, apparamment, ses sentiments sont fondés. Son père est courageux, intelligent et sensible; c'est un homme aux grands idéals, un visionnaire sans cesse en quête de quelque chose, un homme qui, souvent, n'a jamais trouvé sa place dans une société patriarcale. L'idée qu'il s'est faite de la femme parfaite l'a conduit tout naturellement au mariage avec une femme qui aimait sa façon de voir les choses, la plupart du temps, avec une «fille du père» qui a renoncé à son propre rêve devant la réalité du mariage et de la famille. Ainsi l'homme *puer* trouve sa compagne chez la femme *puella* [2].

Dans ce genre de foyer, il n'y a pas de place pour la turbulence d'enfants indisciplinés, pour les «immondices», pour l'élément chthonien ou le terre-à-terre féminin. On n'y trouve pas non plus l'énergie d'une sexualité consciente. Si le père peut être «l'homme de la maison», c'est néanmoins la femme, la mère qui «porte le pantalon». Saturée de sexualité réprimée et de rancœur, celle-ci gère sans fléchir sa vie de déceptions et projette son «invécu» sur ses enfants.

Pendant ce temps, le père, bénissant la présence réconfortante de sa femme-mère, a tout loisir de projeter ses propres valeurs affectives non épanouies — sa jeune *anima* — sur sa fillette. Ensemble, ils se construisent un Éden. L'enfant est prise dans un inceste spirituel, encore plus dangereux que l'inceste charnel puisque ni son père, ni elle n'ont de raisons de soupçonner qu'il y a anguille sous roche. Appelée à être «la petite princesse de son papa», l'enfant tient à la fois de mère spirituelle, de bien-aimée, de muse. Elle lui inspire des pensées et des sentiments qu'il ne connaît pas avec d'autres. Elle sait d'instinct s'interposer entre lui et un monde qui juge; elle sait d'instinct le raccorder à sa propre réalité intérieure. De fait, ce monde dans lequel elle joue un rôle d'intermédiaire entre le moi de son père et l'inconscient collectif est le seul qu'elle comprenne vraiment. Se nourrissant de la vision que son père a de la Lumière, de la Beauté et de la Vérité, sa jeune psyché est capable de sombrer dans les profondeurs de l'angoisse paternelle ou de s'élever jusqu'au sommet de ses rêves. Cet échange dynamique continue, tout au long de sa vie, d'être la source de sa créativité en tant que femme: sans celui-ci, sa vie se vide.

Si le père accepte la vie intérieure de sa fille, ils pourront alors vraiment partager le monde sans fin de l'imagination créatrice au point où les valeurs de celui-ci deviendront le monde réel de la fille. Reconnaissant facilement le côté illusoire du monde temporel, elle vise l'authentique, devenant souvent une véritable Cassandre, chassée à la fois par ses pairs et par les amis de ses parents. Elle puise un sentiment de sécurité dans son engagement envers l'*essence* (engagement qui, incidemment, peut conduire à l'anorexie parce qu'elle oubliera de manger ou encore parce que sa gorge refusera de s'ouvrir à la nourriture d'un monde dont elle ne fait pas partie). Cette femme vit à la limite de l'archétype, où la vie est excitante, pleine de dangers — tout ou rien, parfaite ou insupportable. Elle est peu familière avec le quotidien et n'a aucune patience pour les imbéciles.

Si le père n'a pas atteint une maturité lui permettant d'apprécier sa fille pour elle-même et si, par conséquent, de façon consciente ou non, il l'oblige à devenir sa vedette, cette dernière est alors prise dans un piège très différent puisque le père a tourné le dos à la réalité de sa fille. Incapable de s'identifier aux réactions qui lui sont propres, la fille renonce à elle-même pour tenter de plaire à Papa.

Bien que de tempéraments très différents, les filles de ces deux types d'hommes entrent dans la catégorie des «femmes anima» (canevas admirables pour les projections inconscientes des hommes). Elles feront toutes deux des rêves dans lesquels elles se retrouveront, par exemple, dans des solariums bien éclairés, dans des appartements sans cuisine, d'un bleu impeccable, dans des sacs de plastique ou encore dans des cercueils, menacées d'asphyxie. Toutes deux se rendent compte qu'une barrière se dresse entre elles et le monde, quelque chose qui les sépare de leurs sentiments, un voile rarement soulevé. Toutes deux s'efforceront de faire de la vie une œuvre d'art et seront vaguement conscientes de ne pas avoir vécu. En raison de cette relation primaire, la fille du père avance sur une corde raide, à peine séparée de l'inconscient collectif, incapable — comme Rainer Maria Rilke, par exemple — de faire la différence entre les anges et les démons personnels et le transpersonnel.

Et les démons sont tout aussi près d'elle que les anges, étant donné qu'elle vit dans l'ombre de son père. Ainsi, à moins qu'il n'ait cheminé intérieurement (par le biais de l'analyse, par exemple) et compris quelque peu sa propre psychologie *puer*, le père est probablement inconscient de son attitude ambivalente envers les femmes. Son attachement à sa propre mère peut avoir fait de lui un Prince charmant, mais ce prince n'est pas moins dépendant de l'approbation féminine. Son ombre chthonienne déteste cette dépendance; elle déteste également les femmes qui le font se sentir vulnérable. À moins de s'être acharné à analyser ses propres valeurs sentimentales, il se peut qu'il fonctionne à un niveau conscient comme un érudit ascétique, un prêtre, ou même un Don Juan insouciant, pendant que son ombre inconsciente sera un tueur froid et violent, résolu à détruire toute «sorcière» qui pourrait le mettre à sa merci. L'homme qui vit proche de son inconscient a toutes les raisons de se protéger contre le pouvoir séducteur de la lamia (voir l'illustration de la page 254), s'il veut échapper au sort pénible des artistes romantiques, dont plusieurs sont morts avant l'âge de quarante ans. L'ombre du *puer* ne s'arrête cependant pas à la mise à mort des sorcières; il peut aussi détruire la féminité de sa petite fille. En la maternant, la nourrissant, la chérissant, il peut faire d'elle une femme fatale dont l'attitude envers les hommes se résumera à tuer ou être tuée.

La femme fatale habite un corps inconscient: sa féminité, tout comme sa sexualité, est inconsciente. Souvent de mœurs faciles, elle manipule ses «amants» afin d'établir ses pouvoirs de femme; et pourtant, chez elle, l'amour n'est pas relié à la lubricité. Ainsi pourra-t-elle aimer son père (ou le père-substitut) de façon consciente et fonder sa propre créativité sur ces liens incestueux, tout en étant attirée par des aventures violentes et dangereuses.

Sa sexualité et sa féminité ont sombré sur les récifs de ses relations primaires avec sa mère. La mère *puella*, qui n'a jamais pris possession de son propre corps et, de ce fait, craint sa nature chthonienne, ne ressentira pas sa grossesse comme un moment de calme méditation avec l'enfant qu'elle porte; la naissance ne sera pas non plus pour elle un contact joyeux avec son enfant. Bien qu'elle puisse opter pour l'accouchement naturel, le fossé, qui sépare en elle la psyché du soma, est si profond qu'il empêche tout lien physique entre elle et son enfant. Tout au long de sa vie, l'enfant éprouvera une sensation profonde de désespoir, désespoir qui deviendra conscient si à un âge plus avancé, cette enfant explore les profondeurs inconscientes de son corps par le biais de l'imagination active, libérant les ondes de douleur et de terreur qui vibrent au rythme du rejet initial et primaire. Le corps qui nous apparaît en rêve, ficelé, encerclé d'un serpent noir ou encombré d'une queue de poisson, de la taille jusqu'aux pieds, peut renfermer un désir de mort trop profond pour provoquer des larmes. Cette enfant n'a pas trouvé dans le monde corporel de la mère, une matrice sécurisante; plus tard, à mesure que son corps mûrit et avance vers la puberté et qu'elle tente de situer ses propres frontières par rapport à celles de sa mère et à celles du monde extérieur, elle n'y trouve pas non plus d'appui. Incapable de définir ces démarcations physiques fondamentales, il lui arrive bien souvent d'ignorer réellement où elle commence et où elle finit en relation avec la Mater (mère). Tout au long de ses années de croissance, alors qu'elle devrait raffermir le sens de son identité physique, elle réagit au rejet inconscient de sa mère.

Ce qui suit est le récit d'un rêve d'enfance qui a hanté une femme jusqu'à ce qu'il puisse être mené à terme dans des séances d'analyse. Cette femme avait alors cinquante ans:

J'ai quatre ou cinq ans. Je me trouve avec ma mère dans un immeuble rempli de monde, un magasin à grande surface, je crois. Ma mère porte des vêtements sombres, un manteau et un chapeau bruns, ou noirs, et dans la cohue, je n'aperçois que son dos. Au moment où nous quittons l'immeuble, je suis retenue par la foule et ma mère, sans le savoir, s'éloigne et disparaît parmi les gens. J'essaie de l'appeler, mais elle ne m'entend pas; personne ne m'entend. J'ai très peur, non seulement d'être perdue mais parce que ma mère ne remarque pas notre séparation.

Je sors de l'immeuble pour arriver sur le haut d'un long escalier aux marches très larges, un peu comme celui donnant sur le National Gallery de Londres, mais plus haut. Les marches descendent vers une grande place, vide de tout objet, mais entourée d'escaliers semblables menant aux immeubles de l'autre côté. La place, les escaliers et les immeubles sont très propres et blancs. D'où je me trouve, je promène mon regard sur la place espérant y voir ma mère. Aucun signe d'elle. Je suis seule sur l'escalier. Il y a d'autres personnes sur la place, mais elles ne sont pas conscientes de ma présence. Je sais que quoi que je fasse, personne ne me remarquera.

Je suis prise de panique et bouleversée à l'idée d'être perdue, d'avoir été abandonnée. C'est comme si j'avais cessé d'exister pour ma mère, comme si elle n'allait pas se donner la peine de revenir me chercher. Peut-être même m'a-t-elle complètement oubliée et qu'en fait, personne n'est conscient que j'existe.

Pendant l'espace d'un moment, pendant que je vis tout cela, je suis une adulte qui regarde la place et aperçoit une jeune enfant qui, debout, seule au haut de l'escalier, tente d'appeler. Je suis également moi, une femme adulte qui ressent beaucoup de compassion pour cette enfant et qui désire la réconforter, la rassurer, mais qui n'arrive pas à l'atteindre. Quelque chose — l'inconscience des autres ou la propre panique de l'enfant — empêche toute communication entre l'enfant et l'adulte, qui se fait du souci pour elle et qui la comprend.

Edward Munch,* Le Cri, *lithographie, 1893.

Cette femme associait son rêve au tableau d'Edward Munch, intitulé *Le Cri*, qui provoquait en elle une panique analogue. «Le fond y est sombre, ténébreux, disait-elle, alors que dans mon rêve, l'environnement est très clair, blanc et bien découpé, parsemé de formes noires, imprécises mais également bien définies. Celui qui hurle essaie d'échapper à son environnement; l'enfant de l'escalier essaie d'entrer en contact avec le sien.» Pour beaucoup d'hommes et de femmes, la vie est une prison de «tranquille désespoir» jusqu'au jour où ils se tournent vers l'enfant qui les habite.

La mémoire du corps, emmagasinée dans les muscles et les os, fusionne le désir de contact et le désir de fuite, de sorte qu'ils sont tous deux présents simultanément sous des formes indifférenciées. Le résultat, l'identité dans la contradiction, se manifeste sous forme de désespoir: on ne peut rien y faire, on doit tout endurer.

Le rêve raconté ci-dessus, avec son panorama d'escaliers et sa place «très propre et blanche», entourée de bâtiments, pendant que le rêveur se retrouve seul et incapable de «montrer aux autres qu'il existe» est le rêve caractéristique d'un anorexique. (La femme qui faisait ce rêve n'était pas anorexique mais son fils adolescent souffrait de troubles d'alimentation graves.) Il fait ressortir son incapacité d'entrer en contact avec les inconnus qui habitent sa propre psyché. Ils sont mis en présence mais ne peuvent pas communiquer. C'est comme si la Mater était concrétisée en dehors du corps parce qu'elle ne peut y être incorporée: l'enfant ne pourrait assimiler le lait et l'intimité physique d'une mère qui «ne se donnera pas la peine de revenir» et qui «l'a peut-être oubliée».

L'intimité psychique et l'intimité physique vont naturellement de paire, mais lorsqu'elles ont été séparées au stade préverbal, l'instinct se trouve isolé. La nourriture émotionnelle qui devrait être incorporée à la nourriture physique est absente; ainsi le pôle instinctuel de ce que Jung appelle «le processus psychoïde» ne reçoit pas le même message que le pôle psychique[3]. Sans l'expérience des instincts, ni l'âme féminine, ni l'esprit masculin ne prennent corps; il en résulte que plus tard dans la vie, l'intimité émotive, y compris l'amour physique, peut être sapée par un sentiment de trahison. Le corps n'est pas présent. *Elle* n'est pas là.

Une femme entière vibre tant physiquement que psychiquement. Il y a alors incarnation de l'âme. Celle à qui on a dérobé ce droit féminin inné peut devoir expérimenter l'acceptation physique d'une autre femme, que ce soit en rêve, dans une amitié intime ou encore dans une relation homosexuelle, avant de pouvoir trouver en elle-même la sécurité. (Dans de rares cas, ceci peut se produire au cours d'une relation avec un homme, si l'anima de celui-ci a atteint un niveau de maturité suffisant.)

La distorsion relationnelle entre le corps et la psyché est renforcée par la relation symbiotique du père et de la fille. À l'état primaire, il y a confusion entre les profondeurs spirituelles et instinctives parce que l'amour que la fille a reçu de son père est la source de l'énergie même qui la maintient en vie. Une telle confusion entre l'esprit et la matière peut lui faire ressentir son corps comme une prison qu'il faut traîner avec soi pendant que l'esprit plane quelque part au-dessus de sa tête, prêt à tout instant à faire le saut dans «la blanche splendeur de l'éternité[4].»

Son corps lui semble une prison parce que la matrice symbiotique appartient au parent du sexe opposé. De sa mère, elle a appris à rejeter son corps; de son père, elle a appris à taire ses émotions, car tout en sachant que son père l'aime, et tout en sachant également que sa mère n'est pas vraiment une rivale, elle sent également qu'il y a une limite à ne pas franchir. Au cours de sa vie adulte, cette confusion des genres pourra se manifester par le désir (ou tout au moins, la préférence) qu'un homme la tienne dans ses bras non pas comme un amant, mais comme une mère. Elle aura besoin d'être «câlinée», sa sexualité n'étant pas suffisamment incarnée pour accueillir la pénétration masculine adulte[5].

Pour cette femme, la terreur de l'abandon ne réside pas uniquement dans la perte d'une relation significative, mais aussi dans la perte du contact physique qui l'assoit dans son corps. Emprisonnés dans sa musculature, ses sentiments ne sont pas à sa portée et, si elle est menacée d'abandon, sa terreur inexprimée peut la jeter dans un état quasi catatonique, la rendre même sujette à d'étranges symptômes physiques. Elle s'égare, physiquement et spirituellement. L'abandon devient anéantissement, du fait que son corps, avec son fouillis de sentiments indifférenciés, ne peut lui fournir de *temenos*, cet endroit sûr où mettre son moi à l'abri. Le monde réel ne peut pas non plus lui venir en aide. Ses préoccupations pour le monde de l'imaginaire lui font percevoir le monde terrestre comme un objet de dédain et de peur. C'est un monde cruel, illusoire, dans lequel des gens irréels encombrent leur vie d'objets superflus. Un tel marasme est intolérable quand on fait face au démembrement de son monde intérieur.

La femme dont la survie est ainsi liée à l'esprit masculin a inconsciemment fait le sacrifice de sa féminité pour ce qu'elle croit être ce qu'il y a de mieux dans la vie. Dans ses relations avec un homme, les rapports paraissent tout d'abord excellents parce qu'elle sait refléter adroitement l'image qu'il projette sur elle. De son côté, elle aime l'image qu'à son tour, elle projette sur lui. Leur relation atteint des dimensions surhumaines: père aimant, mère aimante, presque dieu ou déesse. Cependant, lorsque le père-dieu n'est pas à la hauteur de la projection ou décide de la rejeter, elle est confrontée à la «foudre impériale» qui écorche son «âme nue»[6].

Extérieurement retranchée de son environnement, intérieurement coupée de son guide masculin positif, la femme s'identifie alors au côté sombre de l'archétype du père — l'amant démon. Il n'y a point de médiateur entre son moi terrorisé et le chaos dans lequel il s'enfonce. L'abîme est infini. Sa conscience solaire masculine pose des questions auxquelles il n'y a pas de réponses; sa conscience lunaire féminine n'est pas assez mûre pour accepter ce qui en apparence n'a pas de signification.

Elle a tout fait pour se faire accepter et n'y est point parvenue; elle est «peu attachante» et ce verdict est un écho qui monte tout droit de l'abandon primaire. La vie devient une prison où le mot de passe est «renonciation»; le magicien-animus devient le «trickster» avec la complicité duquel elle a renoncé à elle-même. Emily Dickinson nous décrit ainsi ce sentiment de la perte de l'âme:

> Et pourtant — l'Existence — il y a déjà un moment
> S'est arrêtée — a sonné le glas — et mes battements
> se sont tus —[7]

Dans une telle situation, le suicide devient l'accomplissement de son destin. Ainsi, les derniers «Mots» de Sylvia Plath:

> Des années plus tard
> Je les ai rencontrés sur la route. [...]
> Mots secs et débridés.
> L'inlassable bruit des sabots.
> Pendant que
> Du fond de la mare, des étoiles figées
> Gouvernent une vie[8].

Le suicide est son ultime vengeance contre le dieu sauvage qui l'a abandonnée. Paradoxalement, c'est en même temps la confirmation de ce qu'Il a fait à son moi: Dieu l'a retirée de la vie, ainsi, en se tuant, elle le confirme. Le suicide est un *Liebestod*, un mariage de mort par lequel elle embrasse le côté noir de Dieu — une union mystique négative. Sur le plan psychologique, c'est le mariage avec l'amant démon. Cette relation de la femme avec le démon est sadomasochiste et les batailles, que se livrent cette femme et son démon, sont fascinantes parce qu'elles comportent tous les éléments d'un érotisme violent. Ainsi que nous le dit la Cléopâtre de Shakespeare quand elle pose l'aspic sur son sein:

> [...] ton étreinte, ô mort,
> est pareille à celle d'un amant,
> elle blesse, mais on la désire [...][9].

Un sentiment de défaite totale est cependant inhérent à une telle vision. C'est le combat que livre un être contre une puissance inexorable. Le père animus exige ordre, justice, signification. Pourtant, les événements décisifs de sa vie à elle — l'abandon d'un amant, la perte d'un enfant ou l'impossibilité d'enfanter, l'incapacité de créer — peuvent défier la compréhension humaine. Sans la conscience féminine compensatrice qui permet d'accepter les mystères les plus profonds du destin, la vie devient une bataille perdue contre des souffrances sans signification. L'amant démon entraîne la femme dans un orgueil aveugle et égotiste, qui rejette les pouvoirs créateurs que génèrent les tensions internes. Extérieurement, son comportement peut demeurer inchangé, mais au plus profond d'elle-même, la femme sait qu'elle est en train de livrer une bataille perdue d'avance et qu'elle ne cherche qu'à échapper au désespoir. C'est le dernier choc des opposés — le désir de faire partie de la vie se bute au désir de s'en échapper. Le cœur se brise, accablé de rage devant sa défaite inéluctable.

Le suicide est l'ultime abandon et, bien que peu de femmes aient des tendances suicidaires conscientes, plusieurs d'entre elles sont aux prises avec un désespoir insondable qui trouve une issue inconsciente dans un accident mortel ou une maladie fatale. Angoissées, elles subissent de façon répétée la perte des hommes sur qui elles ont projeté l'image de leur sauveur; elles ne se rendent pas compte que l'interaction passionnée qui caractérise leurs relations repose sur l'expression d'un besoin narcissique; elles refusent de sacrifier leur complexe et d'accepter «l'ennui» du sort humain. Elles abandonnent leur propre âme et leur créativité — personnifiées par les jeunes garçons et les jeunes filles délaissés qui reviennent constamment hanter leurs rêves. Essentiellement, elles craignent d'assumer la responsabilité de leur propre vie. S'il y a introjection de l'objet de leur perte, s'il est emmuré, alors il devient, selon les termes d'Emily Dickinson:

L'horreur à ne pas contempler
Mais à contourner dans le Noir
Toute conscience arrêtée
Toute existence suspendue[10]

Cependant, lorsque la solitude conduit au discernement et à l'illumination, le moi peut intégrer le potentiel créateur du monde interne et libérer son propre destin.

Martha, dont nous avons déjà cité un rêve, fait à maintes reprises durant son enfance, est une femme d'un certain âge, grande, d'allure imposante, avec une assurance cultivée. Née au sein d'une famille où l'on exerçait des professions libérales, elle a fait tout ce qu'on attendait d'elle à l'université, elle a ensuite épousé son amoureux des années de collège et fondé une famille. Plus tard, elle s'est divorcée, maintenant soigneusement pendant quelque vingt ans, l'équilibre entre le travail, les enfants et les hommes. Ses relations amoureuses étaient toujours de courte durée. Elle est venue en analyse afin de trouver pourquoi sa vie affective n'était qu'une suite d'échecs semblables les uns aux autres.

Quelque temps plus tard, elle tomba amoureuse d'un homme haut-placé et très respecté dans sa localité. Il devint également amoureux d'elle et bientôt le mariage paraissait inévitable. Un an plus tard, les choses se gâtaient; encore une année et il la quittait. À ce moment, déjà habituée à étudier attentivement tous les événements de sa vie émotive, Martha dressa le bilan détaillé de ses sentiments:

Je ne sais pas par où je suis passée. Je suis comme engourdie. J'ai projeté sur lui tout ce que j'avais jamais attendu d'un homme. Il m'a quittée pour une autre—pour une femme ordinaire. Tout ce que je désire, c'est d'être une femme ordinaire. Mais je ne sais pas comment. Je suis une étrangère face aux autres, face à moi-même.

Quand je pense à mon enfance, j'éprouve un terrible sentiment d'abandon. Je n'ai jamais été au centre, au cœur de la vie de qui que ce soit. Tout ce que je veux, c'est partager ma vie dans tout ce qu'elle a de plus essentiel. Mes parents n'ont jamais partagé le plus profond de leur vie avec moi. Mon mari me disait qu'il m'aimait, mais les choses les plus importantes, il ne les partageait pas. Et il m'a quittée pour une femme qui peut partager le monde ordinaire avec lui. Moi, je ne sais pas faire ça.

Je sais ce qu'un homme projette sur moi. Je deviens ce qu'il veut que je sois et, à ce moment, cela me semble naturel et réel. Je me sens pleine de vie. Et puis soudain, quelque chose s'éteint entre nous, habituellement sur le plan sexuel. J'ai l'impression qu'il me manipule, qu'il use de son pouvoir pour me forcer à être ce qu'il veut que je sois. Il fait l'amour avec l'image qu'il s'est faite de moi, pas avec moi. Moi aussi, je projette. Ce n'est pas lui qui me fait l'amour. Tout chavire dans l'irréel. Je déteste ma soumission et je déteste son emprise. C'est intolérable. Je me coupe du conscient. Rien n'est arrivé entre nous. Nous sommes tous deux déçus, amers, confondus par ce semblant d'intimité qui, en fait, n'avait rien d'intime.

Je sais que ce manque d'intimité existe entre mes enfants et moi. Eux aussi se sont fabriqué de magnifiques personæ *— vivaces, efficaces, capables de venir à bout de toute situation. Mais, en dessous, il y a du chagrin; il ressort d'ailleurs dans leurs poèmes, dans leurs chansons. Cette partie essentielle d'eux-mêmes, ils ne la partagent pas avec moi. J'ai l'impression d'être entourée d'un voile. Quand j'écris, quand je suis seule, mon côté tragique fait surface, mais je ne peux le partager avec d'autres.*

Je sais bien que dans une telle situation, je pourrais faire semblant, jouer mon rôle. Je pourrais m'étourdir d'activités, vaquer à de nombreuses petites occupations créatrices mais, encore une fois, ce serait me faire une persona*. Je ne le ferai pas. Ce n'est plus comme par le passé. Je ne suis pas sans ressources. Je ne me laisse plus ballotter, impassible. Je sais bien que quelque chose de terrible m'est arrivé, mais quelque part, au cœur de tout cela, il existe un abri tranquille.*

Ce sont les petites choses qui font mal, ces petits gestes humains que nous avons partagés. J'avance tant bien que mal, malgré ma torpeur. Je regarde les pruniers fleurir, j'éclate de douleur. Mais, au moins, cette peine est vivante. Au moins, je sais que je suis quelque part et que je ressens la réalité de ce qui m'arrive. Mais cette torpeur cache une terreur immense. C'est la terreur de l'enfant qui m'habite— l'enfant qui savait que tout allait de travers, qu'elle était inacceptable, qui essayait, frénétiquement, de comprendre ce qu'elle devait faire pour être aimée. C'est cette terrible solitude au haut d'un escalier, appelant alors que personne ne prête l'oreille et sachant que ce que je suis est inacceptable pour ceux qui m'entourent. C'est d'être là, dépouillée, d'entendre les rires moqueurs derrière moi dans le corridor vide, essayant de me contorsionner pour devenir quelqu'un qui pourrait être aimé. J'ai rejeté cette enfant comme les autres l'ont rejetée. Elle est encore là, debout, et elle crie: «Qu'attends-tu de moi? Je ne comprends pas. Je ne comprends pas. Je ferai tout ce que tu veux, mais ne me rejette pas.»

Et bien, cette fois-ci, je ne vais pas me fabriquer une fausse persona. *Elle ne peut pas créer de liens parce qu'elle n'a pas de sentiments. Je sais que je dois demeurer sensible: je dois faire l'expérience de ma vulnérabilité. Je dois faire savoir aux autres jusqu'à quel point je suis vulnérable. Je viens de perdre tout ce que j'avais attendu d'un homme. J'ai honte d'être aussi naïve. Je respectais et j'aimais tout ce qu'il était. Il est parti. Je ne suis pas jeune. Je ne connaîtrai probablement plus jamais une telle relation. Je ne crois pas que Dieu me réserve quelque chose de nouveau. Je n'ai pas d'espoir. En moi l'espoir est une illusion. Un désespoir honnête vaut mieux qu'un espoir illusoire. C'est la confrontation: abandonner tout ce que j'avais espéré.*

Martha, comme les autres femmes de son type, peut constituer une énigme pour les hommes. Sans posséder un moi féminin fort, elle donne cependant l'impression d'être comme elle le déclare elle-même, «une femme de fer qui peut tout encaisser, et l'encaisser seule». Et elle *peut* tenir le coup, mais derrière les apparences, elle a «une roche noire dans le cœur».

L'homme qui est l'objet des projections positives d'une telle femme peut avoir l'impression de n'avoir aucun rôle à jouer dans leur relation; il peut même se sentir menacé dans son moi et dans sa puissance masculine. S'il se retire ou l'abandonne, il sera probablement étonné de la voir s'effondrer, ne s'étant jamais douté à quel point elle dépendait de lui, à quel point elle avait besoin d'assises. (Comme le disait Martha: «Il s'imaginait que toute mon énergie passait en analyse et que notre relation me laissait indifférente. Bon sang, pourquoi pense-t-il qu'on va se faire analyser?») Si, en plus de se retirer, il s'associe avec une femme de type opposé (la sœur-ombre de la première), il en découlera la situation qui se joue dans *Yentl*, où Barbra Streisand, une Yentl aux tendances masculines, projette sa féminité sur sa rivale et chante «No wonder he loves her» (Pas étonnant qu'il l'aime), laissant passivement s'échapper la raison d'être de sa propre existence.

La projection de la féminité inconsciente d'une femme sur l'ombre-sœur est une ruse typique du magicien-animus. Quand celui-ci sent qu'il la perd aux mains d'un autre homme, il fait tout ce qui est en son pouvoir pour détruire la possiblité d'une relation authentique. Une fois que l'énergie-ombre est projetée sur l'autre femme, l'*anima* de son amant peut aussi se diviser: il l'aime, *elle*, pour sa force; il aime son ombre pour sa vulnérabilité sexuelle.

Plutôt que de reconnaître en sa rage et sa jalousie justifiées, il arrive qu'une telle femme cherche refuge chez l'enfant abandonnée, sermonnée par son animus négatif: «Ça se termine toujours ainsi, ça se terminera toujours de la même façon. Quand les dés sont jetés, ne fais jamais confiance à un homme. Tu peux tenir le coup toute seule. Tu l'as toujours fait. Tu es un meilleur homme que lui. Tu n'es pas gentille et féminine comme elle. Si seulement tu avais renoncé à tenir ton bout dans vos discussions. Si seulement tu avais fait semblant, si tu lui avais laissé croire que ça n'avait pas d'importance. Si seulement tu n'avais pas tenté de le rendre plus conscient. Si seulement tu avais été plus sensible à ses besoins. Si seulement... Si seulement... Si seulement. Et puis, tant pis. Encaisse ça comme un homme.»

Si elle pouvait mettre fin à ses projections, elle serait peut-être capable de regarder l'homme droit dans les yeux, de respecter sa masculinité et sa propre féminité, et de dire: «Bon sang, que nous arrive-t-il?» Au lieu de cela, les remords la paralysent et elle analyse la situation d'une façon rationnelle, faisant ainsi fi de ses vrais sentiments. Il n'est pas question pour elle de piquer une crise de rage «enfantine». Il n'est pas question non plus de gémir ou de pleurer. Elle sait qu'elle n'est pas morte parce qu'elle se tient encore debout. Elle joue le rôle du «parfait gentleman[11]».

La petite princesse à papa en analyse

Alors qu'un grand nombre de femmes tentent d'assumer leur destin par le biais d'un travail créateur ou celui des expériences qu'elles vivent, d'autres entrent en analyse, quand elles sentent un courant destructeur envahir leurs relations avec les hommes. Leur côté «femme fatale» les choque parfois; parfois elles souffrent de l'échec de leurs rapports sexuels avec un mari qu'elles aiment, échec qu'elles n'ont probablement pas connu *avant* leur mariage. D'autres fois, elles se retrouvent chez l'analyste à la suite de mystérieux problèmes physiques que la science médicale qualifie de psychosomatiques mais qu'elle ne peut guérir. Parfois elles sont désespérées de se savoir séparées de la vie; parfois elles sont affectées par un blocage de leur créativité; d'autres fois, elles ont peur de devenir folles.

L'analyse, avec ce genre de femme, se déroule à peu près de la même façon qu'avec les autres, sauf que les embûches sont plus immédiates, plus escarpées et plus traîtres, puisque ce type de femme évolue tout naturellement dans le domaine de l'inconscient. L'analyste doit être pleinement conscient du pouvoir de l'imagination de cette femme, de sa capacité de s'abandonner au monde archétypique, et du manque de relation entre elle et son propre corps.

L'analyste, homme ou femme, deviendra sa source d'inspiration, son lien avec l'inconscient. Si son père a été le compagnon plutôt que le guide de ses voyages intérieurs, alors l'analyste sera perçu comme un partenaire, un *frater* ou *soror*, bravant les dangers et partageant les triomphes. Ils exploreront ensemble le monde de l'imaginaire, riche en images et en visions. En effet, il est toujours intéressant d'analyser ce genre de femme parce qu'elle ne craint pas de plonger dans le monde du subconscient, d'où elle rapporte constamment des richesses tant personnelles que transpersonnelles. Elle comprend le silence. Et si l'analyste peut supporter l'intensité de son monde, chaque session deviendra une véritable découverte.

S'il s'agit d'une Ariane, fiancée au dieu avant sa naissance, mais écartée de son destin par l'amour qu'elle portait au héros ionien Thésée, alors, tout comme Ariane qui finit par être délaissée, elle peut s'abandonner à la mort. Elle peut sombrer dans une grande dépression et, au plus profond de cette expérience, reconnaître la lumière dans les ténèbres. Elle peut en fait trouver son vrai destin: l'abandon au dieu. Peu de femmes contemporaines sont prêtes à faire face à la religieuse qui les habite, mais nombreuses sont celles qui, par le biais de l'analyse, sont contraintes de faire leur deuil des projections archétypiques; elles doivent séparer leurs relations personnelles des relations archétypiques et trouver elles-mêmes leur salut, en harmonie avec le dieu et la déesse intérieurs, sans l'aide d'une Église ou la protection des murs d'un couvent. La femme qui se sait «appelée», que ce soit sur le plan artistique ou spirituel, peut parfois remettre en question cet engagement envers son mariage intérieur, mais tout au fond d'elle-même, elle *sait* qu'elle n'ose pas trahir cette réalité intérieure.

La femme, qui a porté toute sa vie la projection idéalisée de son père, peut toutefois se demander si elle est vraiment «appelée» ou si elle est victime d'une illusion — un mariage intérieur qui est en soi infructueux mais qui, cependant, la force à rechercher le mariage parfait dans le monde extérieur. «Être appelée ou ne pas être appelée», voilà une décision angoissante. Si la femme conclut qu'elle n'est pas appelée, elle doit alors être bien attentive, de peur de s'abandonner à l'illusion de l'union parfaite dans le monde humain, une illusion qui l'entraîne de façon répétée et inévitable vers le délaissement, dans ses relations avec les hommes. Il se peut qu'elle se rende compte alors que son problème tient au fait qu'elle tombe amoureuse de l'image qu'elle projette elle-même et que, par surcroît, elle tente de se conformer à l'image qui lui est projetée, abandonnant ainsi son propre Être. À mesure que l'intimité grandit, elle rejette elle-même cette image et ne peut plus jouer le jeu. À mesure qu'elle se révèle, l'homme voit en *elle* une traîtresse, parce qu'elle lui a tellement bien caché sa vraie nature afin de le conquérir. Inconsciemment, sa rage envers l'homme et envers elle-même (victime de sa propre trahison) s'unit à la rage de l'autre, amorçant ainsi une bombe à retardement.

Les deux compagnons-ombres auront leur revanche. S'il doit y avoir guérison, la femme ne doit pas se comporter en gentleman; elle ne doit pas essayer de comprendre pourquoi il l'a abandonnée. Elle est en colère et sa rage dévastatrice et jalouse a besoin d'une soupape acceptable. La fureur refoulée d'une vie entière doit être libérée du corps afin de faire place à l'amour réparateur. Il lui faut accepter et connaître cette rage personnelle avant d'être habitée par la compréhension et la compassion transpersonnelles.

Quelque part à travers cette angoisse et cette colère, la femme s'apercevra qu'elle n'a *pas* été abandonnée par l'homme qu'elle aime. L'homme qu'elle aime n'existe pas sous une forme humaine. Il n'a jamais existé. Il n'était que la projection de l'image qu'elle s'en était faite. Son miroir a volé en éclats et, à présent, elle n'a plus qu'à mourir ou qu'à accepter la réalité. Et la réalité, c'est qu'elle ne pleure pas un homme qui existe. Elle pleure à la fois l'amant parfait et la femme que l'amour rendait belle. En vérité, elle pleure sa propre enfant, l'enfant qu'elle a elle-même abandonnée quand elle s'est mise en devoir de plaire à Papa.

Et c'est cette enfant, avec sa foi, son espoir et son amour d'enfant, qui crie du fond de sa solitude. Malgré sa vulnérabilité, il doit faire confiance en la vie si la femme doit un jour faire s'épanouir l'essentiel d'elle-même.

L'abandon initial par sa mère et la relation créatrice qu'elle entretient avec son père lui donneront peut-être l'impression que les femmes ne servent à rien. Elle peut très bien, cependant, ne pas vouloir risquer de tomber amoureuse d'un analyste, avec tous les tracas que cela entraîne, et choisir pour cette raison, de travailler avec une femme. Pendant la période de transfert, elle projettera sur l'analyste, l'image de la mère aimante qu'elle n'a jamais connue. Ensemble, sujet et analyste nourriront et éduqueront l'enfant abandonnée, lui procurant un endroit sûr où jouer et la conduisant avec amour jusqu'à sa maturité. C'est cette enfant qui a souffert en marge de la société et qui, pourtant, garde en elle la sagesse innée qui lui permet de refuser la mort. Sa vulnérabilité et sa force, toutes deux nées de sa solitude, lui procurent le détachement nécessaire à l'artiste et au clown. D'après mon expérience, ce détachement à la fois personnel et transpersonnel est la seule force capable d'annihiler le pouvoir du «trickster».

J'aimerais vous raconter ici une courte anecdote pour illustrer ce propos. Une certaine veille de Noël, je me trouvais dans le métro, à la station Chalk Farm, à Londres. Aucun train en vue. Quelques gueux grelottaient sur le quai humide, rêvant sans doute au feu de cheminée qui les attendait ou à celui qu'ils n'avaient pas. Soudain, l'écho d'une voix criarde, ennivrée, retentit sous la voûte. Une grosse femme, débraillée, arriva en titubant, accompagnée de deux petites filles d'environ six et quatre ans. Ces dernières ne portaient pas de manteau et leurs bras décharnés étaient agrippés à la masse humaine qui lançaient des obscénités dans le vide. Son humour de Cockney était outrageant — direct, viscéral et vrai. Un bruit de rires choqués se répandit le long des murs. Soudain, la plus jeune des enfants se redressa autant que son petit corps maigrichon le lui permettait et cria d'une voix claire: «J'vous défends bien de rire de ma mère!» Le silence tomba — personne sur le quai n'avait les yeux secs.

La sagesse innée de cette petite fille a arraché le voile de tous les spectateurs. Suffisamment détachée et à la fois connectée, elle était seule à voir la Réalité. Elle était l'invitée inattendue de cette veille de Noël.

Le corps de la femme créatrice peut également être cet invité inattendu. Parce qu'il a servi si souvent de bouc émissaire, il faudra l'entourer d'attention aimante quand il tentera de se faire entendre. Il éprouvera peut-être des problèmes digestifs graves, des migraines, des démangeaisons et des allergies. Ces symptômes font souvent partie d'une analyse, mais le tempérament artistique, qui navigue par intuition, peut très bien passer allègrement à côté d'un ulcère et sombrer sous l'effet d'une poussée de boutons. Le vieux manège de l'évasion et de la répression se remettra alors en branle, entraînant souvent avec lui des désordres d'ordre alimentaire. Quand on prend davantage conscience de son corps, les valeurs sentimentales que l'on différencie sur le plan verbal se voient renforcées par les émotions que libèrent les muscles — et ce renfort arrive comme un choc pour la femme étrangère à son corps.

Si la femme tombe amoureuse de son analyste, elles devront en parler ouvertement, car elles vont reconstituer le deuil de la mère, deuil qu'elles peuvent maintenant traiter consciemment, créativement même. Si l'analyste touche ou embrasse l'analysante, toutes deux devront être très conscientes de la différence entre le contact physique personnel et le contact transpersonnel, et cela ne peut venir que du détachement de l'analyste. À mesure que le sujet apprend à écouter son propre corps, sa sexualité reprend graduellement contact avec les sentiments réels, et les rêves homosexuels sont remplacés soit par des rêves hétérosexuels, soit par le choix conscient d'une relation homosexuelle. C'est la période de fortification du moi, un moi bien implanté dans un corps féminin et dans les émotions qui jaillissent de ce corps. Cette femme a particulièrement besoin d'assises solides dans le monde de tous les jours afin d'être en mesure de se laisser aller à son imagination créatrice, tout en faisant pleinement confiance en sa capacité de revenir à son propre moi et d'établir des relations avec les autres.

À mesure que le sujet prend de l'assurance, l'analyste peut voir s'accroître son rôle d'inspiratrice. Il se peut que la femme qu'elle analyse lui demande d'évaluer ses créations, cherchant auprès d'elle des encouragements qui lui permettraient d'oser présenter son travail au grand public. Il y a là un double danger: premièrement, l'analyste pourrait rapidement se transformer en mère négative; deuxièmement, l'artiste timorée pourrait se retrouver à sa merci, tant sur le plan de la création que sur le plan de la critique. Plutôt que cela, elles devraient s'entendre pour laisser aux critiques le soin de critiquer et ne pas courir le risque de contaminer le *temenos* de l'analyse.

D'après mon expérience, il y a un passage très dangereux à effectuer en compagnie de la femme créatrice. Si elle est en train de traverser la crise de la quarantaine, si elle a reconnu ne pas avoir pris en main son talent et si elle a vécu une vie foncièrement orientée sur sa persona — dominée par son animus —, il se peut qu'elle réclame soudain son enfant abandonnée et tente de faire volte-face, avec toute la détermination d'une déshéritée sur le point de réclamer son royaume. Ou bien l'influx archétypique est trop fort pour son corps immature, ou bien le moi n'est pas suffisamment relié à l'énergie corporelle, ou bien encore, ce virement psychique est trop abrupt pour que le corps l'accompagne sans heurt. Quelle qu'en soit la cause, de graves symptômes physiques peuvent apparaître. C'est à croire que les rites initiatiques qui n'ont pas été assimilés à la puberté doivent maintenant être intégrés avant que l'on puisse supporter les rites de la ménopause.

Pendant cette période, la femme doit revendiquer, chérir, investir son corps pour que celui-ci accepte enfin de devenir un véhicule de la créativité. Il est très difficile, dans une telle situation, de différencier l'adolescente de la femme ménopausée, mais la distinction claire établie entre les deux phases de conscience lunaire permettra à cette dernière de prendre en main sa propre vie, plutôt que de se languir dans l'attente amère de ce qui, en fait, lui revient de droit. Ce passage peut en effet constituer une grave menace. À moins de n'avoir réussi, par un travail acharné, à incarner ses émotions, elle peut se sentir une fois de plus vouée à l'abandon.

Lorsque ce type de femme travaille avec un analyste homme, les constellations sont complètement différentes. Elle voit en lui le père positif duquel sa psychologie extrait tout naturellement son propre animus positif. Le résultat peut porter à confusion ou encore avoir un effet destructeur, en grande partie à cause de la force insolite du moi mâle dans le monde patriarcal occidental. En même temps que l'analyste homme encourage le processus de guérison déclenché par la constellation analytique, son contre-transfert pourrait aller bien au-delà du seuil de l'encouragement et se transformer en fierté paternelle devant les réalisations de sa fille.

Puisque, traditionnellement, les performances de la fille ont toujours eu moins d'importance (étant mesurées selon des normes bien différentes), la fierté du père-analyste vis-à-vis du travail créateur de sa fille (l'analysante) atteint maintenant, grâce aux nouveaux échos féministes, une autre dimension. On a l'impression de défricher le terrain, de bâtir un équilibre nouveau entre les sexes, de se fabriquer une nouvelle matrice culturelle. Ce qu'on ne voit peut-être pas c'est la réincarnation régressive de la dominance patriarcale avec tous les sous-courants incestueux qui l'alimentent et qui créent ainsi une illusion de guérison, de créativité et de changement. Ce qui peut en réalité être constellé, c'est le complexe paternel qui, en partant, a conduit la femme chez son analyste. Si cela se produit — et on peut l'éviter —, alors dès que l'analyste, conscient du contre-transfert, renversera le processus (ce qui, avec le temps, doit se produire), l'analysante se retrouvera non seulement à son point de départ, mais, pire encore, elle aura l'impression d'avoir été séduite ou trompée de la façon la plus traître possible.

Ce que l'analyste homme peut ne pas reconnaître dans la psychologie de la femme créatrice, c'est la cassure profonde entre l'imagination et le corps. Pour elle, l'imagination est le monde réel et le père-homme, qui arrive à pénétrer et imprégner ce monde, apporte avec lui «la lumière au soleil et la musique au vent[12]». Il est son bien-aimé. C'est avec lui qu'elle vit son union intime. *Avec* lui que l'inceste est permis. Mais puisque sa sexualité charnelle est foncièrement inconsciente, il se peut qu'elle entretienne en dehors de l'analyse, des relations qu'elle ne jugera pas utile de mentionner. Les hommes ordinaires n'entrent pas dans sa sphère, n'étant guère dignes de sa femme fatale.

Le modèle de l'alambic de l'alchimiste, qui implique une coopération harmonieuse entre l'adepte et son *soror mystica,* lui convient tout à fait. Il conviendra également tout à fait à sa destruction si l'analyste-homme s'effraie, est séduit ou se sert mal de son pouvoir. Si l'alambic explose, elle n'aura plus de corps dans lequel retourner, plus de monde dans lequel retourner. Son animus ne pourra lui être d'aucun secours, étant donné que toute sa vie, il l'a poussée à plaire à Papa — le professeur d'université, le mari, le patron et pratiquement, toute autorité mâle. Le rire du Père peut devenir diabolique quand il a vaincu une autre rivale. Elle a plutôt besoin de trouver sa propre vie dans son propre corps, de différencier sa propre féminité (dont est issue la rage inconsciente qu'elle nourrit envers les hommes) et d'intégrer la masculinité et la féminité qui lui sont propres.

À moins que l'analyste n'ait préparé une place pour le père Trickster — c'est-à-dire pour le trauma au centre de sa psyché —, elle finira par être abandonnée de nouveau, et aucune autre expérience, pas même l'inceste, ne catalyse aussi bien tout l'éventail des sentiments patriarcaux que celle de la fille abandonnée.

Traditionnellement, dans les cultures antérieures, les filles étaient souvent abandonnées parce que seul l'enfant mâle avait de l'importance. Quand l'analysante fait l'expérience de son abandon, c'est ce mythe patriarcal, venu de ses origines les plus primitives, qui est actualisé. L'empressement avec lequel l'inconscient s'interpose pour consommer le sacrifice (telle *la Tess* de Thomas Hardy, à Stonehenge) trouve un écho dans le rôle d'abandonnée et de sacrifiée que joue la femme dans la littérature occidentale. Le sentiment d'être abandonnée ou à la merci de ce mythe peut plonger les deux personnes concernées par le mythe dans une profonde passivité, comme si ce qui leur arrivait était à la fois nécessaire et inévitable. Sort, Destin, Karma — tout contribue à faire l'apologie de ce qui est arrivé et de ce qui est en train de se produire.

Ce qu'il faut, c'est une réorientation importante, révolutionnaire, de la relation — une modification des rapports qui constitue un défi autant pour le moi mâle que pour le complexe paternel qui nourrit ce moi. L'analyste qui, jeune, était «le meilleur petit garçon du monde» et qui, par la suite, aurait voulu être le père le plus aimant du monde peut avoir la persona professionnelle d'un homme entièrement dévoué tout en se sentant complètement perdu lorsqu'il est aux prises avec ses vrais sentiments. La femme qui se bat pour sa vie-même exigera qu'on lui témoigne des sentiments authentiques et elle est en droit de recevoir une réponse franche, sans quoi elle sera prisonnière, son animus intérieur spirituel, étant contaminé par sa projection sur son analyste.

La vérité peut les libérer tous deux, elle et son analyste. L'inattendu peut se produire; quelque chose de nouveau, d'inconnu à tous les deux — ce que Jung appelait la fonction transcendante[13] —, peut émerger. L'abandon, au sens traumatisant de trahison, de perte, de dénonciation, de mort, peut se métamorphoser en une expérience créatrice d'ouverture, de spontanéité, de liberté. Aller en ce sens, c'est se détacher de la constellation magicien-père pour se lancer dans l'inconnu, d'où émerge la vraie créativité. Alors seulement s'apercevra-t-on que l'ancien carcan n'était que du trompe-l'œil et que l'illusion qu'il contenait a comme fonction de permettre à la réalité de s'échapper de la trappe qui l'emprisonne. Cela introduit une nouvelle avenue, qu'empruntent maintenant les femmes psychologiquement conscientes, une avenue où des attitudes désuètes sont forcément remises en question.

Les dangers qui menacent les relations de transfert et de contre-transfert entre la femme analyste et le sujet créatif mâle méritent aussi notre attention. Une étude exhaustive de ces dynamiques n'aurait sans doute pas sa place ici; cependant j'aimerais faire remarquer que la femme analyste sert régulièrement, chez l'analysant homme, de lieu de projection de sa mère intérieure positive. Si elle se sent à l'aise dans l'inconscient, ils pourront extraire ensemble toute l'énergie que représente cette configuration. Ils pourront puiser à une source de vie créatrice d'où jaillissent la poésie, la musique, l'art dramatique, l'art du potier. La femme analyste deviendra alors la muse de son fils rituel, telle Vénus-Urania face à Adonis. Ce premier élan de renouveau créateur peut cependant ne pas laisser percer le danger d'une telle relation — Adonis prétendant à une force qu'il ne possède pas, et se retrouvant désarmé devant le sanglier Ares, l'amant le plus incestueux et le plus instinctuel de Vénus. Libérant et contenant à la fois la dynamique du sujet, l'ombre d'Ares exige de la femme analyste, une nette différenciation de sa propre vierge, une conscience féminine qui n'est plus identifiée avec la mère, une conscience réceptive de sa propre créativité masculine, libérée de la tyrannie du père.

Si l'analyste, homme ou femme, reconnaît dès le départ la dynamique psychique faisant inévitablement partie de cette relation et s'il sait acheminer son contre-transfert, le processus n'aura alors rien de traumatisant. Il faut d'une façon ou d'une autre que le pouvoir du magicien noir et de la sorcière omnivore soit neutralisé. Mais bien que ces complexes négatifs puissent agir positivement sur le sujet, du fait qu'ils le forcent à effectuer le travail intérieur nécessaire pour échapper à leur emprise, ils peuvent également avoir un effet destructeur chez l'individu qui n'a pas la force de résister à leur énergie. La foudre, une tornade, un incendie qui se déclenche — de telles images nous avertissent en rêve de l'imminence d'une situation dangereuse — peuvent vider la maison psychique.

Vu selon le paradigme jungien, il y a peu de différence entre le moi de la femme inconsciente et l'anima de l'homme inconscient; il existe une analogie semblable entre l'homme et l'animus de la femme. Dans toute relation intime, la dynamique amour-haine sera constellée chez les quatre. Si le sujet se laisse subjuguer par sa persona, celle-ci fera coalition avec le moi pour tenter à tout prix de cacher le monde intérieur, ainsi que sa partie instinctuelle. Dans la mesure où l'on ne discute pas consciemment d'érotisme passionné, le corps sera abandonné encore une fois et la vengeance de l'ombre se manifestera alors par des symptômes physiques. Au point culminant de la tension entre analyste et sujet, leur relation peut devenir inconsciente et l'un et l'autre peuvent s'accuser de convoiter le pouvoir. Chacun risque d'accuser l'autre d'en vouloir «plus, et plus, et plus encore», l'autre affirmant que «ce n'est pas vrai».

Ces conflits surgissent du fait que les projections de l'ombre sont constellées: le «plus» de la mère négative est un désir quantitatif, alors que le père négatif exige la qualité. Le féminin se sent psychiquement violé pendant que le masculin a l'impression d'être saigné à blanc par l'enfant terrifiée. L'énorme hostilité envers le sexe opposé, accumulée dans l'inconscient, peut faire irruption. À moins que l'analyste ne sache instantanément assumer le rôle du moi fort, rôle qui se verra renforcé par des sentiments authentiques, il n'y aura pas de médiateur entre le conscient et l'inconscient. Il n'y a pas place ici pour la masculinité incertaine, ni pour la féminité masochiste, pas plus que pour le père tyrannique, la mère positive ou pour un va-et-vient entre les quatre. Analyste et analysant doivent parler; tous deux doivent être entendus. Une vieille carte ne sert à rien quand le tracé des routes a changé.

La femme qui est en contact avec sa vierge intérieure a franchi la frontière de la femme anima qui opère dans le giron de la psychologie mâle[14]. Elle s'entend dire des choses qu'elle n'a jamais avouées auparavant, formulant des questions qu'elle n'a jusque là jamais posées. Elle tente de s'exprimer à partir de sa réalité féminine tout en étant consciente du point de vue masculin. Elle se retrouve souvent prise entre deux pôles: le point de vue rationnel, précis et orienté vers un but, et l'irrationnel, cyclique, relationnel. Sa tâche n'est pas de choisir l'un ou l'autre, mais de maintenir la tension entre les deux.

La femme qui a consacré sa vie aux examens, à l'étude, à la politique ou au monde des affaires sait comment organiser sa pensée en fonction des lois de l'unité, de la cohérence et de l'emphase. Une telle formation, cependant, lui aura trop souvent fait perdre la foi dans les valeurs qui viennent du cœur. Quand elle tente de parler avec son cœur, elle entre en contact avec son âme abandonnée. Craignant qu'on l'accuse «d'enfantillage et de stupidité», elle se sent rougir, se serre la gorge pour tenter d'en faire sortir les mots, continue de bredouiller, espérant qu'on ne l'arrêtera pas, espérant que les mots ne lui échapperont pas et qu'elle ne s'effondrera pas, confuse. Elle tente désespérément d'articuler son être féminin, elle essaie d'aller au-delà de cette hésitation entre «l'un et l'autre» qui l'enferme dans la contradiction.

L'absolutisme de «l'un ou l'autre» n'est pas plus acceptable aujourd'hui que ne le sont les lois newtoniennes. Tout comme le monde scientifique en est venu à accepter que la lumière est à la fois ondes et particules — selon l'expérience menée pour en déterminer la nature[15], les femmes doivent apprendre à vivre dans un monde de paradoxes, un monde où peuvent se cotoyer deux visions mutuellement exclusives de la réalité. Les rythmes en sont circulaires, lents, issus du sentiment qui vient du cœur pensant. Nombreux sont ceux qui savent intuitivement qu'un tel monde existe, peu, cependant, ont la confiance nécessaire pour s'exprimer ou agir à partir de ce monde.

* * *

Martha a fini par faire face à son abandon de tout ce qu'elle avait espéré de sa relation avec les hommes. Commentant la désintégration de sa dernière relation amoureuse, elle a écrit ce qui suit:

Peut-être que je suis trop forte. Il disait qu'avec moi il se sentait critiqué; moi, je trouvais qu'il se laissait aller à porter des jugements. Je sais que ma petite fille intérieure est trop exigeante, qu'elle a trop de besoins. Elle est si démunie d'un centre, qu'elle tente de trouver son centre dans une relation — l'homme en tant que Dieu et Mère. J'essayais de la laisser grandir. Je ne peux m'empêcher de croire que j'ai fait ce qu'il fallait. Je lui ai dit honnêtement tout ce que je ressentais. J'ai essayé de comprendre ses sentiments. Mais nous ne pouvions pas communiquer. J'étais fidèle à mes valeurs sentimentales, mais il refusait de relever le défi. Il a admis son problème de persona, mais n'a pas voulu y travailler. Il voulait retourner vers sa mère, peu exigeante à son égard. C'est ce qu'il a fait. Il l'a même épousée. Tant que nous avions notre paradis, tout allait bien. Quand les vrais problèmes de relations sont survenus, il n'était pas là. Oui, c'est la même histoire qui recommence, mais cette fois-ci je suis davantage consciente de ce qui se passe. Cette conscience empire et améliore à la fois les choses. Peut-être est-ce le Destin. Peut-être que nous n'étions pas faits l'un pour l'autre.

À la suite de ces réflexions, encore contaminée par une attitude de jugement et de reproche, elle fit le rêve suivant:

Je suis assise dans mon tout premier lit. Je fais face à la tête du lit, comme le ferait un enfant en train de jouer. Et voici que Laurence Olivier, l'objet de mes fantaisies adolescentes les plus variées et les plus détaillées, s'appuie sur la tête du lit. Il est vieux, mais toujours très attirant, avec son abondante chevelure blanche. Nous vivons une relation, depuis au moins quelques mois — quelque chose de stable. Il me vient à l'esprit que c'est plutôt merveilleux de voir une fantaisie d'adolescence prendre forme presque comme je l'avais imaginée. À ce moment, nous sommes tous deux assaillis par un désir sexuel incontrôlable, auquel nous sommes sur le point de succomber lorsque je me réveille.

«Je me suis éveillée en recevant un coup de botte dans le ventre», dit Martha. «Je me sentais écrasée, accablée. Puis ce fut le soulagement. Je sais au moins à présent ce que j'ai vécu toute ma vie. Je reconnais le monde de l'imaginaire.» Ce rêve suggère que le monde de l'imaginaire l'a accompagnée «depuis au moins quelques mois», une sous-estimation touchante quand on pense que ce rêve se passe «dans son tout premier lit». Laurence Olivier, l'élégante personne-père, est très âgé, ce qui indique clairement que cette attitude fantaisiste est usée.

Le rêve nous décrit, en des termes précis, la croix sur laquelle Martha a été attachée toute sa vie, tout en lui envoyant «ce coup de botte dans le ventre», le transcendant qui peut la libérer. Nous retrouvons ici le même conflit inhérent au rêve qu'elle a fait de façon répétée pendant son enfance et que nous avons raconté précédemment: le désir de s'échapper, le désir d'entrer en contact. S'échapper dans le complexe (s'abandonner à Sir Laurence, l'acteur consommé) lui évite la douleur d'entrer en contact avec la vie. C'est aussi ce qui la sépare de son Être authentique à l'intérieur de son propre corps. C'est en fait l'expérience de ce coup de botte dans le ventre qui la mène à se réveiller au fait qu'elle a passé toute sa vie dans une situation de compromis avec une illusion. Ce monde fantastique constitue un pacte avec le diable. Ce coup de botte est une blessure infligée par le Soi, blessure par laquelle le dieu peut pénétrer. Le rêve a arraché le moi du berceau pour le jeter dans le feu. Ayant vu et abandonné la fantaisie, la rêveuse est à présent l'abandonnée, elle est maintenant libre de s'abandonner à sa propre vie.

À l'instar d'un grand nombre de ses contemporaines, Martha tente maintenant de consolider ses visions intérieures. Elle essaie d'être ni plus ni moins que ce qu'elle est, décidée à mettre son énergie au service de son travail créateur. Une telle attitude l'aidera probablement à accepter le prochain homme de sa vie comme ce qu'*il* est vraiment, pendant que la contradiction au cœur de sa propre vie se fait davantage jour:

À un certain niveau, je suis encore déchirée. J'éprouve encore de la colère, je ne suis pas résignée. Sur le plan intellectuel, je me rends compte que je lui ai imposé une situation impossible. Je crois qu'inconsciemment j'étais très négative. Je crois qu'il a lu le vrai message, un message très critique. Je crois que j'exigeais la perfection. Ma colère n'est pas dirigée sur lui, mais sur tous les hommes. C'est une construction intellectuelle: me vider de la colère qui m'habite en lui donnant tort. C'est contre moi-même que je suis en colère. Je trahis ma propre âme, ma propre petite fille.

C'est vraiment horrible. Il n'y a aucune féminité mûre là-dedans. C'est toujours une question d'engagement. Je suis encore en train d'essayer de m'échapper pendant que je m'efforce de m'engager. Pendant que j'avance les bras en quête d'un contact, quelque chose me retient, refuse de s'engager. C'est de l'irresponsabilité. J'attends que quelqu'un me dise: «Tu es formidable. Ce que tu fais est vraiment utile.» Je cherche du renfort à l'extérieur. Plutôt que d'attendre que jaillisse mon autorité intérieure, je choisis de plaire. Le contact avec les autres me terrifie. J'ai la certitude qu'on me trouvera médiocre. Je continue d'essayer de justifier mon existence au lieu d'Être, tout simplement.

Vous savez ce que c'est? C'est un problème d'amour. Je ne m'aime pas assez. Je comprends l'amour, dans ma tête, mais quand il s'agit d'ouvrir mon cœur, je ne sais pas ce que cela veut dire. Quand je me sens tendue, je me relaxe, j'inspire avec le cœur. Je peux alors courir ma chance. J'écoute avec mon cœur. Je peux ressentir ce que je ressens. Je veux, je veux si fort que cette petite fille grandisse et devienne femme.

La conscience féminine, à ne pas confondre avec l'amour maternel, se développe chez de nombreux hommes et femmes. Son territoire a été défini, dans le passé, par quelques grands noms: il commence maintenant à être vécu comme un phénomène culturel. Nous avons non seulement la responsabilité de l'entendre, mais aussi celle d'agir en conséquence et d'accepter le chavirement de nos vies. Si nous choisissons d'abandonner cette conscience féminine, elle nous montrera son côté sombre — vengeur, déprimé, suicidaire. Si nous nous abandonnons à elle,

> la fidélité, comme je l'imagine, serait une mauvaise herbe
> fleurissant dans le goudron, une énergie bleue qui transperce
> la masse atomique d'un fond d'incrédulité[16].

Le Monde *au cours* de toute ma vie, *par* toute ma vie, s'est peu à peu allumé, enflammé à mes yeux, jusqu'à devenir, autour de moi, entièrement lumineux par le dedans [...]. Telle que je l'ai expérimentée au contact de la Terre: — la Diaphanie du Divin au cœur d'un Univers devenu ardent [...]. Le Christ. Son cœur. Un Feu: capable de tout pénétrer — et qui, peu à peu, se répandait partout.

Teilhard de Chardin, Le Milieu divin.

Les buts de la psychanalyse — que l'on n'a pas encore atteint et dont nous ne sommes encore qu'à demi conscients — sont de permettre à l'âme de réintégrer le corps, de nous faire retourner en nous-mêmes et vaincre ainsi l'état humain d'aliénation de soi.

Norman O. Brown, (traduction libre).

Au point même où l'âme se revêt de sensualité, à ce point même se trouve la cité de Dieu dont l'ordonnance remonte à l'éternité.

Dame Julian of Norwich, (traduction libre).

Pour nous, les immenses prairies sans frontières, les magnifiques collines accidentées, les cours d'eau sinueux et entrelacés n'avaient rien de sauvage. Ce n'est que pour l'homme blanc que cette nature était inculte, que ces terres étaient «infestées» de bêtes et d'êtres «sauvages». Nous, nous l'avions apprivoisée. La terre nous était généreuse et nous vivions sous la bénédiction du Grand Mystère. C'est l'homme poilu, venu de l'Est, frappant nos familles bien-aimées ainsi que nous-mêmes de ses injustices brutales et furieuses, c'est lui qui a transformé notre nature en un «lieu sauvage». Pour nous, l'Ouest des cow-boys, notre «Wild West», date du jour où les animaux de la forêt se sont mis à détaler à l'approche de l'homme blanc.

Chief Luther Standing Bear,
Land of the Spotted Eagle, *(traduction libre).*

3

Le cœur du problème: la conscience somato-psychique

> D'après la mécanique quantique, l'objectivité n'existe pas. Nous ne pouvons nous exclure du décor. Nous faisons partie de la nature, et lorsque nous étudions la nature, il nous faut admettre que c'est la nature qui s'étudie elle-même. La physique est devenue une branche de la psychologie, ou peut-être est-ce l'inverse?
>
> *Gary Zukav,* The Dancing Wu Li Masters, *(traduction libre).*

Même lorsqu'ils s'en remettent à leurs rêves et croient en leur propre croissance, certains analysants, hommes ou femmes, n'arrivent toujours pas à se sentir en confiance dans le processus qu'ils ont entamé. Chez ces personnes, l'âme est disloquée au sein d'un corps tellement blessé que la bonne volonté du moi ne suffit tout simplement pas. C'est mon expérience d'analyste avec de tels sujets qui m'a amenée à accorder une grande importance à l'écoute du corps.

L'incapacité de franchir les étapes charnières de la vie ne signifie pas nécessairement que le moi soit incapable d'adopter une nouvelle attitude envers le Soi après le rejet de l'ancienne. Plusieurs de mes analysants ont réussi à orienter leur moi de façon appropriée, mais leur corps a subi un traumatisme à un moment donné. Ainsi, bien que l'on finisse par se rapprocher de leur moi par la confrontation, le défi ou l'humour, leur corps n'arrive pas à répondre. Plus le moi se lance en avant, plus le corps terrorisé s'immobilise. Il faut dont trouver le moyen de remonter au moment de la blessure et de se remettre en contact avec l'enfant abandonné.

Tout comme l'enfant, le corps dit la vérité; il la dit par ses mouvements ou par son inertie.

Une personne entraînée à observer les autres peut savoir si l'âme a pris résidence dans le corps ou si, l'image corporelle étant tellement inacceptable, la chair est à peine habitée. Parfois le corps se pare d'une image si infantile que toute possibilité de grandir, de devenir adulte, lui semble inconcevable. Si, comme le prétend James Hillman, «l'image que le corps se donne constitue sa nécessité la plus absolue[1]», il faut alors trouver un moyen de créer une image adéquate, tant physiquement que psychiquement. La conscience du corps, comme je la comprends, n'a rien à voir avec la technologie corporelle. Il n'est pas question de bonne santé, ni de longévité, bien qu'elles en soient les sous-produits. L'enjeu ici est l'intégration du corps, de l'âme et de l'esprit.

Tant que nous sommes de ce monde, la psyché agit par l'entremise du corps. William Blake nous décrit le corps comme étant «la portion de l'âme que l'on discerne à travers les cinq sens[2]». Évidemment, l'âme est bien plus qu'une «portion du corps», limitée à se manifester à travers un corps physique: elle se manifeste également par le biais du corps infini qui constitue le «corps» de l'imagination, corps qui comprend l'ensemble du monde visionnaire des arts — musique, sculpture, peinture, poésie, danse, architecture. On pourrait se représenter chacun de ces mondes visionnaires ou imaginaires comme des corps humains plus grands, ou encore comme un simple corps humain géant. Que l'âme puisse agir dans un autre monde, dont les arts sont une manifestation, est l'une des plus anciennes hypothèses sur l'immortalité et sur l'art, en tant qu'expression de l'âme.

Ainsi, l'âme se manifeste-t-elle sous une multiplicité de formes. Sur terre, elle doit pouvoir s'incarner dans une image corporelle qui deviendra son moyen primaire d'expression. En temps normal, l'âme ne refusera pas son image corporelle, pas plus que le sein maternel ne refusera la bouche de l'enfant. Le corps est le reflet de l'âme. Lorsqu'il y a rejet, c'est que quelque chose de grave s'est produit. Mais peu importe le problème, l'âme fera tout en son pouvoir pour le corriger. On pourrait alors se demander pourquoi le corps est bloqué en tant que moyen d'expression de l'âme. Considérées sous cet aspect, l'anorexie mentale et la boulimie, par exemple, seraient le résultat d'une libération anormale d'énergie psychique destinée à débloquer le corps. L'obésité serait également la manifestation d'une âme ayant plus d'énergie que le corps ne peut en contenir.

Les corps bloqués, métaphoriquement (ou parfois littéralement), ont les artères durcies, obstruées par un surplus de cholestérol qui entrave la circulation du sang et nuit au cœur. Un tel corps fait obstacle à l'énergie psychique qui doit alors trouver d'autres débouchés pour agir, d'autres modes d'expression. Certains d'entre eux sont très créateurs et permettent une brillante carrière dans les professions libérales ou dans les arts. Cependant, ceux dont le corps bloqué a imposé à l'énergie psychique un autre chemin d'expression seront à jamais hantés par leur refus, conscient ou inconscient, d'offrir une demeure à leur âme. Alors, sans trop comprendre ce qu'ils ressentent ni pourquoi ils le ressentent, ils sont possédés par une âme sans amarre, qui erre comme un fantôme dans une zone grise et nébuleuse qui n'offre ni abri, ni repos. Ils sont hantés par leur âme errante qui plane quelque part près de la terre, suppliant en vain qu'on la laisse entrer. En lui refusant l'accès à leur corps, ces personnes s'érigent en ennemis de leur âme. Elles se rendent compte, inconsciemment, qu'elles l'ont condamnée à l'exil perpétuel et c'est pour cela que les autres échappatoires, que l'âme exilée du corps a trouvés pour elle-même, aussi créatifs soient-ils, ne leur apportent jamais de vraie satisfaction. Ces personnes échappent temporairement au désespoir en se plongeant dans le travail, mais une fois le travail terminé, la rechute est encore plus terrible. En effet, dans certains cas, le travail de création conduit au suicide.

Toute blessure du corps produira une décharge puissante d'énergie curative à l'endroit où se produit le blocage. Cela se passe dans le corps malade. L'objectif des séances d'écoute du corps est d'aider le sujet à comprendre ce que l'âme essaie de faire, pour ensuite détendre le corps afin que l'âme puisse y agir. Il s'agit de créer une perspective nouvelle qui permettra de comprendre la maladie sous un éclairage très différent.

Chapitre 3

Désincarnée

La «fille à Papa» devenue femme fait rarement, voire jamais, l'expérience de son côté «sombre», de sa rage et de sa jalousie, de la luxure et de l'extase. Éloignée de son corps, elle ne connaît pas l'énergie extraordinaire bloquée à l'écart du conscient, bloquée à un point tel qu'elle ne se manifeste que rarement dans les rêves. Il peut lui arriver de flotter dans une euphorie d'images oniriques somptueuses pendant la séance d'analyse, pour ensuite se ressaisir maladroitement et, tristement, reprendre l'insupportable fardeau de son propre corps. Ses rêves reflètent souvent cette aliénation de soi: elle y sera présente sous la forme d'un objet animé — une balle de golf, un nuage, une saucisse dotée d'une tête; il arrivera qu'une tête se déplace deux pouces au-dessus d'un cou sectionné; parfois une corde ou un foulard serrés bloqueront toute communication entre la tête et le cœur; parfois la tête pourrie de son père lui putréfiera le ventre.

Bien que de telles images témoignent clairement du problème de l'ombre, l'analyste n'aura pas avantage à en parler directement: «Voilà, vous voyez, c'est ici qu'il y a rupture avec vos propres sentiments. C'est ici que votre sorcière maléfique vous sépare de vous-même.» Un tel discours tomberait dans l'oreille d'un sourd. En effet, l'âme qui a choisi de se couper d'un monde «dégoûtant» ne saurait admettre l'existence d'un être suicidaire en son sein, pas plus qu'elle ne reconnaîtrait des passions avilissantes telles que la cupidité, la luxure, le désir du pouvoir et les «mille chocs naturels dont la chair a hérité[3]».

L'écoute du corps peut chasser la sorcière. Si l'on ne peut se permettre une confrontation directe en traitant un trouble de l'alimentation par le gavage ou la privation, on pourra cependant arriver à décapiter la sorcière par des manœuvres habiles du bouclier et de l'épée, tel Persée venant à bout de Méduse, tout en ramenant le corps au niveau du conscient[4]. L'écoute du corps accélère le processus et offre au moi un contenant solide.

L'analyse a pour objet de dépister les complexes qui emprisonnent l'énergie réprimée. Quand le sujet vit une relation corps/

psyché relativement harmonieuse, le côté ombre apparaît clairement dans les rêves. Chez grand nombre de sujets, toutefois, le corps a été séparé de la psyché en très bas âge. Lorsqu'un enfant n'est pas désiré ou qu'on aurait préféré qu'il soit de l'autre sexe, la rupture corps/psyché commence dans l'utérus ou à la naissance, comme si l'âme avait choisi de ne pas entrer dans le corps en s'imposant un exil volontaire. L'énergie psychique se concentre alors dans la tête ou au-dessus d'elle et le sujet a besoin de toutes ses forces pour venir à bout des problèmes quotidiens les plus simples sans glisser dans le monde de l'imaginaire. Ce sont des êtres privés de demeure corporelle, en proie à la nostalgie pour un chez-soi qui n'est pas de ce monde. Habituellement, leurs rêves de début d'analyse sont très positifs, remplis de visions mystiques de cités d'or, d'oiseaux dorés et d'endroits bien définis leur assurant sécurité et amour. C'est comme si le Soi savait qu'ils ont peu d'emprise sur le quotidien et leur faisait don de ces merveilleux rêves, de points d'attache auxquels ils puissent s'accrocher quand se manifeste le désespoir suicidaire, étape inévitable en cours d'analyse.

Le désir de mort devient conscient lorsque le sujet est forcé d'admettre que le monde imaginaire de Lumière, de Beauté et de Vérité, qu'il a tissé autour de lui, n'est qu'illusion et ne tient pas compte du monde réel, et qu'il s'est fabriqué un monde aux proportions archétypiques pour se protéger de la réalité grossière qu'il a préféré ignorer et mépriser. À l'instar de la dame de Shalott, de Tennyson, il s'affaire quotidiennement à tisser sa toile magique tout en regardant les «ombres du monde» que lui renvoie son miroir. La dame de Shalott savait que si elle osait abaisser son regard sur Camelot, cela lui vaudrait la mort. Puis un jour, un «bearded meteor, trailing light» — un homme réel — traversa son miroir, comme un éclair:

> She left the web, she left the loom,
> She made three paces thro' the room,
> She saw the water-lily bloom,
> She saw the helmet and the plume,
> She look'd down to Camelot.

Out flew the web and floated wide;
The mirror crack'd from side to side;
«The curse is come upon me,» cried
The Lady of Shalott[5].

Bien que l'étiologie de la pulsion de mort puisse varier chez chaque individu, deux situations tendent à prévaloir chez les femmes qui, consciemment ou inconsciemment, aspirent à quitter ce monde. D'abord, la mère n'a pas établi de relation avec son propre corps de femme; elle a déprécié sa propre sexualité, devenant par conséquent incapable de chérir le corps féminin de son enfant. L'enfant a grandi en s'accommodant d'une situation qui, en vérité, était intenable, exploitant de son mieux ses caractéristiques intellectuelles et spirituelles pour être à la hauteur de ses parents, de ses enseignants et du monde extérieur. Mais, au fond d'elle, elle se sent rejetée dans sa propre personnalité et elle jette l'odieux de ce rejet sur son corps «laid» qui la rend «indésirable». De plus, la constellation affective à l'intérieur du foyer familial a habituellement provoqué un attachement au père réel, ou à une vision imaginaire d'un monde parfait qui n'attend que le retour à la maison du Père absent pour pouvoir s'actualiser[6].

Quand la famille insiste sur la perfection en tout, sans reconnaître vraiment le Devenir ou l'Être de l'enfant, ce dernier découvre très tôt que ses réponses instinctives sont inacceptables, de sorte que sa colère, sa peur, voire sa joie, sont enfermées dans la musculature de son corps, emprisonnées à jamais et coupées de la vie de tous les jours. Quand le fait d'être séparé du monde instinctuel rend impossible tout sentiment authentique, le conflit véritable reste dans l'inconscient ou y est somatisé.

Se reférant au complexe du moi qui précède la formation d'un moi conscient, Esther Harding écrit ce qui suit:

> Si le moi est insuffisamment développé chez l'adulte moderne et ne fait pas surface, le complexe du moi restera au niveau de l'inconscient et agira à partir de là. Au niveau conscient, la personne n'ayant atteint que ce stade de développement peut manquer, de façon fla-

grante, de concentration et de convergence, qui caractérisent celle ou celui dont le moi conscient est développé davantage. Et pourtant, l'égotisme et le désir du pouvoir, même ignorés par la personne non évoluée, peuvent être agissants et produiront leurs effets inévitables sur tous ceux et celles avec lesquels elle entrera en contact. Si l'égotisme et l'entêtement n'agissent qu'au niveau de l'inconscient, alors leur manifestation prendra une forme somatique ou «pré-psychologique».

Une fois le moi passé au stade du conscient et le sujet sensibilisé à son existence en tant que moi, ses réactions devant les difficultés et les embûches ne se manifesteront plus sous forme de symptômes physiques: le conscient pourra reconnaître simplement qu'il s'agit là d'émotions. En d'autres termes, la réaction sera psychologique[...]. Cette apparition du moi sorti de l'inconscient entraîne un nouveau problème: le désir du pouvoir[7].

Récupérer le corps

Le processus analytique devra parfois durer des mois avant que le conflit se reflète dans les rêves. L'écoute du corps, qui exige une patience considérable et beaucoup d'amour, se porte à la rescousse de l'enfant perdu dont le petit corps — fort, tendre et confiant — n'a pas eu le loisir de se développer. Le corps est méfiant et terrifié, et n'apprendra que graduellement à se fier à ses propres instincts, à les discipliner pour qu'ils deviennent l'assise solide de l'évolution de la psyché. Pour que la psyché repose sur les bases solides que lui procure cette confiance indispensable dans les instincts, le corps doit se sentir aimé; il doit savoir que ses réactions sont acceptables, sans quoi, tôt ou tard, à l'intérieur du processus analytique, le sujet sera bloqué par son moi méfiant. Au moment où le corps devrait s'abandonner, le moi se fige. Alors, à moins de savoir qu'il existe des bras intérieurs assez forts et aimants pour le contenir, aussi féroce ou brisé qu'il soit, le corps se raidira dans son effort de survie. Cette raideur se reflète dans la rigidité de la *persona* et dans celle du moi.

Le femme dont la mère n'aimait pas sa propre féminité et, de ce fait, rejetait le corps féminin de sa fille, passera inévitablement par une période au cours de laquelle elle fera des rêves à caractère homosexuel ou adoptera un comportement de lesbienne parce que son corps réclame l'acceptation d'une femme. Cette tendance est habituellement temporaire et l'énergie de la femme se tourne graduellement vers les hommes. Si on a pris soin de bien intégrer la phase homosexuelle, en ancrant le moi féminin dans le corps féminin, la femme qui n'a jamais su accueillir l'orgasme atteindra alors une nouvelle dimension dans sa sexualité. Toute l'énergie bloquée dans son pelvis et dans ses cuisses depuis l'enfance et le début de la puberté est maintenant libérée; elle se répand jusque dans l'extase. Une fois que cette énergie est libérée, la femme qui avait auparavant besoin d'être «câlinée» et enlacée par un homme n'essaiera plus de transformer son amant en mère. Son homme aura tout loisir d'assumer sa propre masculinité à travers les dons réciproques qui composent la relation sexuelle.

Il faut accorder à l'écoute du corps le même respect et la même attention qu'aux rêves. Le corps possède sa propre sagesse et il importe peu qu'elle mette du temps à se manifester, qu'elle emprunte des chemins détournés; une fois au grand jour, cette sagesse devient le fondement, la base de la connaissance qui vient appuyer le moi et lui donner confiance. L'atteinte de la sagesse du corps requiert une concentration absolue: il faut laisser tomber l'esprit dans le corps, souffler sur tout ce qui est prêt à être libéré et favoriser l'expression jusqu'à ce que l'énergie négative, enfin débloquée, fasse place à l'énergie positive, à la vraie Lumière. Après l'écoute du corps, les rêves font surgir dans le conscient, les complexes qui ont été menacés ou libérés. Les vieilles cuvettes débordantes, brisées ou bouchées commencent à se vider; les animaux morts, estropiés ou affamés sont en voie de guérison; les automobiles aux démarreurs brisés, aux pneus crevés ou dont le coffre arrière a été enfoncé sont réparées; les installations électriques donnant lieu à des courts-circuits, ou à un surplus d'énergie qui dirige trop de courant dans une prise et pas assez dans une autre, sont réparées. Souvent, de nouvelles fenêtres viennent remplacer les vieilles ouvertures étroites du grenier et l'on découvre de grandes pièces secrètes dans la vieille maison.

Si la personne est prête et si l'expérience s'est déroulée dans une atmosphère de confiance, il lui sera souvent donné de faire un rêve puissant, sacré, où figure la Grande Mère en tant que protectrice nourricière et aimante. Elle montre rarement son visage mais son amour remplit le corps du sujet d'une lumière douce, divine, laissant une impression si puissante, que la femme s'y accrochera chaque fois que la douleur de l'analyse lui semblera intolérable. Très souvent, les analysants disent: «Je ne comprends pas ce qui m'arrive. Ce n'est pas que je sois une personne très croyante, mais je sais que Quelqu'un m'aime.»

Une telle expérience peut mettre fin à une assuétude. Le vide au cœur de la psyché, jusqu'alors vécu comme le néant — le gouffre à éviter en usant de tous les anesthésiques nécessaires — peut être transformé en un lieu d'Actualisation, vénéré comme la demeure de la Déesse. À partir de cet instant, la concentration évolue autour du centre, et les heures de délire et de fuite, auparavant consacrées à faire la noce, vomir, se gaver, travailler, boire, astiquer, peuvent devenir les heures les plus créatives de la journée. Les personnes souffrant d'assuétude sont souvent des êtres très énergiques, égarés dans un labyrinthe, désespérés dans leur quête de l'essentiel. Elles courent çà et là, telles des gerbilles sur une roue, cherchant l'expérience transcendantale à travers des excès euphoriques: la faim, le vomissement orgastique, l'«esprit» de l'alcool, la «vérité» de la drogue. Mais si elles parviennent à prendre contact avec leur réalité intérieure, à l'entretenir grâce à la respiration, la danse, le T'ai-Chi, peu importe quoi, pourvu que ça marche pour elles, ces personnes rejoindront leur propre créativité et mettront leur énergie au service de la création, et non de l'autodestruction.

Au fur et à mesure que le corps avance sur le chemin de la conscience, ses messages se font plus clairs, plus précis. Beaucoup d'intuitifs, ayant fait confiance en leur intuition toute leur vie, se rendent compte, par ce travail d'écoute de leur corps, que celui-ci est tout aussi intuitif que leur psyché. À titre d'exemple, prenons le cas d'une femme qui passait la nuit avec son ami quand, soudain, son corps fut saisi de tremblements. Auparavant, elle n'en aurait pas fait de cas; mais cette fois-là, elle comprit que son corps redoutait quelque chose. Le lendemain, son ami lui téléphonait pour lui dire qu'il désirait mettre un terme à leur relation. Son corps le *savait* déjà. C'est que l'activité de l'âme s'inscrit dans le corps et, aussi bloqué que puisse être le corps, à moins d'être complètement détruit, il continuera de témoigner de l'activité de l'âme. (Que les signaux soient captés ou rejetés relève d'un problème différent.) En analyse, les réactions intenses du corps ne doivent pas être négligées étant donné l'importance cruciale de la fonction du sentiment dans le développement du moi. Lorsqu'une personne fait tout ce qu'elle peut pour ancrer sa vie dans des valeurs affectives authentiques, et qu'elle essaie de trouver le courage d'agir en conformité avec de telles valeurs, le corps doit alors confirmer cette orientation. Cependant, j'ai remarqué que bon nombre de mes analysants font preuve de ce que j'appellerais «la psychologie de l'opossum», dans laquelle le corps ne peut pas ou ne veut pas appuyer la valeur sentimentale. Ainsi, le corps se faufile dans la vie comme à travers un champ de mines magique où il sera la seule victime des explosions inaudibles. Si l'environnement vient menacer l'inconscient, le corps interne, agissant de façon autonome, «fait le mort». Ayant vécu l'effondrement intérieur toute leur vie, ces personnes ont appris à ne parler que de la pluie et du beau temps et leur *persona* toute polie leur sert à éloigner le danger du moi qui gît par terre. Une fois la crise passée, le moi essaie de se relever, mais s'il perçoit la présence d'un ennemi invisible, instinctivement il fera le mort à nouveau.

Un corps aussi intuitif, où l'inconscient règle la quasi totalité des activités, indique que le moi n'a jamais fonctionné de façon adéquate: en effet, chaque fois que se présentait un danger, le système nerveux autonome disait *Non*, et le moi battait en retraite. Il faut que les réactions du corps soient amenées au conscient pour que l'individu se rende compte de ce qui se passe tant à l'intérieur qu'à l'extérieur de lui, sans quoi l'agressivité normale de cet individu sera refoulée, il ne saura pas relever les défis quotidiens et son moi n'arrivera pas à se développer dans un cadre d'échanges normaux. Son corps vulnérable se fabrique un mécanisme de défense qui agit de diverses façons: embonpoint, enflures, rougeurs, vomissements: tout ce qui permet d'évacuer le poison. Si la personne vit à proximité de l'inconscient, si elle est médium ou artiste, par exemple, il faut bien observer les réactions du corps et les traiter au niveau du conscient. Autrement, le moi isolé cherchera un moyen d'endormir cette peur vague qui l'habite.

Quand le moi est assez conscient pour entendre les avertissements de l'opossum («Gare aux mines!»), il doit accepter d'assumer sa propre défense, sans quoi il s'expose à l'empoisonnement psychique de façon parfaitement irresponsable. Une fois qu'il a localisé le danger, il peut décider de se retirer ou de tenir ferme. Cependant, il n'est pas possible de se confronter à une menace invisible. Peu importe le mécanisme de défense choisi, la peur ou la colère qu'il engendrera auront besoin d'un moyen ou d'un lieu d'expression appropriés. Plutôt que de se gratter, de manger ou de boire, plutôt que d'adopter un comportement compulsif se traduisant par des gestes mécaniques, le corps a besoin de temps pour retrouver son propre rythme. Si, par exemple, on lui permet de danser chez lui, dans le calme d'une salle de séjour, la réaction ainsi canalisée trouvera un exutoire naturel dans des mouvements rythmiques. Plutôt que d'avoir un effet destructeur, l'énergie devient créatrice. L'énergie psychique qui se manifeste à travers ce type de mouvement rythmique est l'ébauche d'une forme spirituelle de l'instinct[8].

Intégration du corps et de l'âme

Il faut donc faire le pont entre «l'apparente incommensurabilité du monde physique et du monde psychique[9]». Jung lui-même a tenté d'établir cette synthèse en créant le concept de la nature psychoïde de l'archétype. Puisque la psyché et la matière sont contenues «dans un seul et même monde», écrit-il dans son essai intitulé *On the Nature of the Psyche* :

et que, de plus, elles sont en contact permanent l'une

> avec l'autre et reposent ultimement sur des facteurs non représentables, transcendantaux, il n'est pas seulement possible, mais assez probable que la psyché et la matière soient deux aspects différents d'une seule et même chose. Les phénomènes de synchronicité tendent dans cette direction, car ils montrent que le non-psychique peut se comporter comme le psychique, et vice versa, sans qu'aucun lien causal ne les relie. Nos connaissances actuelles ne nous permettent pas de faire plus que de comparer la relation entre le psychique et le monde matériel avec deux cônes se rencontrant en un point sans extension — un vrai point zéro — où ils se touchent et ne se touchent pas[10].

Ce point zéro où les sommets des deux cônes «se touchent et ne se touchent pas» a fait l'objet d'exploration dans les ateliers que j'ai donnés avec trois spécialistes du corps: Mary Hamilton, professeur de danse et de mouvement; Beverly Stokes, qui a reçu sa formation de Bonnie Bainbridge Cohen en matière de processus développementaux et d'anatomie expérimentale, et Ann Skinner, professeur d'élocution qui a étudié avec Kristin Linklater[11]. Soucieuses d'amener les participants de l'atelier à ce point zéro, nous devions découvrir de nouvelles façons d'étudier et de pénétrer les mystères de la relation psyché/soma.

Ainsi, par le biais d'une relaxation profonde, un sujet peut trouver un point précis d'inconscience dans son corps et alors s'attacher à y implanter un symbole mystique pris dans un rêve. Le symbole est vu comme un don salutaire individuel qui travaille à trois niveaux, émotionnel, intellectuel et imaginaire, faisant appel au corps, à l'esprit et à l'âme. L'image onirique implantée dans le corps agit comme un aimant qui attire l'énergie pour la transformer et la libérer sous forme de pouvoir guérisseur. Une énergie vibrante envahit les ténèbres des muscles bloqués depuis longtemps et les rêves qui s'ensuivent permettent l'expression du complexe qui avait tenu cet espace sous son emprise. L'énergie psychique libère le physique; le physique illumine le psychique. Comme je l'ai déjà indiqué, on a beau être conscient de la façon dont un complexe entrave ses actions, si le corps ne peut se résigner lui aussi à abandonner le conflit engendré par des années de tension, la moitié du problème reste à résoudre et les habitudes déformantes d'autrefois ont vite fait de reprendre le dessus.

De plus, c'est l'énergie contenue dans les images qui constitue ce que Jung, s'inspirant d'une ancienne tradition, appelle «le corps subtil» ou «le souffle-âme[12]». En amenant les sommets des cônes psychique et physique à ce point zéro où ils «se touchent et ne se touchent pas», nous reconnaissons ceci: le corps subtil ne nie pas la psyché ou le soma, mais il les réunit en un *tertium non datur,* un troisième élément qui contient les tensions physiques et psychiques et agit comme catalyseur en libérant l'énergie des deux côtés. Quand le corps subtil commence à devenir conscient, nous ne pouvons le traiter comme s'il n'existait pas; si nous le négligeons, des symptômes graves, physiques ou psychiques, apparaîtront. Les lois qui régissent le corps subtil doivent être reconnues, et cela entraîne, la plupart du temps, un changement radical des habitudes inconscientes reliées à l'alimentation, à la respiration, à la sexualité, etc. L'analyse vise, entre autres, à créer un contenant conscient propice au corps subtil.

Si la femme obèse se rend compte qu'elle perçoit son gros corps comme un moyen de défense contre le monde, elle pourra également se rendre compte qu'elle imagine son mur de défense comme étant situé sur une circonférence s'élevant à deux pieds autour d'elle. Son corps physique est alors suffisamment gros pour remplir cet espace. Par contre, si elle transforme son attitude défensive en force intérieure, son point de mire deviendra un rayon de lumière au fond de son corps, rayon qui ne peut être atteint de l'extérieur. Une fois qu'elle aura réussi ceci, la posture de son corps se modifiera de façon perceptible, et son corps prendra une forme et une substance plus définies. En d'autres termes, il y aura influence réciproque entre celui qui perçoit et ce qui est perçu.

Une autre forme de travail corporel est le mouvement, qui prend sa source dans le développement humain et les origines évolutionnistes. Tout geste physique trouve ses origines dans les modèles que nous apprenons et développons dans notre prime enfance, modèles qui eux-mêmes ont leurs racines dans notre héritage évolutionniste. Il s'ensuit que le réapprentissage de ces séquences gestuelles peut ouvrir la porte à des expériences physiques et psychiques plus profondes. Les rêves dans lesquels surgissent des poissons et des embryons humains étayent la théorie de Jung selon laquelle «les vertébrés inférieurs sont depuis le début des temps les symboles favoris du substratum psychique collectif, lesquels sont situés anatomiquement dans les centres sous-corticaux, le cervelet et la moelle épinière[13]».

On peut également se servir de la voix pour accéder à l'authenticité du corps et de la psyché. En libérant le corps de ses conflits chroniques et en lui permettant de respirer jusque dans ses profondeurs, nous faisons jaillir tout naturellement la voix des sources instinctives, avec toute sa résonnance. Peu de gens entendent leur propre voix parce que leur peur et leur rage bloquées l'emprisonnent au fond de leur gorge, à l'écart de l'énergie réelle de leur imagination et de leurs émotions. Dans les brefs moments où la voix authentique parvient à se faire entendre, l'être entier vibre de sa vérité, et l'union du personnel et du transpersonnel devient palpable.

De plus en plus d'avenues s'ouvrent à l'exploration dans ce domaine. Peut-être est-ce le point de rencontre entre la sagesse intuitive de l'Orient et la connaissance consciente de l'Occident. Dans *The Tao of Physics,* Capra écrit:

> Il [Bohm] considère que l'esprit et la matière sont interdépendants et en corrélation, mais sans lien causal. Ce sont des projections mutuellement enveloppantes d'une réalité supérieure qui n'est ni matière, ni conscience[14].

Intégration du corps, du rêve et de l'imagination active

Un exemple servira à illustrer de quelle façon l'écoute du corps peut faire surgir l'image onirique, amenant immédiatement à la surface des émotions intenses réprimées qui, sans cette incarnation, seraient retombées dans l'inconscient. Louise, âgée d'un peu plus de quarante ans, souffre depuis longtemps de troubles de l'alimentation; elle a fait un travail intensif d'écoute du corps pendant plusieurs années et se fait analyser depuis trois ans. Elle avait trois ans quand son père est mort, laissant derrière lui une image idéalisée de la masculinité, avec laquelle aucun homme ordinaire n'aurait pu rivaliser. Le rêve surgit après une session intense d'écoute du corps. Il est cité ici exactement tel qu'il a été enregistré sur cassette. En voici la première partie:

J'aperçois une lumière qui filtre par l'ouverture d'une porte partiellement ouverte. J'entre. Il n'y a pas de meubles [dans la chambre], le parquet est de bois vernis, les murs sont peints bleu pâle avec des découpages blancs et les fenêtres vont du parquet au plafond; le plafond est très haut et il y a beaucoup de lumière. Au fond, il y a des armoires encastrées, blanches, comme dans les salles paroissiales, et deux toilettes. Il y a aussi un petit escalier à l'arrière où se trouvent des ouvriers. Ils se demandent ce que je fais là. Je leur demande s'il y a une cuisine. Ils me répondent: «Non.» Tout simplement. «Non.» Je me dis que c'est quand même le studio idéal, juste de la bonne grandeur, et que je n'aurai pas besoin de cuisine si je n'habite pas là. Mais comme je reviens sur mes pas en traversant le studio, il me semble plus grand, toujours plus grand, et le loyer en est probablement trop élevé. Quand je le traverse, il devient encore plus spacieux et je m'en vais.

Apparaît alors sur une carte, quelque chose qui a la forme d'un bras. On dirait un pénis dressé. Il s'ouvre une voie dans la carte. C'est la partie qui restera ouverte à la suite de l'expérience. Puis je me retrouve dans la chambre à coucher, qui était auparavant le studio, avec mon mari et le ver. [...]

Pendant la période où elle a fait ce rêve, Louise était à la recherche d'un studio-école et désirait tellement qu'il soit de la bonne grandeur qu'elle était prête à prendre ses repas à l'extérieur plutôt que de payer un supplément pour une cuisine et d'avoir ses repas à faire. Dans le rêve, le studio est élégant, classique: il est spacieux, très bien éclairé, bleu pâle avec des découpages blancs. Cet ensemble suggère de grands idéaux, un lieu de travail dans lequel elle n'est pas en contact avec la réalité quotidienne. Point de meubles pour elle, ni de nourriture. C'est un endroit où elle peut pourvoir aux besoins des autres. La beauté esthétique de cette pièce suggère un père idéalisé et, à mesure que la pièce s'agrandit, elle se rend compte que le prix d'une telle perfection pourrait être trop élevé. La porte ouverte suggère une possibilité, celle de survoler cet endroit pour s'apercevoir que c'est un espace négatif, qu'elle ne peut pas y vivre, que ce monde de raisonnement froid et perfectionniste a besoin de deux toilettes et ne laisse aucune place pour la réalité de sa propre personne. Ce type d'espace psychologique représente un jugement qui comporte à la fois le sacrifice de soi et l'indifférence aux besoins du moi. La présence d'ouvriers dans l'escalier vient souligner l'absence d'une cuisine. Rien ne peut entrer ici et s'y transformer. Cet espace bien éclairé la rend de plus en plus consciente de son problème de névrose, mais elle n'y trouve pas l'énergie primaire nécessaire à sa guérison et à sa transformation. Ici, elle pourrait s'offrir sur l'autel de ses idéaux, sans même trouver d'assises dans sa propre réalité instinctuelle.

Soudain, un bras se fraye un chemin à travers la carte, un pénis géant déchire une ouverture dans ce qui a été son chemin archétypique; cette déchirure «restera ouverte à la suite de l'expérience», quelque chose de plus vaste que sa propre expérience se fraye un chemin, exigeant l'élargissement de la conscience. Pour elle, c'est la main de Dieu, le Destin, le Soi qui lui permettra d'élargir sa propre circonférence. Plus jamais elle ne sera capable de vivre en fonction des autres dans sa chambre bleue. (Ce rêve l'a touchée si profondément que j'ai eu l'impression qu'il pouvait bien marquer un tournant dans sa vie.) Elle doit maintenant se demander vraiment: «Qui suis-je?»

C'est par la brisure névrotique que vient l'expérience; c'est par l'expérience du conflit que vient la vérité; et c'est par la blessure que vient la guérison. Le pénis constitue le principe créateur. (Jung écrit: «Le phallus symbolise toujours la manne créatrice, le pouvoir de guérison et la fertilité, «l'extraordinairement puissant[15]».) C'est par lui qu'homme et femme sont réunis, par lui que la semence est injectée. S'il n'est pas dressé, le besoin immédiat d'union ne se fait pas sentir. La question

«Qu'est-ce que je veux vraiment?» produit l'érection. «Qu'est-ce que je ressens vraiment?» fait surgir la blessure. Lorsque Louise décide de quitter la pièce, le pénis est dressé. Mais le problème se présente ainsi: «Qui suis-je en dehors de cette pièce?» Pendant qu'elle m'entretenait de son rêve, un sanglot de terreur devant cette émergence s'est échappé d'elle quand cette dernière question a été répétée. «Je ne sais pas, a-t-elle soupiré, je n'en sais rien.» Dans le rêve, c'est ce moment qui constelle le ver.

Le rêve se poursuit:

Mon mari et moi, nous l'avons élevé depuis son tout jeune âge. Il n'était qu'une toute petite chose amusante au début. Comme les marsupiaux à peine sortis de l'utérus de leur mère et qui s'accrochent à sa cavité ventrale. Pas de poils, seulement une peau mouillée, comme des petits vers. Mon mari était tout à fait en accord avec lui; sa présence lui était nécessaire.

Nous étions dans la chambre à coucher où mon mari s'occupait de lui. Je le tenais, mais il se déplaçait si rapidement sur mes mains que j'ai eu peur de le perdre. Alors j'ai pensé que ce serait peut-être intéressant de le laisser ramper par terre, parce qu'alors il ne bougerait pas autant sur moi. Le parquet était de bois ciré. Il s'est déplacé si vite que j'ai eu vraiment peur de le perdre et de ne pas arriver à le rattraper, ou encore, qu'il disparaisse sous quelque objet. Il était si petit que nous ne l'aurions pas vu sous un objet. Il était si petit que nous aurions eu du mal même à le voir. Alors je me suis précipitée pour l'attraper et il s'est jeté à toute allure dans un coin de la pièce, mais il y avait beaucoup de poussière et de peluches, et il s'y est pris. La saleté collait à lui si bien qu'il est devenu une petite boule de poussière. J'ai paniqué. Je ne pouvais pas l'attraper.

Mon mari n'a pas paniqué un seul instant. J'ai fini par mettre la main dessus, mais il avait l'air pitoyable. Il était raide comme du carton, sec, recouvert de poussière. La poussière et les peluches lui avaient asséché la peau et l'avaient déshydraté. Alors j'ai pensé: «Mon Dieu, c'est terrible!» Ses yeux avaient la blancheur de la chair de poisson trop cuite et un autre œil blanc était apparu sur son ventre (un peu comme à cet endroit qu'on presse du doigt sur le ventre du petit bonhomme Pillsbury)[16]*. J'ai versé de l'eau sur lui et rien ne s'est produit. J'ai alors dit: «Mon Dieu, il est mort. Je suis désolée, il est mort, il est mort, il est mort!» Rien ne se produisait. Rien ne se produisait! Mon mari a quitté la pièce. Pendant que je le regardais, dans ma main, une métamorphose s'est produite. Ses yeux sont devenus plus blancs et il s'est retrouvé au creux d'une enveloppe de maïs. Au toucher, tout son dos était comme une enveloppe de maïs, il était une enveloppe de maïs. Soudain, il a pris vie. Il grossissait et grossissait et il est sorti de l'enveloppe. Il était si terrifiant que j'ai crié à mon mari de venir, de venir,* venir. *Il se tenait debout sur le lit et me faisait face. Je n'arrivais pas à détourner mon regard de ce singe-enfant qui grandissait. Dans ma main gauche, je brandissais un couteau bien affûté; il s'empara lui aussi d'un couteau. Je crois bien qu'il avait un couteau. J'ai appelé mon mari qui est venu jusqu'à la porte et je me suis approchée du seuil pour lui dire: «Il faut que tu appelles le zoo. Tu dois appeler le zoo. Appelle le zoo.» Et il est parti s'en charger.*

J'essayais d'occuper ce chimpanzé/singe en le faisant parler. Je le trouvais plutôt dangereux, hostile. Il avait bondi du lit pour se réfugier dans le placard.

Je lui ai dit: «Te souviens-tu de grand-père?»

Et le passé le rendait hostile. «Je le haïssais.»

Je lui ai demandé: «Tu te souviens de l'école?» — ce que mon mari lui avait enseigné.

Et il a répondu: «Je détestais ça. Je détestais ça.»

«Te souviens-tu de ce qui s'est passé avant l'école, quand tu étais petit?»

«Je détestais ça! Je détestais tout ça!»

Mon mari est revenu avec un plateau chargé de nourriture, qu'il a déposé sur le lit. J'ai pensé que ce n'était pas du tout le genre de menu indiqué pour un champion (chimpanzé) — rien que des soupes, des pommes de terre en purée, des carottes, des haricots verts, ramollis par la cuisson.

Il a alors quitté la chambre et j'ai couru derrière lui sans fermer la porte complètement pour ne pas perdre le chimpanzé de vue. Je lui ai demandé: «As-tu appelé le zoo?»

Il m'a répondu: «Eh bien, je me suis d'abord occupé du repas.»

Et j'ai dit: «Mon Dieu, c'est ridicule? Tu aurais dû les appeler en premier? Ils devraient déjà être ici!»

À la fin du rêve, il prenait nonchalamment le téléphone pour appeler le zoo.

Elle se trouve à présent avec son mari, dans leur chambre à coucher, auparavant le studio. Dans son inconscient, le thème de la relation homme/femme est renforcé par le décor. Son mari est «tout à fait en accord» avec le petit ver qui se déplace dans la poche ventrale de la Mère. Ce ver représente la personne qu'elle a été, celle qui semble faible et douce, celle qui fait ce qu'on attend d'elle. La petite fille à Papa qui fait ce qui est bien pour les mauvaises raisons, qui tente de plaire à l'ordre établi. Le ver est «indispensable» dans une relation avec ce type de douce masculinité.

La vérité se fait jour, cependant, quand le ver est expulsé de l'enveloppe de maïs, quand il sort de la matrice. Une partie d'elle, dont elle ignorait l'existence, grandit à un rythme effarant. Ayant toujours ignoré l'existence de son singe, elle ne s'est pas rendu compte que le sentiment qu'elle nourrit, par sa façon masochiste de percevoir son corps, est un sentiment de rage. Son animosité envers son grand-père, l'école, son enfance, envers tout, a été refoulée à l'intérieur de son corps. Elle a «singé» toutes les attitudes que son entourage lui imposait, s'identifiant à la mère parfaite en tout, mais incapable de faire passer ses sentiments réels dans ses gestes. Dans une situation comme celle-ci, l'homme intérieur est un faible, mais il a au moins le bon sens de nourrir le singe avec des aliments délicats, féminins. Le moi détecte le danger et désire enfermer la rage dans un zoo. Bien que le rêve se termine dans une impasse, le masculin n'est pas du tout pressé d'enfermer l'énergie derrière des barreaux. Faut-il vraiment enfermer le «singe» dans un zoo? Ou est-ce l'énergie instinctuelle nécessaire à la maturation du masculin et du féminin?

La veille de son rêve, après une séance de yoga, Louise avait écrit ce qui suit:

J'ai travaillé sur mon pelvis, essayant de le bouger, de faire bouger le sacrum, puis le bas de la colonne, en tentant de me mettre en contact avec mon ventre («hara») et de faire passer l'énergie dans mes jambes et dans mes bras. Quand j'étais allongée, à la fin du cours, j'ai senti que l'équilibre des forces se faisait entre mon côté droit (plus faible) et mon côté gauche. Mon côté gauche s'est ramolli. J'avais l'impression que mon corps était immense — une énergie immense, bienfaisante, circulait dans mes orteils et dans mes doigts. Je goûtais mon immensité. Mais qu'allais-je faire de cet équilibre, de cette force et de cette énergie tranquille? Quelque chose en moi a paniqué; j'ai ressenti une panique terrible.

Quand elle a intériorisé le singe au cours d'une séance d'imagination active dans mon bureau, elle a commencé ainsi:

Je suis consciente d'une douleur dans le bas de mon dos, à la cinquième lombaire; et aussi dans mon cou. C'est un mal caractéristique de ma famille. C'est l'aversion, le dégoût, le mépris pour tout, qu'un enfant éprouve quand les choses lui échappent. C'est la haine du patriarcat, la haine de l'école. Je n'ai jamais rien appris qui me concernait. À l'école, tout était ennuyant, à part quelques enseignants.

Pendant qu'elle énumérait les divers objets de son mépris, son corps fut pris d'une vibration incontrôlable. La rage atteignait son apogée dans des vagues d'énergie qui la parcouraient des pieds à la tête. Il y eut un moment d'arrêt, suivi de cris hystériques à mi-chemin entre le rire et le sanglot, puis un rire clair, cristallin, envahit tout son corps pendant quelques instants. Alors elle se retrouva par terre, le front collé au parquet. Elle demeura ainsi un bon moment, puis se rassit tranquillement, toujours par terre. Elle me dit:

Je ressens une telle joie, un tel calme. Tout ce travail d'écoute du corps que j'ai fait, tous ces cris de colère et de peine étaient personnels. Je croyais que c'était terminé. Même quand j'ai fait ce rêve, je n'ai pas pris conscience de ma rage. Je suis surprise. Je ne savais pas qu'elle était là. Ce n'est que maintenant que je reconnais l'aspect transpersonnel de cette rage. Je le sens. C'est un soulagement.

Quand elle a mis le doigt sur le ventre de son petit bonhomme Pillsbury, elle ne s'attendait pas à toute cette énergie sacrée qui s'est échappée de la pâte — d'abord négative, ensuite positive. Là où elle avait été blessée, physiquement et psychiquement, l'énergie sacrée est entrée et la transformation s'est amorcée.

Si on les considère comme un rite de passage, ce rêve et la séance d'écoute du corps, qui en a découlé, éclairent les propos d'Esther Harding qui nous dit que la réaction de la personne consciente aux problèmes prend la forme de symptômes psychologiques plutôt que physiques (page 88).

Louise n'en est plus à l'étape du studio bleu, de la vie où elle nourrissait le père idéalisé au détriment de son propre bébé «à peine conçu», trouvant pendant tout ce temps dans la nourriture, une compensation dont elle était inconsciente. Sans cet utérus bleu et la poche ventrale de sa mère, elle est terrifiée. Le grand «bras de Dieu» traverse son territoire et détruit la vieille carte. Sur le plan psychologique, elle renaît: sa féminité psychologiquement consciente, son Cœur, est libérée de la matière inconsciente. Elle devient consciente d'elle-même en tant que *Moi,* avec ses propres besoins et ses propres émotions. Cependant, cette prise de conscience fait surgir le problème de la rage réprimée et du désir du pouvoir.

Comme Louise, beaucoup d'hommes et de femmes ont eu faim toute leur vie. Mais faim de quoi? De nourriture, de reconnaissance, de pouvoir, d'avoir raison? Comme le jeune homme dans *Le Rêve de l'Amérique* d'Edward Albee, ils ont l'impression d'avoir été séparés, dès l'enfance, de leur jumeau, «pour autant que l'on puisse séparer un seul et même être». Ils sont déchirés, lancés «chacun à un bout du pays». Comme ce jeune homme, leur âme, leur «babouin jumeau», a été évidée et ils ne peuvent plus que dire:

> On m'a tari, déchiqueté, [...] étripé. Il ne me reste plus que ma personne[...], mon corps[...], mon visage. Je me sers de ce que j'ai[...]. Je me laisse aimer par les autres[...]. J'accepte la syntaxe en vigueur autour de moi, car tout en me sachant incapable de me lier[...], je sais que le lien

> doit exister. Je me laisse aimer[...]. Je me laisse toucher[...]. Je laisse les autres jouir de mon sexe[...], de ma présence[...], de mon existence[...] mais, c'est tout. Je vous l'ai dit, je suis incomplet[...], incapable d'aucun sentiment. Aucun sentiment. Bref[...], c'est moi[...], tel que vous me voyez. Et il en sera toujours ainsi[17].

Leur moi, quel qu'il soit, cherche à tout prix à cacher leur monde intérieur ou l'absence de celui-ci. Ils n'ont pas de cuisine, aucun moyen d'y faire entrer la sagesse de la nature, aucun moyen de la transformer et de l'intégrer. Leur moi fragile ne leur permet pas de s'interposer entre le conscient et l'inconscient. On les identifie avec leur persona, celle qui leur construit un corps magnifique, articulé et performant, coupé des racines de l'instinct et de l'imagination. Si l'on ne nourrit pas ces racines, elles ne seront jamais satisfaites. Elles sont abandonnées, dévastées par la faim, essayant sans cesse d'atteindre leur point de satiété naturelle — sans jamais y arriver. Tant que l'âme abandonnée n'aura pas la permission de revenir de son exil, toute paix, physique ou spirituelle, sera impossible.

* * *

La fureur de la Déesse négligée se manifeste souvent au moment où les individus commencent à faire l'expérience de leur vraie féminité. Une fois que leur âme vierge a été arrachée à l'emprise du complexe maternel, ils deviennent conscients d'avoir trahi leur putain proscrite et peuvent éprouver de la colère contre toute personne qui, dans leur passé, a refusé de les admettre dans leur entièreté. Il leur faut alors reconnaître que leurs ancêtres n'avaient probablement jamais été initiés à leur propre féminité, et que, par conséquent, ils ont légué à leurs enfants, un héritage de mépris inconscient du féminin. Chaque génération œuvre dans l'ombre de ses prédécesseurs.

Il est important de reconnaître la différence entre la colère personnelle dans les rapports intimes et la rage transpersonnelle qui surgit au niveau archétypique, le niveau où la Déesse fait son entrée. Lorsque nous arrivons à faire cette différenciation et que la rage est libérée de façon convenable, la Déesse peut nous révéler son autre visage. L'âme peut alors prendre résidence dans sa demeure agrandie et vivre sa vie de créativité. La Lumière pénètre la matière, de sorte que l'individu, au lieu de traîner une masse de chair sombre, connaît à la fois la sagesse calme et riche du moi conscient qui habite un corps conscient et l'authenticité de l'amour transpersonnel qui imprègne l'Être.

C'est à partir du corps racheté que se construit le contenant, dont l'assurance et la souplesse permettent d'amplifier l'imagination créatrice.

Martha Graham n'a jamais prétendu avoir inventé la contraction corporelle. Elle choisit plutôt de donner une expression formelle et dramatique à cet aspect systémique de la vie humaine. Pour n'en tirer que l'essentiel, elle nous explique: «La libération c'est le moment dans la vie où l'on inspire; l'air qui est évacué, quand nous expirons, c'est la contraction. Ce sont les premier et dernier moments de la vie et nous les utilisons comme technique pour accroître l'activité émotionelle du corps — de sorte que nous enseignons au corps, et non à l'esprit.»

Faits de mouvements saccadés, secs, incroyablement percutants, les contractions Graham tirent toujours leur origine de ce que Martha Graham appelle «la demeure de la vérité pelvienne».

Anna Kisselgoff, New York Times Magazine, 19 février 1984. Photographie prise par Barbara Morgan pour The Notebooks of Martha Graham, New York, Harcourt Brace Jovanovick, 1973.

Il ne m'est pas facile de me rappeler, dans mon corps, les coups que j'ai reçus pendant mon enfance et tout au long de mon adolescence. Je sais que c'est arrivé. Je me rappelle les préambules, les suites, mais je ne me souviens pas d'un seul coup porté à mon corps. J'ai toujours perçu les pages vides de ma vie comme un salut, une dispensation nécessaire, mais je commence à me rendre compte que mon corps a payé le prix de cette amnésie. Il a perdu conscience de lui-même, il s'est trop bien endormi. C'est un travail terrifiant. Je le sens dans ma gorge, dans ma poitrine, dans mon pelvis. Mais j'ai fait mon choix. Je ne lâcherai pas.

L'inceste a fait de moi une enfant radioactive. Il a déclenché la culpabilité, la sexualité. Mes fantasmes me protégeaient de la douleur. Je faisais toujours semblant d'être endormie.

J'ai décidé de tout lâcher. J'ai laissé s'ouvrir mes poumons et pénétrer l'air dans mon diaphragme. J'ai appris à respirer jusque dans mes fesses, et, mon Dieu, quelle découverte j'ai faite! Quelle horreur! Mon diaphragme emprisonnait un meurtrier.

J'ai toujours cru en Dieu. J'ai toujours eu le don de la foi. Mais à présent, depuis la mort de ma femme, j'ai une terrible impression de vide que rien ne peut combler. J'ai essayé la nourriture. L'alcool. Mais je refuse d'être enterrée vivante. Je veux encore faire confiance. Ce que je fais est très difficile — j'essaie de me souvenir avec mon corps.

Je n'ai jamais appris à être en colère; je ne faisais que céder à des accès de rage tout à fait négatifs. Il m'est difficile à présent de justifier cette rage.

Vivre avec ma mère, c'était comme vivre avec une étoile si merveilleuse, si belle. Tout ce que je souhaitais, c'était de la respirer avec mes yeux. Et je suis devenue de plus en plus consciente de mon manque d'éclat, de mon insignifiance. Aussi froide et inaccessible qu'elle fut, je la buvais du regard. Elle était un merveilleux poignard dans mon côté.

J'ai finalement trouvé ma petite fille. Je l'ai laissée danser — spontanée, libre. En l'aimant, c'est moi que j'aime. Je suis digne d'amour. Je peux aimer.

Ma gorge et ma poitrine étaient toujours pleines de mucosités. Il fut un temps où j'apprenais à rugir. Alors je pouvais chanter.

Respirer, c'est ça le secret pour pouvoir se laisser aller. En respirant, je ne peux pas me bloquer. La respiration accentue les images ou leur permet de se modifier. Elle me permet d'être réceptive, fluide, équilibrée.

Je n'ai jamais vécu ma propre vie. Je prie seulement qu'on m'accorde la dignité de vivre ma propre mort.

Je regarde dans le miroir. Je vois des rides. Je me maquille. Le rouge ne me donne pas de vie. Je vois un visage fatigué, fardé. J'ai soixante ans. J'ai vieilli de dix ans en l'espace de deux ans. Je n'avais jamais ressenti mon âge auparavant. Maintenant, c'est moi que je veux, sans déguisement, tout simplement moi. Je ne vais pas faire semblant. Je veux vivre avant de mourir.

«Il y a deux sortes d'individus», m'affirma-t-elle un jour, avec emphase. «Chez les premiers, un simple coup d'œil vous suffit pour vous rendre compte qu'ils se sont définitivement figés dans leur soi final. Il peut s'agir d'un soi charmant, peu importe, vous savez que vous n'avez plus rien de neuf à attendre d'eux. Les autres, cependant, n'arrêtent pas de bouger, de changer.[...] Ils sont *fluides*. Ils continuent d'avancer et de donner des rendez-vous à la vie, et toute cette animation leur permet de conserver leur jeunesse. À mon avis, ils sont les seuls à être encore en vie. Garde-toi bien, Justin, de te figer.»

Gail Godwin, The Finishing School,
(traduction libre).

Avec toi je me sens toute neuve,
Comme une vierge,
Que l'on touche pour la première fois,
Comme une vierge.

Chanteuse de Pop Madonna, (traduction libre).

Le sort du feu dépend du bois; tant qu'il y a du bois en dessous, le feu brûle au-dessus. Il en est ainsi de la vie humaine; il y a également dans l'homme un destin qui donne du pouvoir à sa vie. S'il arrive à aligner vie et destin de façon harmonieuse, il place son destin sur des assises solides.

Ting (The Cauldron), I Ching, *Hexagram 50,*
(traduction libre).

Dès qu'une personne s'engage, la Providence s'en mêle. Toutes sortes de choses se produisent pour faire arriver ce qui autrement ne se serait jamais produit.[...]

Quoique vous puissiez faire,
Ou rêviez de pouvoir faire,
Commencez-le.
L'audace porte en elle, génie, pouvoir et magie.
Commencez-le maintenant.

Goethe, (traduction libre).

4

AU MOMENT PROPICE:
LE VOYAGE RITUEL

Celui qui se tient sur la pointe des pieds
ne peut pas rester debout;
Celui qui avance à grandes enjambées
ne peut pas marcher.

Lao Tzu, Tao Te Ching.

Si vous êtes de ceux qui aiment observer les chenilles, il se peut qu'un jour vous ayez la chance d'être là au moment où s'arrête la reptation. De délicates membranes s'attachent alors à une brindille, la vieille peau se détache et la pupe commence à durcir. La chenille a choisi le type de nourriture qui conviendra au papillon, tout comme elle a choisi l'espace précis dont le papillon aura besoin pour déployer ses ailes. Sans cet espace immédiat, les ailes se souderaient et jamais le papillon ne pourrait prendre son envol. La créature rampante sait instinctivement préparer l'avènement de la fleur ailée.

Si nous jetons un regard sur notre propre vie, nous pouvons observer un processus semblable. Dans le sein maternel se développent les mains, les pieds, les yeux, les poumons – tous les attributs physiques qui, plus tard, seront nécessaires aux humains que nous sommes pendant notre séjour sur terre. En grandissant, nous nous étonnons de constater avec quelle précision le Destin sait tirer d'une situation les attributs nécessaires à une autre. Du point de vue spirituel, il est possible que la vie telle que nous la percevons soit un utérus dans lequel le corps subtil se prépare au monde dans lequel il renaîtra à la mort de notre corps physique. Nombreux parmi nous sont ceux qui, à un moment ou l'autre, ont senti qu'ils étaient faits pour avoir des ailes.

Un jour que je méditais sur «l'intersection du moment intemporel[1]» que nous décrit T.S. Eliot, je me pris à dessiner ma propre croix celtique entourée de flammes, au centre d'une grande feuille de papier. Ensuite (l'image était-elle d'Eliot ou de moi, je ne l'ai jamais su avec certitude), je commençai à tracer un chapelet de petits médaillons tout autour de la croix et, dans chacun des premiers médaillons, j'illustrai un moment de ma vie où le divin et l'humain s'étaient entrecroisés. Depuis, chaque nouveau «moment intemporel» a été pour moi l'occasion de remplir un autre médaillon. À présent qu'il ne me reste plus que trois médaillons vierges, je m'aperçois que ces moments sont reliés par un fil éternel et qu'ils illuminent le collier de ma vie. Je les vois chacun comme l'essence véritable, l'essence sans enveloppe de chair, encore sans contact avec les sens temporels.

La plupart d'entre nous – à condition de ne pas souffrir d'un décalage horaire permanent, le corps projeté en avant pendant que l'âme traîne derrière – tentent de déceler la trame qui relie les événements fortuits de leur vie. Nous sentons que nous avons perdu nos droits de naissance. Sans trop savoir en quoi consistaient ces droits, nous nous obstinons à les chercher. Or, le rituel fait partie intégrante de la nature humaine et, de ce fait, la participation consciente à nos propres voyages rituels devient un moyen privilégié qui permet d'identifier nos propres besoins, nos destinées propres.

L'homme primitif, mû par son énergie instinctive, a bravé les dangers et escaladé les versants de la montagne jusqu'à la caverne. C'est là qu'il est arrivé à arracher, de sa propre noirceur, des images qui incarnent la nature même des animaux qu'elles représentent. Ce retour dans les entrailles de la Grande Mère l'a raccordé aux origines de sa créativité[2].

Dans les sociétés où le rituel a fait et fait encore partie des structures sociales, le moi de l'individu se fond dans le rituel collectif et les participants renouent avec le pouvoir transcendantal. La transformation, cependant, n'a lieu que si l'individu et le groupe sont dans un même état de participation mystique (identification) et que le pouvoir sacré est libéré dans l'inconscient. Ayant laissé son moi succomber à l'énergie transpersonnelle du groupe, l'individu voit ses frontières s'élargir, il n'est plus isolé dans son monde à lui. Les rites de passage sont précédés de préparatifs élaborés: la purification, quelquefois des masques suggérant un changement de personnalité, un vêtement rituel, des tatouages et des danses symboliques, qui sont perçus, individuellement et culturellement, comme faisant partie du processus de transformation même. Le rituel a pour objet d'amener l'individu, par le biais d'une concentration intense, au point d'intensité psychologique où l'archétype fait surface dans le conscient, se manifestant sous la forme d'une image qui libère une énergie puissante (l'équivalent de l'homme primitif qui extériorise l'essence de l'animal sur la paroi de sa caverne). Le lieu où cette image se manifeste revêt par la suite un caractère sacré: ce sont des endroits vénérés, des sanctuaires où le divin et l'humain pourraient être appelés à s'entrecroiser à nouveau.

Le rituel véritable suppose un voyage à la fois intérieur et extérieur, impliquant corps et psyché, au cours duquel les frontières de chacun seront souvent poussées à leur extrême limite. L'individu tente de transcender le lieu présentement occupé par le moi: en s'abandonnant à l'inconscient d'un corps chargé d'émotions, il pourra défoncer les barrières actuelles de son moi pour puiser à l'énergie transpersonnelle du groupe. C'est ainsi qu'il rétablira sa relation à lui-même et au monde, un monde où sa vie trouvera un sens à l'intérieur d'un cadre mythique.

Dans le chaos du vingtième siècle, nombreux sont ceux et celles qui ont perdu leurs contenants rituels. Pour celui ou celle qui entreprend un cheminement individuel, les moments décisifs surviennent lorsque le moi est happé par le Soi. En toute honnêteté, on dira: «J'ai l'impression d'être en train de mourir.» Il s'agit en effet d'une confrontation jusqu'à la mort, étant donné qu'une nouvelle direction s'impose à la psyché consciente et que le moi n'a d'autre choix que de suivre, à moins qu'il ne se résigne à la mort psychique. Cette confrontation ne peut se résoudre sans quelque rituel nous permettant d'identifier l'archétype catalyseur et de déterminer comment le moi pourra contribuer à façonner sa destinée propre. En amenant l'archétype au niveau du conscient par le biais de gestes rituels, écrit Erich Neumann, «le caractère spirituel latent d'un acte jusque là inconscient se réalise, l'archétype ou symbole agit de façon encore plus efficace» et l'individu atteint un nouveau seuil de conscience[3]. Lorsque le dieu ou la déesse apparaît, c'est-à-dire quand le symbole fait surface, il y a contact entre le conscient et l'inconscient, et les comportements répétés du rituel ne sont plus nécessaires. En fait, chez les introvertis, la méditation peut tenir lieu de rituel pour générer l'énergie qui permet à une image de se manifester dans le conscient. Que ce soit par la méditation ou le rituel, les individus deviennent responsables de leur propre sacerdoce, et il est primordial qu'ils comprennent leur rôle ou ce qui se joue en eux.

Les hommes et les femmes d'aujourd'hui, poussés par ce même besoin qui a conduit l'homme de la période glaciaire jusqu'aux cavernes, traversent le sombre labyrinthe de leur âme. Malgré toute la douleur et la terreur que cela représente, ils sont attirés par le chemin archétypique; ils sont poussés par le désir d'amener l'inconscient au niveau du conscient. Mais pénétrer dans ce tunnel de la mort et de la renaissance éventuelle demande un effort suprême; il faut tenir bon sans orientation consciente jusqu'à ce que la lumière se fasse dans le noir. Et ce n'est que si l'on maintient la tension entre la peur et la fascination que l'on atteindra l'incandescence – ce point où cesse le déchirement et où l'on expérimente l'unité intérieure. Cette harmonie, cette unité, engendre invariablement une image. S'il arrive que ce soit une image archétypique de la Grande Mère, on peut supposer que la situation inconsciente, derrière la peur et la fascination compulsive qui ont commandé ce voyage, sera alors rendue visible dans cette image. Mais si la tension n'est pas maintenue jusqu'à ce qu'apparaisse l'image, l'énergie libérée retournera dans l'inconscient et le joyau de l'expérience sera perdu. Cette dernière initiation se sera ainsi soldée par un échec.

Dans notre société du vingtième siècle, les festivals de musique rock constituent une forme de rituel collectif. La musique pop a toujours été un baromètre précis des courants de la mode et de nos jours, les paroles des chansons rock n'intéressent plus seulement les adolescents. On retrouve également dans ces festivals tous les éléments propres au rituel: masques, bijoux, tatouages, vêtements cérémoniaux, symboles suggestifs, danse – tout cela soudé ensemble par le rythme insistant de la musique et la stridence amplifiée des guitares. Alors qu'au cours des années soixante et soixante-dix, la drogue faisait également partie du rituel, *Grand Master Flash and the Furious Five* avertissent les fans des années quatre-vingt: «Ne touchez pas à ça.» Au cœur du rituel, évolue la vedette rock qui attise les participants, les encourageant dans leur frénésie rituelle jusqu'à ce que le point d'incandescence soit atteint et que les symboles surgissent dans l'esprit des fidèles. Si les membres de l'auditoire ont cédé à l'envoûtement de l'expérience, ils s'en retourneront améliorés et grandis. Le problème, cependant, tout comme à l'époque des *flower children*, c'est que si le moi n'a pas la force d'intégrer les images archétypiques, le rituel n'éclaire aucunement l'individu et, loin d'en sortir grandi, ce dernier n'a fait alors que suivre un mouvement de masse. Dans un tel cas, la perte des droits de naissance est aggravée. Au lieu d'intégrer un conscient plus vaste, le moi se laisse absorber par le groupe et s'expose à l'empoisonnement collectif.

Au niveau des images archétypiques, nous avons beaucoup à apprendre de nos vedettes du rock. Cyndi Lauper se lance dans la chanson *Time After Time* sans sentir le besoin de s'excuser de son auto-érotisme femelle. Dans son accoutrement de bohémienne, chargée d'énergie maniaque et de douceur sensuelle, elle est l'étrangère, la petite fille perdue qui a réussi. Elle est ce qu'elle est. Et que dire de Madonna elle-même, cette femme dont le certificat de naissance porte effectivement le nom de Madonna, cette femme dont le corps communique toute l'activité grouillante de la «reine-pute de la sauterie[4]». Quoi qu'elle fasse d'autre, elle exploite

La chanteuse de pop Madonna, dans le film
Recherche Susan désespérément.

l'archétype virginal, la femme qui, pour citer Ester Harding «fait ce qu'elle fait... parce que ce qu'elle fait est vrai[5]». Elle joue avec le paradoxe vierge/putain jusqu'au bout – et au bout se trouvent facilement plusieurs millions. Son *Boy Toy* (garçon-jouet), accessoire célèbre entre autres, rivalise avec les chapelets et les crucifix qui composent son image. Ensemble, ils nous lancent un message sans équivoque: si je vous dérange, c'est votre problème.

Cyndi et Madonna sont actuellement (le 12 mars 1985), les deux icônes les plus célébrées du monde du pop. En tant que symboles, elles jouent un rôle déterminant dans la constellation de millions de vierges inconscientes, mâles ou femelles. Elles sont la version concrétisée d'un archétype qui véhicule une énorme charge émotive, un archétype encore en train de se tailler une place dans la conscience culturelle de notre société. En fait, elles incarnent une image de l'inconscient et jouent le rôle d'aimant servant à faire surgir l'image chez ceux qui les écoutent. Elles exploitent toutes deux leur condition de déshéritées ainsi que la férocité et la tristesse qui caractérisent les laissés pour compte. Elles sont toutes deux des symboles concrétisés, porteurs et libérateurs d'une énergie nouvelle – la vierge qui porte à jamais en elle la semence du renouveau. Il ne fait aucun doute qu'une part de ce renouveau a germé dans la conscience culturelle quand les chanteurs rock, en réponse à la famine qui sévissait en Éthiopie, se sont réunis pour déclarer *We are the world, we are the children*[6].

Cependant, où se trouve le lieu du renouveau chez des gens qui ne sont ni amateurs de musique pop, ni adeptes des dogmes d'une Église, ni fervents des rituels religieux? Où s'effectue leur voyage rituel? À quoi ressemble-t-il?

Dans *Métamorphoses de l'âme et ses symboles*, Jung affirme que le dogme est essentiel à un moment donné dans le processus du développement mental de l'homme:

> La critique (matérialiste) ininterrompue depuis l'époque des lumières, qui s'appuie sur l'invraisemblance physique des dogmes, manque totalement le but. Il faut que le dogme soit une impossibilité physique, car il ne dit absolument rien de la physis; il est au contraire un symbole de processus transcendants, c'est-à-dire inconscients, qui, dans la mesure où la psychologie est capable de l'établir, sont en relation avec l'inéluctable développement de la conscience. La croyance au dogme est un pis-aller aussi inévitable qui, tôt ou tard, devra être remplacé par une compréhension, ou une connaissance, adéquate, si nous voulons que notre culture subsiste[7].

Beaucoup parmi ceux qui n'adhèrent à aucun dogme religieux et qui ne participent à aucun rituel sont maintenant lancés dans de tels «processus transcendants, c'est-à-dire inconscients, qui [...] sont en relation avec l'inéluctable développement de la conscience». En rêve, ils arrivent à quelque frontière ou port; ils se retrouvent à Vancouver ou à San Francisco, ou peut-être est-ce Buffalo qui s'étale devant eux, dans le noir, de l'autre côté du lac. Quelque chose les empêche de traverser. Soit qu'ils ont perdu leur carte d'identité, soit qu'ils transportent trop de bagages. Ils arrivent parfois à une frontière importante (ce qui pour eux correspond à un point de démarcation et de rencontre du monde profane extérieur et de l'espace sacré intérieur) et là ils tombent dans un état de crise et ne réussissent pas à franchir cette frontière. Ils sont incapables de passer dans le nouveau monde. Ils ont besoin d'aller à la toilette, mais une longue file les précède, ou quelqu'un s'obstine à leur voler leur tour.

Que faire quand tout notre côté rationnel nous dit intérieurement «Lâche prise!» et que notre côté émotif répond «J'en suis incapable»? Comment une veuve affligée depuis six ans par la mort de son mari, arrive-t-elle à composer avec sa perte? Comment un homme réagit-il devant le désir qu'il ressent pour son épouse qui l'a quitté quatre ans plus tôt? Que fait une mère aux prises avec la douleur paralysante que lui a causé la mort d'un enfant deux ans auparavant? Comment recanaliser l'amour pour qu'il débouche sur des objectifs nouveaux, créatifs? Comment s'ouvrir encore à ce que chaque nouvelle journée nous apporte? Comment redevenir vierge? Ou, question plus pertinente peut-être, comment être vierge, tout simplement? Et cette question est cruciale, lorsqu'il s'agit de rituels personnels car, à moins que les participants ne possèdent la force des vierges, les rituels personnels, tout comme les rituels publics et collectifs, risquent de mener à une perte totale de conscience, ou pire, d'aboutir sur un démon collectif tapi en leur sein. Ces rituels peuvent dégénérer en hystérie collective et en effondrement du moi.

Tel que je le perçois, l'archétype de la vierge est cette dimension du féminin, chez l'homme ou chez la femme, qui a le courage d'Être et la flexibilité d'être toujours en Devenir. Un lien d'amour, enraciné dans les instincts de la vierge, l'unit à la Grande Terre Mère. Mais elle n'est pas elle-même la Grande Mère. Les hommes et les femmes qui arrivent consciemment à entrer en relation avec cet archétype ne voient pas dans le maternage un synonyme de féminité; ils ne sont pas non plus gênés par le bagage inconscient qu'ils ont hérité de leur propre mère. Afin d'établir leur identité authentique, ils sont passés par les joies et l'agonie du tri quotidien de la semence de leurs propres valeurs affectives. Et le tri se poursuit. Ils sont assez forts et maniables pour se laisser pénétrer par l'Esprit et pour amener le fruit de cette union au conscient.

Le tri quotidien de la semence fait appel à une honnêteté impitoyable qui nous permet, graine par graine, de découvrir notre Être. Le verbe latin *esse* veut dire «être»; ainsi, la découverte de notre Être nous conduit-elle à la découverte de notre essence. Il s'agit là d'un travail monumental pour quiconque a passé sa vie à Faire, tout particulièrement quand Faire est devenu une façon d'éviter d'Être parce que l'Être était perçu comme le Néant.

Encore et toujours, nous devons nous répéter: Quels étaient mes sentiments – dans telle ou telle situation – non pas mes émotions, mais mes sentiments? Mes émotions peuvent servir de support à mes sentiments, mais les émotions sont des réponses affectives déterminées par des complexes, des réactions momentanées à l'immédiat d'une situation. Les sentiments, en revanche, servent à évaluer l'importance que j'accorde à quelque chose. À quoi suis-je prête à dépenser mon énergie? Quelles sont les choses auxquelles je n'attache plus d'importance? Qu'ai-je vraiment ressenti quand mon patron m'a offert des *Smarties*, aujourd'hui? Je les avais toujours aimées jusque-là, mais aujourd'hui il me semblait l'entendre dire: «Sois une bonne petite. Reste bien tranquille et ne me dérange pas.» Pourquoi suis-je aussi déprimée?

(Il me faudrait remonter dans ma dépression jusqu'au moment où j'ai trahi mes propres sentiments et retourné mon énergie contre moi-même.) Est-il possible que mon amant ne soit pas l'homme que j'avais imaginé? Est-ce que, seulement, il me voit? N'est-il que la projection de mon homme intérieur? Est-ce que je l'oblige à assumer la responsabilité de mes talents inexploités? Est-ce que je traite mon corps comme ma mère traitait le sien? Est-ce que je pense comme mon père? Quand m'arrive-t-il de copier aveuglément leurs réactions? Quand m'arrive-t-il d'avoir un comportement enfantin? Ma colère est-elle viscérale ou cérébrale? Est-ce la colère de l'anima ou celle de l'animus? (La colère de l'anima nettoie; celle de l'animus me laisse tendue.) Guidés par la réponse que nous révèle en rêve l'inconscient, nous différencions chaque

graine, question après question, jusqu'au jour où nous entendons notre véritable voix.

Dans une étude intitulée *The Incest Taboo and the Virgin Archetype*, John Layard démontre clairement que, selon les racines grecques et hébraïques du mot «vierge», ce mot n'était pas synonyme de «chaste». Se référant à la Vierge Marie et à d'autres mères de héros divins, il nous dit:

> Il semblerait que pour être vierge au sens mythologique du mot, la femme doive concevoir soit en dehors des liens du mariage, soit avant...
>
> Qu'entendons-nous alors par «vierge»? Il nous sera peut-être utile de nous arrêter aux divers usages que nous faisons du mot en dehors du contexte strictement sexuel. Quand nous parlons de «forêt vierge», nous nous référons à une forêt où les forces de la nature ne sont ni entravées, ni touchées par l'homme. Mais nous pourrions avoir de la même forêt deux vues diamétralement opposées. Ainsi nous pourrions emprunter le point de vue du pionnier agriculteur qui la verrait comme quelque chose à détruire, à déraciner au plus vite; nous pourrions en revanche la considérer avec les yeux d'un amant de la nature qui s'émerveillerait à la vue de cette forêt représentant pour lui une manifestation suprême de la nature féconde, et qui s'opposerait à tous les efforts, aussi louables puissent-ils être, de l'agriculteur ou de l'urbaniste s'acharnant sur sa beauté primitive. L'amant de la nature traiterait cette forêt comme un endroit sacré et inviolable. L'un représenterait «la loi et l'ordre» tandis que l'autre représenterait «la nature». Et c'est ainsi que nous nous trouvons en présence de deux principes opposés, également valables, la loi de l'homme apparemment en conflit direct avec la loi de Dieu. En effet, il s'agit de la loi de Dieu, cette loi sans entraves de la nature pleine, bien qu'encore chaotique, que nous appelons «vierge», et c'est l'atténuation de ce chaos que nous appelons Loi et Ordre.
>
> Pris en ce sens, le mot «vierge» ne veut pas dire chaste,

mais bien l'inverse – la plénitude de la nature, libre et indomptée, qui correspond sur le plan humain à l'amour extra-marital, par contraste à la nature ordonnée qui correspond à l'amour des époux à l'intérieur du mariage. Et cela vaut, en dépit du fait que la loi ordonne que seules les relations sexuelles à l'intérieur des liens du mariage soient considérées comme «chastes».

On constatera donc que cette argumentation nous plonge au cœur d'un paradoxe que nous ne pouvons résoudre que si (a) nous admettons que l'ensemble de l'histoire de la Bible se rapportant à l'Immaculée-Conception n'est que pure allégorie, ce que l'Église n'accepte pas puisqu'elle soutient qu'il s'agit d'un événement historique unique; ou encore, (b) que si nous concilions les deux points de vue en admettant que l'instinct cherche à se transformer en esprit, et que l'Immaculée-Conception en est l'aboutissement suprême, puisque la féminité de Notre Mère était si complète et si étroitement unie à Dieu qu'elle est devenue auto-reproductrice[8].

Si nous arrivons à jeter un regard neuf sur le sens symbolique de la Vierge Marie, sans les préjugés que lui ont valus des siècles d'enseignement religieux, nous commencerons à comprendre la signification de l'archétype de la vierge. Si cela est trop nous demander, passons à d'autres noms symboliques: Léda, Danaé, Sémélé ou toute autre femme humaine ayant été ravie par une déité. Nous devons également élargir notre notion des mots «chaste», «pure», «sans tache». Rappelons-nous aussi que le contenu symbolique du mythe, y compris le mythe chrétien (et je parle ici de mythologie et non de religion) tire ses racines de la psyché humaine. Toujours selon le mythe, Marie (à l'encontre des jeunes vierges grecques) a été conçue sans péché, dans le sein d'Anne, une femme d'âge mûr qui, craignant d'être trop veille pour enfanter, fut visitée par un ange pendant qu'elle méditait. En réponse à son appel, Anne lui fit cette promesse: «Aussi vrai que mon Dieu existe, si je mets au monde un enfant mâle ou femelle, j'en ferai don au Seigneur mon Dieu, et il le servira tous les jours de sa vie[9].»

Michel-Ange, Madone et Enfant, (Galerie Uffizi, Florence).

Selon cette tradition, la vierge, à l'instar du Divin Enfant, est l'enfant-âme de l'Esprit.

Le pouvoir méditatif de la vierge joue un rôle crucial dans les rituels individuels. Sans celui-ci, le moi peut s'enfler, se désorganiser et, éventuellement, refuser d'être un calice de la volonté divine. Pour survivre à l'extérieur du groupe, il faut avoir la force de se tenir debout tout seul et croire en sa propre vérité individuelle. Le fait de rejoindre la Déesse à travers un cœur méditatif ne fait pas du trajet un voyage sentimental. La femme moderne a bien des leçons à tirer des erreurs des vierges que décrit Marion Zimmer Bradley dans *The Mists of Avalon.* Fanatiques dans leurs croyances, elles tissaient leur toile et complotaient contre leurs hommes; elles sabotaient leurs vies personnelles en négligeant d'ouvrir les yeux sur une vision plus large. Morgaine, s'étant abandonnée entière à ce qu'elle croyait être la volonté de la Déesse (même si cela allait à l'encontre de ses propres valeurs affectives) et ayant laissé derrière elle une traînée de mort et de destruction, constate avec lassitude que: «Les Dieux font de nous ce qu'ils veulent; ce que nous croyons être en train de faire n'a rien à y voir. Nous ne sommes que des pions entre leurs mains[10].» Elle n'ose pas croire que c'est elle qui déterminait le choix, car la destruction qu'elle a semée sur son passage la rendrait folle. Les rituels consacrés à la Déesse pouvant provoquer un influx d'énergie archaïque, les participants doivent posséder un moi suffisamment fort pour assumer leurs responsabilités à l'endroit de ce phénomène. Autrement, gonflés de pouvoir, ils s'arrêtent uniquement à l'objet de leur désir et s'occupent à l'exaucer par magie. C'est de la sorcellerie, enfermée dans un égoïsme possessif. Chez l'homme ou la femme épanouis, l'élément féminin, bien qu'enraciné dans la Déesse et prêt à se faire guider par elle, est rattaché à un système de valeurs personnelles. Il connaît sa vérité authentique et il a le courage de l'assumer et d'agir en fonction d'elle. Cette vérité jaillit de l'éternelle actualisation de «Lâche prise!»

Quand nous avons la force nécessaire pour nous abandonner à l'énergie transpersonnelle sans nous effriter ou tomber sous son joug, le rituel peut faire ressortir à la surface du conscient le sens spirituel des gestes qui seraient sans cela demeurés inconscients. Le symbole est la clef. C'est par l'image symbolique que sont réunis les opposés, que l'inconscient transmet au conscient une vie nouvelle et que nous entrons en contact avec notre être essentiel – notre propre complétude, nous-même à la fois humain et divin. Si nous ne maintenons pas la concentration (comme cela se produit au cours d'un rituel compulsif) jusqu'à l'apparition du symbole réconciliateur, le fossé qui sépare les opposés s'élargit davantage et, au lieu d'établir un contact avec le divin qui l'habite, le participant sombre encore plus loin dans l'inconscient. Bien qu'à priori nous n'arrivions que vaguement à comprendre le sens et la valeur sentimentale d'une image, nous savons quel rôle important elle joue dans notre compréhension de nous-même.

Le rituel fait appel à la concentration totale (par opposition à la possession). C'est la concentration qui dirige l'énergie vers le conscient et qui l'éloigne du flux inconscient qui la ferait retourner aux instincts. Au fur et à mesure que le moi s'oriente en fonction de ce qui est intérieur, il devient tout naturel que notre vie tire sa substance des images internes. Le moi y découvre un monde possédant ses propres règles, un monde régi par des lois très différentes de celles du monde transitoire. Dans ce monde, chaque minute est nouvelle, chaque minute est *maintenant*. Rien n'est figé. Ce qui est bien à un moment donné peut ne plus l'être l'instant d'après. Apprendre à vibrer physiquement et psychiquement en accord avec ce monde, c'est apprendre, selon un processus continu, à écouter le dialogue intérieur et à permettre l'épanouissement de chaque pétale qui se déploie dans notre cœur.

Certaines de mes analysantes souffrent de troubles de l'alimentation allant jusqu'au comportement rituel compulsif. Elles sont, de façon répétée, contraintes à des rituels solitaires au cours desquels, à la fois fascinées et dégoûtées par la nourriture, objet de leur rituel, elles sont prises d'une envie insurmontable qui les pousse à manger, manger, puis à vomir, ou à voler et cacher des aliments. Nombreux sont les éléments du rituel qui peuvent être présents: assiettes rituelles, vêtements, gestes répétés, et, plus important que tout cela, le besoin d'abandonner le moi à quelque force motrice intérieure qui les sortira métaphoriquement de ce monde du pain et du beurre pour les y plonger littéralement.

Selon la tradition, grains, miel et lait constituaient la nourriture de la Déesse; nous les retrouvons généralement dans ces orgies rituelles et dans le vomissement boulimique.

Ces excès alimentaires peuvent cacher le désir de consommer la Déesse, une compensation pour les attitudes unilatéralement rationnelles du quotidien. Ou, le comportement compulsif sera parfois évoqué par une autre compulsion, plus dangereuse encore, l'envie de suivre l'esprit masculin aimé (souvent symbolisé par la Lumière), lequel les emportera loin des réalités d'un monde qui ne les intéresse pas. Ensorcelées par ce monde de l'esprit, dans l'euphorie de l'initiation, elles peuvent éprouver soudain un besoin de manger auquel elles ne sauront résister. C'est comme si la Déesse ne voulait pas les laisser pénétrer l'esprit et la mort qui les y attend. Aussi fort que puisse être le désir de s'échapper, elle les rappelle à la réalité, aux pressions du travail quotidien, aux comptes à payer, aux essais à rédiger – et à la nourriture à dévorer. Sous son jour négatif, elle les rappelle à la pure stupeur, qui est une autre sorte de mort. Le besoin compulsif, avec son cérémonial implacable et répétitif, aveugle la victime de sorte qu'elle ne voit pas la réalité plus large de ce qui se produit. Le rituel profane se transforme en parodie du rituel sacré. Le comportement impulsif qui se voulait d'abord une tentative de recherche d'un sens spiritiuel aboutit à l'identification avec le côté sombre de l'archétype maternel. Les vomissements boulimiques peuvent constituer une tentative de briser cette identification et de retourner à l'esprit.

Si la personne souffrant d'assuétude arrive à faire sortir dans le conscient ce que symbolise l'objet du rituel, plutôt que d'être possédée par lui, alors l'énergie, qui tend à effacer le moi en le vouant à être possédé par un faux dieu ou une fausse déesse, peut faire volte-face et trouver sa transcendance de façon créative. Si le contenant du moi a assez de force, l'énergie dégagée, issue de l'élan destructeur, pourra être canalisée, donnant à la vie toute sa richesse et son sens.

Mindy Vosseler, peinture illustrant le «symbole de la réconciliation».

Le rituel peut aider l'être humain à se libérer des tendances purement instinctuelles de l'inconscient. Plus nous sommes conscients, plus nous nous rendons compte que notre existence n'est pas purement instinctuelle. Nous ne sommes faits pour être possédés ni par l'instinct ni par l'esprit. Dans un cas comme dans l'autre, nous ne voyons pas nos images, ce qui a pour effet d'effacer l'âme et de nous laisser dans l'espace non humain de l'esprit pur ou de la matière pure. Les images ont une fonction médiatrice: elles font en sorte que nous ne soyons possédés ni par l'esprit ni par la matière. Elles nous permettent d'habiter un monde intermédiaire, celui du bâtisseur d'âme, le domaine du rituel. Le rituel est le voyage de l'âme à travers les images qui, bien qu'elles tiennent de l'esprit et de la matière, n'appartiennent ni à l'un ni à l'autre.

La transformation d'un trouble de l'alimentation

Lisa, trente-cinq ans, femme de carrière, était en analyse depuis trois ans. Elle avait graduellement réussi à perdre trente-huit kilos et souhaitait en perdre encore vingt-cinq. Préoccupée davantage par ses études, puis par sa vie professionnelle, elle n'avait jamais eu de relation intime avec un homme. Elle avait fourni beaucoup d'efforts pour se dégager de sa relation d'inceste psychologique avec son père et pour se débarrasser de sa colère envers sa mère. Son corps ne lui inspirait plus de honte, mais les contacts physiques avec un homme la remplissaient de terreur et de désespoir au point qu'elle en devenait paralysée, inflexible et bégayante. Après, elle dévorait. La nourriture lui apportait le réconfort dont elle avait besoin, et elle se gavait de sucreries afin d'apaiser la peur et la rage qui montaient en elle. Plus encore, elle était terrifiée à l'idée d'abandonner son gros corps, son abri, son armure, son excuse perpétuelle pour tout ce qui lui était refusé. Ses rêves commencèrent à remonter jusqu'à sa tendre enfance, là où elle avait abandonné son enfant créative. Elle était couverte de boutons, avait constamment mal au bas du dos. Plus déconcertante encore était cette nausée qu'elle éprouvait quand elle osait manger du chocolat. Mais elle était trop terrifiée pour lâcher prise.

Elle s'approchait d'un seuil. Ses irruptions cutanées lui disaient qu'elle devait se dépouiller de sa vieille peau; le poids de sa rage était devenu trop lourd pour ses reins; le chocolat agissait comme un poison dans son estomac. Ses rêves l'exhortaient à faire un retour en arrière et à réclamer la créativité qu'elle avait abandonnée en cours de route. Elle était sur le point d'arriver au seuil de sa propre féminité. Un faux pas et elle aurait repris tous les kilos perdus.

Et elle aurait fait ce faux pas, sans les mois de préparation qui avaient précédé ce moment. Tout comme son entourage, elle était convaincue d'avoir trouvé le salut dans les régimes amaigrissants. Une voix en elle, cependant, se disait, perplexe: «À quoi bon maigrir, qu'arrivera-t-il si la vie ne vaut toujours pas, après, la peine d'être vécue? En fin de compte, À QUOI BON?» Et c'était là, le dernier obstacle à franchir. Cette peur pouvait se transformer en panique, une panique difficile à isoler puisque, apparemment, Lisa était en train d'accomplir exactement ce qu'elle s'était proposé de faire.

Nous nous préparions physiquement et psychologiquement, comme je le décris ailleurs dans ce livre, à aborder ce seuil. J'aimerais cependant que nous nous arrêtions maintenant à la terreur engendrée par l'idée d'abandonner le corps connu. Quiconque n'a pas habité un corps qui ne correspond pas à la norme sociale aura du mal à s'imaginer cette angoisse. Il est plus facile de compatir à la douleur d'un riche qui vient d'être ruiné ou au désarroi d'une femme du monde, devenant, du jour au lendemain, allergique aux cosmétiques, car ces gens fonctionnent à l'intérieur d'un système de valeurs imposées par la société. Mais qu'arrive-t-il à ceux qui ont toujours vécu en marge de la société et de ses valeurs, à ceux qui ont été forcés, en raison de leur corps physique, de créer leurs propres valeurs? Quand les autres ont rejeté ce corps, son occupant a dû en prendre soin, d'une manière ou d'une autre. L'abandonner, sans s'occuper consciemment de la douleur, serait comme abandonner un enfant déficient. En outre, peu importe ce que le corps a été, de lui dépendent presque toutes les décisions. Ne plus l'avoir au centre de ses préoccupations habituelles, c'est laisser l'anxiété prendre toute la place. Se libérer d'une contrainte, c'est contempler le vide.

Et la vie dans un corps obèse n'est pas sans avoir ses compensations. Peu importe que son corps démesuré soit le résultat de son tempérament inné, de sa situation familiale ou du rejet de ses pairs, la femme obèse doit développer assez de force intérieure pour avancer seule, et un certain détachement ironique, qui l'attache à l'espèce humaine et l'en sépare simultanément. Il se peut que ses sentiments authentiques et son corps en souffrent, mais il n'en demeure pas moins qu'elle en tire une certaine force psychologique. Secrètement, il se peut qu'elle soit une Artémis, déesse vierge de la chasse, indomptée, libre et inaccessible; à moins qu'elle ne soit une Athéna, vierge idéaliste, sensible, énergique, meneuse solitaire qui se bat pour une idée. C'est l'autre facette de la vierge –

réservée, intouchable, sans tache, dont la sexualité ne s'est pas encore éveillée. Ce gros corps est l'armure d'Athéna, les flèches d'Artémis. L'abandonner, c'est se retrouver sans défense. Un tourbillon de questions jaillissent dans le conscient habitué à l'orgueil solitaire: Ai-je envie d'aller rejoindre la masse? Suis-je vaguement attirée par les intrigues amoureuses d'Aphrodite? Est-ce que j'ai envie de m'inquiéter de mon tour de poitrine ou de savoir quel type de maquillage est à la mode? Comment pourrais-je m'engager à l'endroit d'un homme? Pourrais-je m'abaisser à partager la jalousie d'une Héra? Quand je vois le gachis que les Aphrodite et les Héra font de leur vie, j'estime que je m'en tire assez bien. Je veux ma liberté.

La femme qui arrive à ce seuil fait face au paradoxe de la virginité. Une partie d'elle s'accroche à l'innocence primaire de la vierge inconsciente; l'autre partie aspire à l'innocence secondaire de la vierge mûre qui est suffisamment confiante pour être consciemment vulnérable.

Intégrer le côté putain de la vierge – la déshéritée pour qui il n'y a pas de place à l'auberge –, c'est dire OUI au corps, OUI aux passions, à un niveau que l'esprit désincarné ne connaît pas. C'est l'énergie féminine pure qui permet à une femme d'aimer son corps; c'est l'énergie qui surgit d'elle, de la tête aux pieds. Non possédée et ne possédant pas, sa force est sa vulnérabilité, vulnérabilité face à la vie, à l'amour, à tout ce qui est l'autre. C'est l'énergie de la prostituée sacrée qui s'abandonne à la Déesse, se laissant remplir de l'esprit femelle. L'homme qui, au cours d'une relation sexuelle, arrive à s'abandonner à cette énergie renaît par elle. Le Yang rencontre le Yin, le Yin est mis en présence du Yang, et cet échange les fait tous deux renaître et se renforcer. Initiée à la féminité sans perdre sa virginité, la vierge enceinte se donne la vie à elle-même, elle la donne à l'homme, à toute la création – c'est un monde nouveau d'où jaillit une lumière nouvelle. Ils se séparent ensuite, chacun retournant à sa propre source.

Paradoxalement, l'acceptation de l'innocence secondaire apporte la vie au corps. L'innocence primaire a horreur du changement, de la fertilité, de la croissance: sa réaction devant tout seuil sera de dire NON. À moins qu'on s'en occupe consciemment, la réaction de l'innocence primaire devant le seuil à franchir pour entrer dans la vie sera de dire JAMAIS.

Lorsque le Destin frappe à la porte, par le biais de rêves ou de symptômes physiques, le rituel peut découler d'une exigence intérieure. L'impression de porter un fardeau maintenant inutile devient de moins en moins tolérable. Ce qui était n'est plus; ce qui sera est inconnu. Les impulsifs ne renversent pas leurs énergies facilement, même quand ils se rendent compte que leurs rituels coutumiers sont devenus stériles. Ils ont investi une quantité énorme d'énergie psychique dans un objet ou une personne et il n'est guère facile de laisser tomber tout cela, de donner une nouvelle orientation à leur vie, sans y substituer un autre faux dieu. On ne peut y arriver qu'en se rendant compte que l'énergie régressive est devenue destructrice et qu'elle doit être dirigée vers de nouveaux débouchés créateurs.

Retourner dans le sein maternel pour annihiler le moi est une chose; retourner en arrière pour s'occuper de la semence en est une autre. C'est la différence entre la régression infantile et ce que Jung a appelé «reculer pour mieux sauter[11]». L'avancée sur la corde raide, tendue entre l'impulsion et la créativité, n'est jamais sans danger car ces deux mouvements viennent d'une même source. Quand le moi est assez vulnérable, en d'autres termes, quand il est assez conscient et fort pour s'abandonner au pouvoir régénérateur de la nouvelle vie qui essaie de le transpercer, alors le contact s'établit par le biais du rituel. Le moment doit être propice.

Si l'on admet, dans notre quotidien, la possibilité que s'entrecroisent l'humain et le divin, le rituel ne nous semblera pas étrange. Les anciennes cultures ont toujours laissé une place aux dieux au seuil de leur porte, au coin du feu, ou ailleurs dans leur demeure. Des autels sont dressés tout au long de nos vies, que nous nous en rendions compte ou non, et les autels de l'inconscience attirent les visiteurs démoniaques. Le réfrigérateur peut être un autel froid, pour un dieu de glace. Les autels que l'on dresse consciemment fournissent un contenant à l'influx d'énergie spirituelle. Il faut chercher dans son entourage l'endroit propice qui deviendra l'espace sacré favorable à la concentration.

Quand Lisa a senti que ce moment propice approchait, elle a pris trois jours de congé en plus de la fin de semaine. Très peu au fait des formalités du rituel, elle s'est permis de faire tout ce qui lui était dicté du dedans. Elle est demeurée seule dans son appartement. Elle a décroché le téléphone. Elle a jeûné. Elle a pris un bain et mis des vêtements propres. Elle a choisi un objet de sacrifice – le magnifique voile de mariée de sa mère, avec lequel elle avait joué si révérencieusement dans son enfance, un voile qui l'avait effectivement empêchée de se marier elle-même, de se libérer des chaînes qui l'attachaient à sa mère. Elle l'a placé sur son petit autel et l'y a laissé. Chaque fois qu'elle passait à côté, elle avait le souffle coupé à la pensée de pouvoir le perdre. Pendant des heures, elle a écrit dans son journal intime tout ce que son corps avait représenté pour elle, elle y a parlé de son père, de sa mère, de son frère. Elle a évalué son sacrifice: ses illusions de grandeur, son besoin de règlements, son isolement orgueilleux. Elle a pleuré. Elle s'est permis de pleurer la mort de la personne qu'elle avait été. Elle a vidé ses armoires. Elle a médité. Elle a encore écrit pendant quelque temps. Elle a dansé. Elle a lavé et ciré le parquet. Elle n'a pas cessé de tourner autour de l'inévitable: permettre à l'enfant Lisa de mourir. C'est cette démarche circulaire qu'elle a clairement exprimée dans son journal:

Est-ce que je peux la laisser mourir? Elle est morte. La vérité c'est qu'elle est déjà morte. La bouffe ne m'appporte plus aucun remontant. Elle ne tue pas ma douleur. Au contraire, je me détruis l'âme, je me trahis moi-même, je me détourne des responsabilités que j'ai envers ma personne. Elle me force à faire face au désespoir que j'ai de ne plus me respecter. Et même là, je m'attaque à des extrêmes – tout ou rien. Tout cela me donne l'impression d'une énergie réelle.

Mais la terreur, la terreur de vivre avec elle, la terreur de vivre sans elle. Et puis quoi, à présent? Si j'agis selon mes vrais sentiments, je dois retourner à l'université. Je n'aurai pas d'argent. Je devrai faire face aux interminables travaux écrits. Il faudra que je laisse tomber quelques amis. Ils vont se sentir trahis. Ils croient me connaître, mais c'est faux. Nous avons vraiment peu de choses en commun. Je ne suis pas celle que je prétends être. Moi qui me croyais seule, avant... C'est maintenant que je serai vraiment seule. Il n'y aura plus personne.

Et mon pauvre corps. Chaque fois que je me couche par terre, il reprend sa position fœtale. Il se raidit, et ne laisserait rien le pénétrer. Il est têtu et rebelle. Il en a toujours été ainsi; il n'en sera jamais autrement. C'est mon destin. J'ai essayé, essayé, essayé de provoquer des choses. Rien ne s'est jamais produit. Je ne m'attends plus à rien. C'est la défaite, la défaite, LA DÉFAITE.

J'oblige mes bras et mes jambes à s'ouvrir. Je martèle le plancher. Ma propre rage m'effraie. Pourquoi ce spasme qui me fait me recroqueviller ainsi? Je n'arrive pas à rester ouverte. Je pleure, mais cette fois c'est différent. C'est un petit bébé qui pleure à se fendre les poumons. Il est si seul.

Que me veut ce bébé? Je ne peux pas continuer de le haïr. Ma haine le fait gémir et il gémit à en devenir hystérique. Plus il gémit, plus je le hais. Je dois l'écouter. Qui que je sois, cet enfant fait partie de moi. Qui suis-je? Suis-je assez veille pour accepter mes responsabilités? Je n'ai que trente-cinq ans. Est-ce que je veux les accepter?

Elle a écrit ses réponses au présent et les a comparées avec le passé. Elle a peint des images qui manquaient de couleur et les a laissées se transformer à leur propre façon impétueuse. Elle s'est étonnée soudain de la voix de femme mûre qui guidait sa plume:

Tu dois décider qui tu seras. Acceptes-tu toujours sa condamnation à mort? Es-tu toujours prisonnière de ce complexe qui a essayé d'aspirer ta jeune vie et qui pourrait maintenant te l'enlever encore une fois? Tu dois décider si ce que tu viens d'écrire est réel ou si c'est une pure fantaisie. Rends-toi compte de ce que tu fais. Quelle Déesse vénères-tu? Es-tu liée par la loi ou vis-tu dans l'esprit? Vas-tu continuer d'être enchaînée ou es-tu libre? Peux-tu te plonger dans l'authenticité de ta propre vie? De ta propre mort? Presque tout ce que tu as écrit ne s'applique plus. Tu dois maintenant t'occuper de ta nouvelle vie.

Lisa a alors essayé d'entendre la voix de son enfant perdue qui lui a donné ces deux réponses:

C'est moi, ton corps. Ma mère ne voulait pas de moi. Je me recroquevillais dans ses entrailles et je bougeais le moins possible. J'avais une peur bleue d'être expulsée. J'ai survécu à la rupture de la naissance. Une fois dehors, je n'ai pas été la bienvenue. Si j'avais été un garçon, c'eût été différent. Mes parents ont donné à mon frère le nom qu'ils avaient choisi pour moi. J'ai tâché de ne déranger personne. Je craignais sans cesse qu'on me tue, alors je m'efforçais de tout faire pour être aimée. Je ne veux pas vivre parce que personne ne m'aime. On m'a toujours détestée. Peu importe qui me déteste, on ne cesse de me punir pour un crime dont j'ignore tout. C'est comme si mon existence était un crime en soi. On me punit parce que j'existe. Quand j'ai faim, on ne me nourrit pas. Quand je suis épuisée, on me refuse tout repos. Quand j'ai besoin de bouger, on me force à rester immobile. Parfois je deviens folle de liberté, mais je sais que ça ne durera pas. Celui qui me fait ça, qui qu'il soit, doit me détester. Mais je ne sais pas pourquoi on me déteste. Cesser d'exister mettrait fin à la punition. Je suis lasse d'être punie pour un crime que je n'ai pas commis. JE SUIS INNOCENTE... Personne ne m'écoute. Je veux mourir parce qu'on m'a condamnée à l'emprisonnement à vie pour un crime que je n'ai pas commis.

Puis elle a entendu cette autre voix:

Lisa, Lisa, écoute-moi. Tu ne comprends pas. C'est la voix de mon désespoir. Je veux vivre à tout prix. Je suis ton âme. Quand je dis souhaiter la mort, j'essaie de te faire comprendre que je ne veux plus vivre désincarnée. Je ne veux pas d'une vie de fantôme. J'ai été le miroir de ta mère. J'ai été le miroir de ton père. Ils se sont servis de moi pour se voir eux-mêmes. Je ne pouvais entrer dans ton corps parce que tu étais incapable de subir l'angoisse du rejet maternel et de l'emprise paternelle sur ton corps. Ton corps ne t'a jamais appartenu. Tu es maintenant consciente de son angoisse. Ensemble, nous pouvons l'aimer et lui donner la vie. Je suis immortelle. Je ne peux pas mourir, mais il me faut une demeure. Je dois voir, entendre, goûter, sentir et ressentir pour pouvoir grandir.

Pour la première fois de sa vie, Lisa n'a pas éprouvé de colère envers son corps. Au contraire, elle s'est rendu compte qu'elle y avait pris place, et qu'elle écoutait son âme de l'intérieur. Cela a été pour elle un renversement extraordinaire, une révélation: elle avait vécu dans les souliers de son ombre toute sa vie. Son vrai moi n'avait jamais vécu.

Le rythme de ses journées de solitude s'intensifiait à mesure qu'elle devenait plus fatiguée et psychiquement plus consciente. Une partie d'elle évitait le rituel; une partie d'elle s'en rapprochait inévitablement. Elle devenait ce que Victor Turner appelle une des «entités liminales» qui

> ne sont ni ici, ni là, entre deux places assignées et ordonnées par les lois, les coutumes, les conventions et le cérémonial. Comme tels, leurs attributs ambigus et imprécis sont exprimés par une riche variété de symboles dans les nombreuses sociétés qui ritualisent les transitions sociales et culturelles. Ainsi, la «liminalité» est souvent comparée à la mort, au séjour dans l'utérus, à l'invisibilité, à l'obscurité, à la bisexualité, aux étendues sauvages et à une éclipse solaire ou lunaire[12].

Sans trop comprendre ce qu'elle faisait, Lisa laissait les instincts guider son corps, et l'archétype guider ses rythmes psychiques. Ressentant leur ordre intérieur et faisant confiance à cet ordre, elle se savait protégée contre un influx d'énergie spirituelle trop grand et trop rapide. Pendant qu'elle laissait partir le monde ancien, le nouveau s'installait. Le comportement rituel inconscient associé à son habitude impulsive de manger était réacheminé vers la conscience de ce qu'elle essayait de faire. Ceci l'amena à s'abandonner à l'énergie transpersonnelle qui la soutenait et la dirigeait d'une façon qu'elle n'aurait jamais imaginée.

La cinquième nuit, son énergie avait atteint son point culminant. Elle jeta la robe rituelle de ses victuailles dans la chute à ordures, alluma des bougies et commença sa danse, laissant son corps décrire des cercles, créer son espace sacré. Elle avait préparé son propre rituel. Se déplaçant à l'intérieur, à travers et autour des images de son propre monde intérieur, elle arriva au moment du sacrifice. Elle était sujet et objet – offrant et offrande. Elle sacrifia Lisa telle qu'elle avait été. Elle brûla son objet rituel, le voile de mariée de sa mère, et dans ce feu elle aperçut sa propre enfant abandonnée. Elle la prit alors dans ses bras et s'assit par terre pour la bercer, comme elle aurait bercé un vrai bébé. Alors elle ouvrit tout son corps au renouveau. Elle éteignit les bougies. Elle dormit. L'aube vint, sans éclat, mais claire.

Voilà ce qui constitue la charpente du rituel. Le pouvoir transformateur de l'amour libéré ne se décrit pas. Il porte en soi le mystère. Pour Lisa, être capable de nourrir et chérir son propre enfant spirituel marquait le début de sa propre vie. En tant que femme, elle venait de naître.

Des mois plus tard, elle rêva qu'elle contemplait un ciel étoilé. De blanches aurores boréales commencèrent à filer à toute allure vers la voûte céleste, suivies de leurs voiles translucides. Ces voiles s'entrouvrirent et au milieu, la tête couverte d'étoiles, apparut la déesse Sophia, dont le corps puissant se déplaçait au rythme de la lumière, ramassant, de ses mains, ses voiles autour d'elle pendant qu'elle disparaissait. Puis le ciel tourbillonna, plein de lumières, et une fois encore, les rideaux s'entrouvrirent et Sophia, doux corps de femme, s'assit, vêtue de samit blanc, déjà évanescente parmi d'autres voiles, se transformant déjà en une autre image miroitante.

Une telle vision sert de contrepoids aux sentiments dénigrants que peut éprouver une femme pour ce qu'elle perçoit comme le côté lourd, sombre, flegmatique et terre-à-terre de sa féminité. Avec ses reflets de lumière argentée, sans cesse transportée, à jamais sereine, la Déesse dans le ciel représente l'essence spirituelle de la féminité. Refusant d'être statique, cette Reine de la Nuit, au diadème étoilé, agit dans l'imagination, autour et à travers elle, infiltrant les ténèbres de lumière – un pont entre ciel et terre.

De par leur nature, la majorité des gens qui souffrent d'assuétude vivent une relation intime avec le transpersonnel, que ce soit avec ses anges ou ses démons. En présence de démons, leurs tendances autodestructrices deviendront évidentes. En présence d'anges, leur moi sera tôt ou tard forcé de se soumettre au feu de la transformation, ce qui aura pour effet de changer leur énergie de loup affamé en une soif inaltérable de vivre, tout en mettant l'intelligence et la puissance du loup au service du dieu-soleil Apollon (le dieu à qui appartient le loup). Le rituel fait appel à la concentration et à la discipline pendant que l'adepte s'efforce de faire jaillir le conscient de l'inconscient, ouvrant un chemin à la libido avant qu'elle ne soit perdue dans les instincts et le chaos de l'inconscient.

La plus grande menace à une transition réussie est la possibilité qu'elle soit avortée. Il faut admettre le sacrifice, reconnaître la perte et en faire son deuil aussi longtemps que nécessaire avant de procéder à l'ensevelissement final et irrévocable. L'ensevelissement constitue la conversion de l'identification subjective en faits objectifs, le *separatio* du processus alchimique. Cependant, le risque de voir les modèles désuets se réinstaller demeure, et une fois ressuscités, ces modèles tendent à devenir plus abrutissants et moins appropriés que jamais. Mais quand les profondeurs subtiles, capables de composer avec des énergies nouvelles et différentes, sont prêtes à s'ouvrir, la douleur refoulée en désespoir peut être débloquée et son énergie recanalisée en sources vitales de renouveau. Mais pour en assurer le cheminement, on doit savoir reconnaître sans tarder cette énergie latente.

L'expérience de Lisa constitue un bon exemple de la manière dont un rituel peut agir en tant que transformateur d'énergie. Libérée de ses rituels compulsifs, elle a également été libérée de la terreur d'être aspirée par le vortex du côté sombre de sa mère. Par son effort humain, elle s'est rendue elle-même à un point de soumission, un vide, une matrice prête à être fertilisée par l'esprit, prête à mettre au monde l'image transformatrice. Se servant de ses connaissances du yoga, elle a étiré son Être entier d'une longueur de plus, pour ensuite libérer et laisser pénétrer l'énergie nouvelle. En allant avec son corps au bout de l'étirement et en lâchant prise, en étirant sa psyché jusqu'au bout et en lâchant prise, elle s'est faite l'alliée de la nature et de l'esprit en se permettant de renaître. Son sacrifice a libéré son pardon: aimant son corps qu'elle percevait auparavant comme un ennemi, elle l'a reconnu pour ce qu'il était, son ami. À travers ce corps blessé, son âme abandonnée lui est revenue. À travers sa blessure, elle est devenue consciente de sa vierge intérieure.

Une initiation inattendue

Les cérémonies initiatiques, dans les tribus primitives, dans les cultes du mystère et dans l'Église chrétienne, comportaient traditionnellement trois phases distinctes: la séparation, la transition et l'incarnation[13]. Selon Bruce Lincoln, les termes: «réclusion, métamorphose (ou magnification) et émergence[14]» décrivent mieux ces phases chez les femmes. La personne qui entre dans un état d'être contradictoire par rapport à l'état précédent devient «sacrée» pour ceux qui demeurent dans l'état profane. «C'est cette condition nouvelle qui appelle les rites permettant l'incorporation éventuelle de l'individu dans le groupe, et le retour aux routines coutumières de la vie[15].»

Une femme qui devient subitement veuve se trouve dans un espace sacré alors que ses amis occupent un espace profane. Par le rituel, elle devient «sacrée»; elle est dans un état de conscience modifié, son moi est affaibli, elle est en contact direct à la fois avec l'inconscient personnel et l'inconscient archétypique. La hutte d'isolement des tribus primitives lui procurait l'intimité essentielle à sa condition; elle lui fournissait la chrysalide à l'intérieur de laquelle s'effectuerait la guérison. Qui d'entre nous, soudain projeté dans cet espace sacré – n'étant plus fille, ou plus mère ou plus mari –, qui d'entre nous, dans sa stupeur ou sa douleur, n'a pas souhaité la dignité de l'isoloir ou d'un voile pour protéger son âme mise à nue? Primitifs ou contemporains, les individus séparés de la tribu se retrouvent dans un espace sacré, transitoire, à la merci des dieux et des démons, vulnérables devant l'énergie transpersonnelle qui modifie leur vie. Ceux qui s'engagent dans le rituel, seuls ou avec un ami qui les comprend, ou encore avec l'aide d'un groupe, doivent être conscients du pouvoir de cette énergie.

Le rituel de Béatrice était une improvisation. Consciemment, elle dirigeait toute l'énergie dont elle disposait sur son voyage intérieur; inconsciemment, elle faisait place à l'imprévu. Sans affiliation à quelque Église, elle tentait de trouver sa route.

Béatrice était dans la cinquantaine; attrayante, efficace, elle divisait bien son temps entre sa vie professionnelle et sa vie personnelle. Elle est venue en analyse après avoir réalisé que son divorce et les échecs répétés dans ses relations avaient quelque chose à voir avec sa propre psychologie. Après un an d'analyse, ignorant alors qu'elle en avait encore pour une autre longue année, elle écrivait ceci dans son journal intime:

Depuis plusieurs mois, un an presque, je suis prise d'angoisse, stressée comme jamais auparavant; j'éprouve un sentiment d'oppression à peine supportable. Mon travail en souffre. Je ris moins souvent. La maison devient insupportable, si opprimante que j'arrive à peine à y rester enfermée. À certains moments, je jette le blâme sur la maison, le travail, les grands froids de l'hiver. Puis je me rends compte que la maison et mon entourage n'y sont pour rien. C'est contre quelque chose en dedans de moi que je me bats. Alors je me mets à bénir la maison. Très tôt le matin, je fais jouer et rejouer mes mélodies préférées. Je remplis la maison de fleurs et je m'y promène comme une prêtresse des temps antiques. J'arrive enfin à me débarrasser ainsi d'une partie de mon angoisse. Il m'est alors un peu plus facile de me concentrer, de porter attention à mon travail, à mes enfants [adultes]. Les nuages semblent moins denses. Je dors mieux. Toutefois, je ne reçois presque jamais et je sors peu. Comme je vis seule, je ne peux pas faire autrement que d'être seule.

En me rendant chez l'analyste, je pleure. Je n'ai pas l'habitude de pleurer. Je n'ai pas pleuré quand mon mariage a été rompu. Je n'ai pas pleuré à la mort de mon enfant. Je pleure, maintenant. Et le sentiment d'oppression revient. Je suis écrasée sous un fardeau si lourd qu'il m'arrive d'avoir du mal à bouger. Je me sens écrasée de partout. Je le sens jusque dans mes entrailles. On dirait un nuage autour de moi, un nuage lourd, invisible. Et ce néant absolu m'écrase. J'essaie d'oublier, de rire, de changer de décor, d'aller au cinéma, au concert. Ce néant m'entoure comme une cape, comme un vêtement invisible. Je n'arrive pas à supporter ce poids. J'essaie. Je me bats contre lui sans arrêt, je lui dis de s'en aller; je mets toute ma volonté à le chasser, à m'élever au-dessus de lui ou à le contourner. Je fais des exercices physiques. Il est toujours là.

Des signes de fatigue commencent à apparaître sur mon visage. Ma famille et mes amis s'inquiètent. Je ne suis pas malade; pourtant, par moments, j'arrive à peine à me déplacer. Je suis tellement épuisée que j'ai du mal à croire que c'est bien moi. J'ai toujours été une femme active, capable de travailler, de m'amuser et de mener à bien un tas de tâches à la fois. Quand y aura-t-il une fin à tout cela?

Béatrice n'avait qu'une chose en tête: faire place nette et se libérer afin de vivre pleinement. Elle ne craignait pas de rejeter des attitudes surannées et se montrait tenace dans la recherche de sa propre vérité. Un jour, neuf mois environ après avoir écrit ce qui précède, comme elle traversait la rue venant de quitter mon cabinet, elle entendit en elle une voix (qu'elle avait déjà appelée: Lady). «Suis-moi, je te conduirai à Dieu,» lui disait cette voix. Elle fut si étonnée qu'elle s'arrêta net et, bien qu'elle ne souffrait d'aucun problème d'ordre alimentaire, elle décida qu'elle devait, à tout prix, s'offrir sur-le-champ une tartelette aux cerises. Cette voix fut à l'origine des mois d'angoisse au cours desquels tout sembla aller de travers dans sa vie. Sa splendide persona s'effrita petit à petit. Ce qui, pour elle, avait été «le droit chemin» devint un sentier de plus en plus tortueux. Une force incommensurable semblait s'opposer à elle. Cependant, son moi trouva la force de maintenir la tension et d'intervenir dans cette situation qui lui paraissait désastreuse; forte de l'aide du Soi, elle s'en sortit, atteignant ainsi un nouveau seuil de conscience spirituelle. Son journal intime se poursuit:

Samedi précédant le dimanche des Rameaux. Je suis allée faire des emplettes au marché. Le marché est un vrai réconfort pour moi, avec toute cette nourriture, viande, poisson et légumes frais, et les gens. Je me sens bien. Puis, me voici assaillie à nouveau, avec force, par cette pesanteur. J'entre dans ma maison et monte l'escalier avec mes provisions. Je ralentis le pas. J'avance sans penser. Je me rends dans la cuisine. Je me déplace et me comporte comme dans un rêve. Je dépose mes nombreux sacs d'épicerie par terre et sur la table. Puis, très lentement, sans enlever mon manteau, je m'agenouille. Mais cela ne suffit pas. Quelque part au fond de moi je me rends compte que bien que je me sois mise à genoux auparavant, c'est la première fois que je m'agenouille vraiment. Quelque chose! Quelque chose se produit en moi qui m'oblige à m'agenouiller. Quelque chose de fort, beaucoup plus fort que moi. Très lentement, je baisse la tête et je m'accroupis. (Je ne rêve pas. C'est bien réel. C'est incroyable!) Puis je me tiens la tête entre les mains et je me prosterne encore plus bas, toujours à genoux, bien sûr, et les mots surgissent du plus profond de mon être. «Tu as gagné. Je ne peux plus y arriver toute seule. Mon Dieu, je me rends à toi.» Je m'incline encore davantage! Puis, je demeure complètement silencieuse pendant je ne sais combien de temps.

Enfin je me relève. J'enlève mon manteau et je vais m'asseoir au salon. Alors, c'est donc ça... C'est Dieu... Je ne suis pas seulement moi. Je fais partie de ce qu'on appelle Dieu et c'est ce qui me force à me mettre à genoux. Je suis tellement atterrée que je n'ose pas me lever. C'est bien Dieu, mon Dieu!

Je ne sors pas de la journée tellement je suis bouleversée et consternée. C'était Dieu, ce poids qui m'écrasait était Dieu et c'est devant Dieu que moi, Béatrice, j'ai dû m'agenouiller. Je me rends compte que je ne suis pas maître de la situation et que je ne sais encore rien, si ce n'est que désormais je dois m'agenouiller. Chaque jour, ou presque, même dans la salle de bains, quand j'en éprouve le besoin, je me mets à prier. C'est donc Dieu.

Après quatre jours de quiétude, le matin du jeudi saint, elle se réveille terrorisée par le rêve suivant, relaté ici tel que Béatrice l'a écrit dans son journal:

Ça se passe après le bombardement de ma ville, pendant la guerre. J'avance à pied sur la route, emportant avec moi le peu que je possède. Je suis adulte. À la ville voisine, nous arrivons aux environs de l'hôpital où des patients (des victimes du bombardement) ont été étendus sur la pelouse. Je me promène parmi eux et prétends être infirmière à temps partiel. Je me couvre même la tête d'un mouchoir blanc. Puis je décide de m'éloigner de là, seule.

À présent, tout tourne au gris. J'avance dans une rue qui ressemble davantage à une ruelle. Il y a un bâtiment carré, gris. Il n'est pas construit en briques, ni en pierres, mais en blocs de ciment gris. Il y a des portes. Dans mon rêve, je sais qu'il s'agit d'une église. Je frappe à la porte, l'ouvre et entre – des gens malades, à moitié morts, pas d'air. Brrr!

Puis je reviens dehors et, de l'église, sort un infirme (un cul-de-jatte). Il porte un pantalon gris, un tricot gris. Nous marchons. Je m'étonne qu'il n'ait pas de jambes, comme un buste juché sur un piedestal, un piedestal carré, ambulant. En balançant les hanches, cette chose grotesque avance. C'est tellement bizarre. Je marche près de lui. Quand je me rapproche encore, je remarque que je peux sentir le mouvement de sa hanche contre la mienne et je me dis que c'est presque réel, mais je sais *qu'il n'a pas de jambes. Toutefois, je décide de ne pas en faire de cas, par pitié pour lui, je suppose.*

Puis je regarde autour de moi. Il me conduit jusque dans une ruelle et là, je le regarde à nouveau. Il a ouvert sa braguette et c'est un vrai gâchis de morceaux de chair: des petits, des plus gros, des morceaux de viande en lambeaux, charcutés. C'est rose, sanglant, et lui, il se masturbe. Je n'aperçois pas de pénis; j'imagine tout simplement qu'il doit être quelque part dans ce gâchis. Il continue de se masturber; de toute évidence il y prend plaisir. Il a légèrement basculé vers l'arrière. Il sait qu'il abuse de moi, mais de ça aussi, il tire du plaisir.

Je commence à éprouver un profond dégoût, mais je sais aussi que je veux sentir que je suis une bonne fille. Alors, malgré l'état pitoyable de cet homme, je décide de faire comme si de rien n'était. Je ne sais trop pourquoi, mais je pense que je devrais peut-être lui faire l'amour. C'est vraiment dégueulasse. J'en suis malade rien qu'à le voir, mais cela ne m'empêche pas de penser que si je me donne à lui, il ne saurait peut-être pas à quel point il est répugnant...

Puis tout devient noir. Je rêve toujours, mais c'est l'obscurité complète. Je ne suis pas évanouie. Je suis tout à fait consciente de cette noirceur totale, totale. Et ça dure un bon moment, cette noirceur. Puis la lumière revient, très lentement, et sur le sol gît Béatrice. Elle est en morceaux, complètement carbonisée, avec un corps plus petit que le mien, mais il n'y a pas de doute, c'est bien moi qui suis là, complètement réduite en morceaux, qu'on n'arrive plus à reconstituer – comme une assiette qui aurait volé en éclats. C'est à ce moment que je me rends compte que l'homme est parti, et je me réveille.

Mon Dieu, aidez-moi.

«Jamais mon âme n'a connu une pareille angoisse», écrit-elle. «En m'apercevant, ma voisine m'a demandé si quelqu'un était mort. Comment aurais-je pu lui expliquer de quelle mort il s'agissait. Mon amie est venue habiter avec moi. Je ne pouvais rester seule. J'avais l'âme tellement torturée.»

Le cadre de son rêve, les suites d'un bombardement, évoque le supplice par lequel la rêveuse a subi son initiation. Béatrice était enfant quand sa ville a été bombardée; cependant, dans son rêve, elle est une adulte, ce qui signifie que l'impact émotionnel du rêve vibre de l'expérience vécue pendant son enfance. «J'ai dû enjamber des cadavres, marcher sur eux pour arriver sur une route ensoleillée», se remémore-t-elle. «C'est ce genre d'expérience qui m'a vue entrer dans ma puberté. J'étais l'adolescente qui ne riait jamais.» Son rêve semble indiquer qu'elle n'a pas effectué alors son passage initiatique. En fait, incapable de composer avec la faim et le massacre, l'enfant était traumatisée par ce qui l'entourait, mais trop jeune pour en comprendre toute l'horreur. Elle avait le sentiment qu'elle devait se rendre utile, devenir infirmière peut-être; mais elle était trop jeune pour pouvoir prendre soin d'elle-même, encore moins des autres. Sa seule chance de survie était de traverser l'Occupation dans un état de somnambulisme, trouvant refuge à l'intérieur d'elle-même. Ce serait en quelque sorte une version anglo-saxonne d'Anne Frank dans son grenier, attendant qu'on frappe à la porte. L'énergie du rêve fait marche arrière pour se reconnecter avec la fillette abandonnée.

Maintenant, les attitudes et les illusions qui avaient dominé sa vie commençaient à éclater. Son sacrifice de soi pour servir les autres, son rôle d'infirmière, l'avait amenée à entretenir des relations désastreuses avec les hommes, dont certains étaient alcooliques. «Les hommes vivent leur côté négatif avec moi», affirmait-elle. «Je sais que je suis sadomasochiste. Tu m'aimes, disent-ils, et dès que je crois les aimer, c'en est fini de moi. J'ai l'impression de devoir me donner à eux en dépit de leur narcissisme égoïste. Je sais qu'ils redoutent ma vulnérabilité, qu'ils craignent que je finisse par dépendre d'eux. Les apparences sont trompeuses. Je donne l'impression d'être une petite fille qui cherche à se faire dorloter, mais ce n'est pas moi. J'ai appris à ne jamais donner mon âme à un homme; mon argent, tout ce que je possède, je le donne, mais jamais mon âme. De cette façon, je ne suis jamais complètement dénuée.»

Dans la vie réelle, les hommes étaient attirés par sa beauté et par son don d'elle-même. Son rêve nous suggère qu'elle se contentait de faire semblant: la mariée encore traumatisée dont le calme était celui d'une bombe oubliée après l'Occupation, une bombe à retardement qui n'avait pas encore explosé. Ce qui ressort de tout cela, c'est que lorsqu'elle était enfant, on s'est emparé d'elle. Avec une mère incapable de l'aimer et un père qui ne pouvait lui fournir aucun appui, elle avait subi l'Occupation nazie et avait été laissée pour morte. Cette expérience d'elle-même se cache derrière l'infirmière, derrière la mère attentive. Elle est confrontée avec cette «mère» dans un rêve où apparaît un mâle sans jambe qui se masturbe et à qui elle désire se donner dans l'espoir de le guérir. Le bâtiment gris qui se veut une église et qui apparaît comme un cercueil suffocant rempli de moribonds, elle le laisse derrière elle; l'attitude pharisaïque de la morale chrétienne n'est pas pour elle. Finie la pitié déguisée en amour. Son côté masculin – infirme, sans fondement, figé dans la pierre – est à la fois auto-indulgent et auto-érotique. Il fait d'elle sa victime par son principe de pouvoir pervers et elle, dans son désir enfantin d'être une bonne fille, devient sa victime. Elle trahit ses propres instincts par son désir de faire en sorte que ce tyrannique infirme se sente bien dans sa peau [16]. L'épée est à la mesure de la plaie. La noirceur met fin à ce type de relation.

Nombreuses sont les femmes qui, bien que n'ayant jamais vécu le traumatisme d'une guerre, font des rêves répétitifs dans lesquels elles sont des victimes prisonnières des camps de concentration. Elles se font complices de leur propre principe de pouvoir interne et des hommes dans leur vie, pour détruire leur propre féminité. Lorsqu'en rêve elles arrivent enfin à lancer leur baluchon de l'autre côté du mur ou qu'elles parviennent à se creuser un tunnel qui débouche sur l'extérieur du camp, enfin prêtes à s'enfuir, la Gestapo se montre sous son vrai jour. C'est comme si le diable lui-même disait: «Tu ne m'échapperas jamais. Tu m'as vendu ton âme il y a des années et tu m'appartiens.» La femme est alors plus effrayée que jamais et son désespoir est plus profond. Son corps est parfois tourmenté par la douleur. C'est à ce moment qu'elle et son analyste, ou un prêtre, ou un ami très cher, doivent s'offrir tout l'amour dont ils sont capables pour accomplir la naissance.

Que vous l'appeliez Destin, Dieu, Soi, ou que vous lui donniez tout autre nom, il n'en reste pas moins qu'une puissance invisible a démembré Béatrice. «J'étais calcinée, dit-elle, calcinée par la noirceur, mais la noirceur n'en était pas responsable. La noirceur ne servait qu'à cacher le processus, sinon j'en serais morte. Le résultat était déjà assez mauvais. À compter de ce jour, j'ai prié ce Dieu en moi.» Béatrice était retournée au point où ayant perdu tout contact avec la réalité, elle s'était fabriqué un masque qui lui permettait de survivre. À présent, ce masque était détruit. Les échecs dans ses relations venaient de l'empêcher d'être étouffée par sa persona «infirmière». Libre d'entreprendre ou non le voyage, elle se sentait destinée à avancer dans la direction dictée par le Soi.

Au lieu de reculer avec frayeur, elle fonça avec toute la

dignité qu'elle pouvait rassembler. À travers le dialogue avec l'inconscient, l'unité créatrice était née. À ce point, le but et les moyens d'y arriver ne font qu'un.

Suivant les intentions inconscientes du chemin, et guidée par ses personnages intérieurs, Béatrice faisait le rêve suivant deux mois plus tard:

Une offrande est peut-être sur le point d'avoir lieu. Je suis dans un corps noir et sans tête (du moins je n'en vois pas), pas de visage, et on s'apprête à transporter ou à sacrifier ce corps noir. De toute évidence, ce corps noir est sans vie. Ce corps nu est beau et je le porte jusque sur une colline, à un autel. Je n'en suis pas certaine, mais pendant un bref moment, la pensée que je vais porter ce corps à un homme me traverse l'esprit.

Je porte le corps dans mes bras comme un châle. Puis je le dépose sur le sol. Il n'y a plus de doute qu'il s'agit de moi, de mes formes, de ma nudité. Je sais que c'est moi, un moi très étrange. La femme blanche sait également que le corps noir, c'est moi. Je suis aussi la femme blanche. Je me mets à la caresser tout doucement. J'embrasse son sein. Je passe ma main entre ses jambes. C'est chaud et humide à cet endroit et pendant que je la touche là, je lève mon regard et j'aperçois maintenant son visage. Un sourire s'y dessine, un sourire merveilleusement doux. AH! Je crois qu'elle est morte, mais qu'elle aime être aimée. Elle est tellement extraordinaire que j'ai peine à le croire. Je me penche de nouveau, pour la cueillir ou pour couvrir son corps avec le mien. Je l'aime tant. Je ne sais pas. Tout ce que je sais c'est que ce corps noir est le mien, entier et magnifique, et que de toute évidence il aime être aimé.

Ce corps est sans tête jusqu'à ce que je lui fasse l'amour. AH!

Dans la première partie de son rêve, Béatrice est sur le point de sacrifier son propre corps noir sans tête. Le fait qu'il soit noir nous indique l'inconscience qu'elle a de son corps, de ses instincts primitifs qui n'ont aucun lien avec la tête. Pendant un bref instant, elle a cru qu'elle le portait à un homme, comme c'était le cas dans la réalité de sa vie sexuelle.

Ce rêve s'est produit après de nombreux mois au cours

desquels elle avait travaillé son complexe maternel, son «sentiment d'abandon permanent», et appris à composer avec le peu d'appui qu'on lui accordait. Pendant des semaines, elle s'était réveillée à quatre heures du matin. Au lieu d'avaler des somnifères, elle avait décidé de rester éveillée et de se battre – avec quelque chose en dedans d'elle, «quelque chose qu'il fallait vaincre ou accepter». Très souvent, elle dansait en faisant de lents, de très lents mouvements, vêtue d'un pyjama de flanelle et de chaussettes rouge vif, «car il faisait très froid». L'amour qu'elle a prodigué à son corps durant ces nuits de frayeur culmine dans l'étreinte finement modulée imaginée en rêve. «J'ai le sentiment de devoir transporter cette fille, cette femme noire, avec grand soin, écrit-elle. Elle est fragile, à moins d'être aimée. Elle est sans vie, à moins d'être aimée. Et alors elle sourit. Je sens, je sais que c'est moi, que c'est mon âme. L'aimer est pour moi sanctifiant.» Les rythmes du rêve et les exclamations sont une indication du pouvoir de l'expérience émotionnelle qui a réuni la tête et le corps. L'intensité de l'amour du moi atteint l'âme enterrée sous la chair noire et l'âme sourit et renaît.

Si nous considérons l'expérience de Béatrice comme un rituel, nous pouvons voir ce qui a semblé être une décision voulue de la rêveuse, décision qui la conduit du haut de la montagne jusqu'à la caverne. En réalité, la situation archétypique a été constellée: le voyage était inévitable. Son attitude envers sa maison, et envers elle-même dans l'espace sacré, est devenue un rite de purification et de passage, une catharsis, la débarrassant de la peur et de la rage qu'elle n'avait plus à transporter. Se déplaçant telle une prêtresse de l'antiquité, elle a entrepris le changement de personnalité rituel. Invoquant le Soi corporel en tant qu'entité transpersonnelle, entrant dans la danse par un effort physique des plus grands et avec une concentration totale, elle a renoncé à son orientation consciente, ouvrant ainsi la voie à l'attitude nouvelle qui devait surgir. La danse lui procurait un contenant rituel qui permettait au côté spirituel de l'inconscient de maintenir la tension à un niveau autrement insupportable. En contenant la tension jusqu'à son point culminant, le moi a non seulement permis à l'énergie archétypique de se frayer un chemin, mais il a aussi consciemment acquis la capacité d'endurer la confrontation sans s'identifier au pouvoir transpersonnel.

Dans son rêve, Béatrice est d'abord surprise de se retrouver dans un corps noir. Mais elle compose avec sa perplexité, chérissant ce corps jusqu'à ce que la femme noire ait une tête. Ensuite elle est prise d'amour pour cette partie inconnue d'elle-même, son côté instinctuel rejeté à la puberté. Encore une fois, c'est le paradoxe. L'inconscient lui révèle clairement dans ce rêve que seul son amour envers elle-même peut la sauver. Quand elle commence à faire l'amour à son ombre inconnue, elle s'ouvre aux échos plus profonds de l'amour et, telle la prostituée sacrée de la Grèce antique[17], se soumet à l'amour qui coule en elle. La peur cède la place à l'amour. Endurant consciemment la douleur, laissant consciemment son corps faire ce qu'il avait besoin de faire, Béatrice a trouvé un nouveau point de départ, une nouvelle création dans un monde dont le centre est immobile. Elle est libre de vivre *maintenant*, rassurée par l'amour divin au centre.

Deux mois plus tard, Béatrice faisait un rêve initiatique dans lequel des femmes aimantes prenaient soin d'elle:

Il me semble que j'ai besoin de prendre un bain. Je suis dans une pièce immense. Au centre, une large baignoire trône sur une estrade entourée de gens. Une espèce de grand bain tourbillon. Je traverse la pièce lentement. Je suis nue. Je m'avance vers la baignoire, je gravis les marches et j'entre dans l'eau. C'est plutôt agréable. C'est alors qu'apparaissent des femmes, vêtues de longues robes blanches, qui viennent m'aider à sortir de la baignoire pour me conduire dans une pièce où se trouvent de nombreux lits, des lits blancs, des femmes en blanc. On ne trouve pas mon lit immédiatement. Nous traversons de nombreuses pièces; on dirait un hôpital, mais ça n'en est pas un et personne n'est malade. Puis on m'emmaillote dans de grands morceaux de tissu et, doucement, on m'aide à me coucher. Alors, on me sert de la nourriture et du vin blanc.

L'image unifiante de ce rêve est le baptême – entrer dans

l'eau, se dévêtir, mourir dans l'ancienne vie et renaître dans la nouvelle. Emmaillotée comme un nouveau-né, elle est accueillie à la fête rituelle par des femmes initiatrices qui s'occupent d'elle. Au lieu du don de la fertilité physique, l'initiée d'âge mûr reçoit le don de la fécondité spirituelle.

La longue vigile de Béatrice s'est déroulée sur une période d'un an. Ce qui s'est passé entre elle et son corps, entre elle et son Dieu ou sa Déesse, constitue un mystère qui ne peut ou ne doit pas être mis en paroles. Le mystère est sacré. L'âme se soumet. Le reste est silence.

Sans contenants culturels qui confèrent un sens aux cycles de la mort et de la renaissance de la psyché, nous pouvons soit être traînés à l'abattoir comme des cochons qui crient, par un Destin auquel nous résistons, soit tenter de comprendre les cycles tels qu'ils se manifestent dans nos rêves. «Seul ce qui est vraiment nous-mêmes, écrit Jung, a le pouvoir de guérir[18].» Réclusion, métamorphose et émergence sont les phases cycliques naturelles du processus d'individualisation. La psyché se compare à un bouton de rose qui, pétale par pétale, devient fleur.

Quand je suis dans une grande ville, je sais que je désespère.
Je sais qu'il n'y a pas d'espoir pour nous, que la mort nous guette,
qu'il ne sert à rien de s'en faire.

Car, oh, ces pauvres gens, qui sont chair de ma chair,
Et moi, qui suis chair de leur chair,
Quand j'aperçois les hameçons accrochés à leurs visages,
leurs pauvres visages effrayés,
Mon âme pousse un cri, car je sais que je ne puis arracher ces hameçons de fer qui leur étirent le visage,
ni couper les fils d'acier invisibles qui les animent dans leur va-et-vient, au travail, du travail au travail,
tels des poissons effrayés, cadavres empalés avec lesquels s'amuse
quelque malin pêcheur sur une rive que nul ne peut voir,
ne se décidant toujours pas à les amener à terre, ces poissons
ferrés de notre monde industriel.

D.H. Lawrence, City Life, *traduction libre.*

Nous nous laissons obséder par les éléments de l'inconscient avec lesquels nous n'arrivons pas à nous mettre en rapport. En effet, nous sommes piégés si nous ne pouvons communiquer, établir le contact avec le contenu inconscient. L'alternative est d'être possédé par un contenu constellé dans l'inconscient ou d'être en rapport avec lui. Plus nous réprimons ce contenu, plus il nous affecte.

Marie-Louise von Franz, Redemption Motifs in Fairytales, *(traduction libre).*

La première erreur a été de créer Dieu à l'image de l'homme. Évidemment, c'est ainsi que les femmes Le voyaient, mais les hommes, eux, auraient dû être assez «gentlemen», se rappelant leur propre mère, pour faire de Dieu une femme! Mais le Dieu des dieux, le Grand Patron, a toujours été un homme, ce qui rend la vie si perverse, la mort si peu naturelle. Nous aurions dû imaginer la vie comme issue des douleurs de l'enfantement endurées par un Dieu Mère. Alors nous comprendrions pourquoi nous, Ses enfants, nous avons hérité de la douleur car nous saurions que nos vies battent à l'unisson avec Son grand cœur, déchiré par l'agonie de l'amour et de l'enfantement.

Eugene O'Neill, Strange Interlude,
(traduction libre).

Si vous cherchez l'ennemi en regardant droit devant vous dans le noir, vous ne le verrez pas. Ses mouvements le trahiront seulement à la périphérie de la vision, là où le regard et l'instinct s'entrecroisent, où les sens sont les plus aigus. Si vous n'apprenez pas cela, vous êtes mort.

Conseil à l'intention des troupes
combattant au Vietnam.

5

La sœur-ombre: autres réflexions sur l'assuétude

Les narcotiques ne sauraient calmer la Dent
Qui grignote l'âme

Emily Dickinson

Par un soir sans nuages, nous regardons le ciel. Nous y voyons quelques étoiles. Puis, à mesure que la nuit s'enfonce dans les ténèbres, nous apercevons un lien entre les étoiles solitaires: la Grande Ourse, le Baudrier d'Orion, les Pléiades. En latin, le mot *stella* veut dire étoile; ainsi, une constellation est un ensemble d'étoiles rendu visible par l'obscurité. Chez l'être humain, cependant, il se passe parfois bien des années avant que les points lumineux parsemés dans la noirceur de l'inconscient constellent un motif pourvu d'une signification. J'ai fondé ce chapitre sur l'expérience de femmes dans la quarantaine qui avaient presque toute leur vie, souffert des affres de l'assuétude jusqu'au moment où la noirceur leur a permis de discerner le motif constellé au centre de leur obsession.

Ces femmes savent depuis des années qu'elles vivent en présence de quelque chose de plus fort qu'elles, d'un mystère qui les rend impuissantes. Il y a déja constellation d'une «conscience divine», à la fois terrifiante et sacrée, qui n'a rien à voir avec l'Église ou les sectes. Elles savent qu'elles doivent se battre dans une autre arène de la réalité. Cette arène, c'est la psyché. En raison de leur tempérament, de leur formation, de leur niveau de conscience, ces femmes ont la grâce (ou le malheur) de posséder une nature introspective, un esprit inquisiteur, une curiosité personnelle inébranlable qui les tient penchées sur leur microscope intérieur. Pour le meilleur ou pour le pire, elles sont convaincues que la solution au problème de leur vie réside dans la soumission, non pas à une autorité qui s'impose de l'extérieur et qu'elles ne comprennent pas, mais à une vérité qui les habite.

C'est la vérité qu'elles cherchent, et aussi pénible et tortueux que soit le chemin, c'est à travers leur assuétude qu'elles avancent vers la vérité, qu'elles trouvent une ouverture sur elles-mêmes. Profondément engagées à devenir conscientes, elles ne voudront, ne sauront renoncer avant de connaître la signification de leur assuétude. Celle-ci recèle un trésor – la connaissance d'elles-mêmes – et aucun autre chemin ne peut les conduire à ce trésor. Ce voyage sacré leur est propre: c'est leur Tao, leur Chemin.

Ce Chemin les a menées jusqu'au désespoir qui gît au centre de l'assuétude, désespoir dont les causes doivent émerger au grand jour avant que la guérison définitive ne puisse s'accomplir. Dans les rêves, leur désespoir prend souvent la forme d'un personnage symbiotique que j'appelle «la sœur-ombre». Dans la vie réelle, ce personnage symbiotique est souvent le côté réprimé de la mère, que la personne souffrant d'assuétude fait sien sans s'en rendre compte; il peut également s'agir de la féminité réprimée du père ou du mari. La sœur-ombre personnifie cette répression telle qu'elle existe chez un parent, ou chez les deux – répression qui trouve sa source dans l'environnement psychique où la femme dépendante a inconsciemment vécu son enfance. La prise de conscience de cet environnement psychique peut être favorisée à travers la confrontation éclairée avec la sœur-ombre. La femme souffrant d'assuétude, qui a accès aux diverses façons dont le moi inconscient entre en relation avec la «sœur-ombre», fait graduellement surgir dans le conscient les relations destructrices inconscientes qu'elle entretient avec le complexe maternel négatif.

En brisant le lien symbiotique qui relie le moi inconscient et la sœur-ombre, la femme dépendante se libère du désir de mort que lui a imposé sa mère négative. Son désespoir résidait dans sa soumission au complexe qui niait sa réalité féminine. Sa libération se traduira dans ses rêves par la mort ou la disparition de la sœur, que vient remplacer une jeune féminité souvent personnifiée par une adolescente vibrante. La sœur-ombre, jugée coupable des actes qui lui étaient reprochés, se transforme en une vierge enceinte – ouverte à la vie, à l'amour et au Destin. La femme a revécu sur le plan psychologique l'agonie de la Vierge Marie, agonie dont il est à peine fait mention dans le Nouveau Testament.

Comme nous le verrons plus loin dans ce chapitre, c'est la Vierge Mère, humaine et perplexe, plutôt que la Mère de Dieu dans sa gloire déifiée, que symbolise avec justesse la Vierge noire. C'est la mère positive éveillée qui est constellée, une fois vidée du complexe maternel négatif. Elle est la sainte patronne naturelle de «l'esclave» affranchie, l'intoxiquée libérée. La Vierge noire est noire parce qu'elle est, littéralement ou figurativement, passée par le feu et en est sortie avec une capacité immense d'amour et de compréhension. La Vierge noire incarne tout ce que la Vierge du Nouveau Testament a perdu quand les Pères de l'Église, réunis en Concile, ont décidé de consigner ses angoisses de femme humaine aux apocryphes. Telle l'intoxiquée qui endure l'humiliation de son assuétude parce qu'elle lui permettra de découvrir le trésor caché, la Vierge noire a enduré le miracle du feu. Le trésor caché qui l'a remplie de honte et lui a valu d'être accusée de fornication et d'adultère n'était rien de moins que l'Enfant Dieu, sa propre identité spirituelle, son *Je suis ce que je suis*.

Ce chapitre est consacré au feu alchimique qui consume la féminité dans notre culture afin de donner naissance au féminin psychologiquement conscient.

La vierge fermée

La plupart des femmes auxquelles je pense sont issues de «bonnes familles». Parents à l'aise, professionnels de la classe bourgeoise dont les valeurs collectives sont formées ou endossées par des revues telles que *Vogue*, *Décormag* et *Better Homes and Gardens*.

Pour que la famille puisse accéder à l'argent, à la propreté, à la beauté et à l'intelligence nécessairement associés à la classe bourgeoise, il a fallu que le foyer fonctionne avec la précision d'une horloge. Tous les membres devaient prendre leurs responsabilités et agir en fonction de leur rôle collectif. Le père – étudiant parfait, athlète parfait – était jadis le fils parfait de parents parfaits vivant selon le principe du pouvoir qui devait l'amener lui-même à rechercher la perfection. La mère, également trompée par les apparences, était le type même de la femme intelligente, ambitieuse, qui après avoir sacrifié sa propre carrière à ses enfants, espérait plus ou moins consciemment que ceux-ci accomplissent ce qu'elle n'avait pas fait. Toute son énergie servait à faire de son corps, de son cerveau, de sa vie et de ses enfants des œuvres d'art.

La réussite des enfants ne passait pas par l'atteinte d'objectifs qu'ils s'étaient eux-mêmes fixés: ils savaient ce qu'on attendait d'eux, ce qu'ils avaient besoin de faire, ce qu'ils devaient faire pour plaire aux autres. La mère coupait les toasts en deux, prenait de la saccharine dans son café et regardait sa fille de travers si celle-ci osait prendre de la crème dans le sien. Elle traitait son propre corps comme une machine et s'attendait à ce que ses enfants fonctionnent comme de parfaits automates. Si cette machine semblait soudain avoir une vie à elle, elle en était consternée: sa création était peut-être imparfaite, ou malade, et elle commençait à s'en méfier. Les membres de cette famille s'accrochaient les uns aux autres par symbiose, ce qui empêchait le moi individuel de mûrir. Leur vie était circonscrite par le système émotionnel familial à tel point qu'ils n'auraient pu s'imaginer hors de ce vase clos. Au contraire, ils se regardaient dans le miroir familial et ils étaient happés par ses reflets. Dans leur monde, la perfection devenait un principe moral auquel chaque membre de la famille était tenu de souscrire. Personne ne parlait des phases dépressives de la mère, ni du fait que le père rentrait souvent très tard le soir. On était implicitement tenu de respecter les secrets de la famille, ce qui créait des liens étouffants.

Souvent, dans ces familles, la grand fille a été le témoin silencieux de l'émasculation du père par la mère. Elle a vécu entourée du mépris que la mère portait au père, mépris qui a fait surface quand ce dernier n'a pas su être le mari-héros que la mère croyait avoir épousé. La petite fille, prise entre les deux, peut en arriver à décider consciemment qu'elle ne ressemblera jamais à sa mère. Elle ne sera jamais la mégère qui part constamment en guerre contre les hommes. Elle ne sera jamais un corps froid, asexué. Elle ne sera jamais le «chef» du ménage. Elle sera plutôt femme et mère, aimante et encourageante. En d'autres termes, elle s'identifie à l'ombre de sa mère, le côté de la mère qui a épousé sa contrepartie masculine idéalisée. Plus tard, devenue mère au sein de son propre foyer, elle tente de se comporter en Mère Terre, s'abandonnant à ses instincts naturels, optant pour l'accouchement naturel, l'allaitement naturel, les produits naturels, tout ce qu'il y a de mieux pour ses enfants. Tout en régnant sur son foyer, elle se veut la femme sensuelle que son père n'a jamais connue et elle espère que sa créativité se développera dans le giron familial. La vérité, cependant, est qu'elle n'a rien d'une Mère Terre. Ses antécédents n'offrent pas d'assises à ses prétentions. Elle n'est pas non plus suffisamment en contact avec son corps pour se fier à ses instincts. Elle fait de son mieux, mais elle sait, tout comme son mari et ses enfants, que tout cela est de l'artifice.

Ce type de femme agit comme un aimant puissant sur l'homme jusqu'à ce que les enfants commencent à arriver. Le scénario se déroule plutôt bien tant qu'elle joue le jeu de l'anima du mari et s'occupe des sentiments qu'ils partagent. Mais, dès qu'elle commence à s'intéresser au premier enfant, ses énergies ne sont plus réservées exclusivement au mari. Malheureusement, à mesure que l'enfant développe son moi, il y a permutation de la relation mère-enfant du fait de l'immaturité du côté féminin de la mère. Il manque à celle-ci les valeurs affectives qui pourraient soutenir son identité propre. Elle ne comprend rien aux véritables relations et lorsque l'enfant s'affirme, elle est incapable de défendre son propre point de vue. Elle a tendance à accepter l'image que projette l'enfant, l'évaluation qu'il fait d'elle. Tout ce que l'enfant veut, il l'obtient. S'il lui porte un coup, elle s'effondre. Elle n'arrive pas à imposer la discipline aimante dont a besoin toute créature pour se construire un contenant solide. Sans limites imposées, l'enfant perd le sens de la sécurité et se transforme en petit tyran. À titre d'exemple, si le refus de l'enfant de boire le jus d'orange que sa mère lui a préparé fait chavirer l'identité de cette dernière, c'est le martyre qui l'attend. Déprimée face à ce premier échec, notre bonne mère croit que la venue d'un autre enfant apportera une solution à son problème. Et le cycle se répète. Le bébé à son tour devient une petite personne; il manifeste des émotions inattendues, des «mauvaises habitudes», et une énergie sans limites. Une fois de plus, c'en est trop. La mère retombe dans sa fantaisie de la Mère Terre, cherchant à calmer son moi blessé en se fabriquant un autre enfant.

Elle finira probablement par dire: «Avoir un autre enfant, c'est courir à ma perte. L'efficacité que j'ai tant détestée chez ma mère, je la retrouve en moi, sous des traits différents. Je suis le chauffeur de service pour la leçon de patinage, de natation, de danse, mais, toujours, il y a ce vide au centre. Et je sens constamment que mon mari critique mon incapacité de m'en tirer.» Si son mari n'est pas du genre à critiquer, l'homme intérieur de cette femme s'en charge. En devenant bonne épouse et mère, son seul désir était de plaire à l'homme, de compenser le manque de féminité qu'affichait sa mère devant son père. Cependant, ce désir primordial de faire plaisir lui fait bientôt abuser de son pouvoir: elle devient plus apte à manipuler les autres, même inconsciemment. Alors que sa persona voudrait qu'elle «fasse plaisir à Papa» en se comportant en Mère Terre, son ombre dit: «Fais cesser ce chaos. Il faut qu'il y ait de l'ordre, sinon j'en mourrai.» Nous nous trouvons ici en face d'une autre version de la «petite fille à Papa», tandis que sa sœur-ombre «prend la vie comme un homme». Si elle n'a pas la force féminine de s'assumer, son énergie balance entre le pôle instinctuel et le pôle spirituel et elle est tout aussi incapable de s'affirmer au centre en tant qu'être humain qu'elle ne l'est de prendre sa position à l'un ou l'autre pôle.

Bien que les antécédents familiaux varient d'une personne à l'autre, il semble exister des constantes. Le principe féminin étant inexistant au sein de la famille, le père et les frères en ont souffert autant que la mère et les sœurs. «Là où règne l'amour, il n'y a pas de désir de pouvoir, nous dit Jung, et là où le désir de pouvoir est primordial, il n'y a pas d'amour[1].» Le contraire de l'amour n'est pas la haine, mais le pouvoir. Le pouvoir annihile l'individualité de l'autre. Dans le foyer où prédominait le pouvoir, l'âme féminine du Père subissait tout autant l'abus de pouvoir que celle de sa femme, tout particulièrement s'il avait été le fils aimé d'une mère dominatrice à qui *il* avait tenté de plaire. De plus, en occupant une place bien en vue dans la collectivité, il a tenté de plaire à la Mère Société. Du point de vue psychologique, la famille entière – mère, père, fille, fils – était constituée d'enfants sans mère qui, n'ayant pas été maternés, étaient incapables de materner à leur tour. Pendant qu'ils jouaient à la «vie parfaite», c'est la vie elle-même qu'ils écartaient.

Les enfants issus de ce genre de foyer ont l'impression d'avoir été en attente toute leur vie, mais rien ne s'est jamais produit. Et cette attente perpétuelle leur fait manquer ce qui se passe *ici, maintenant*. Même si les parents croyaient sincèrement faire de leur mieux, ils infligeaient inconsciemment à leurs enfants le même sort qu'ils avaient subi dans leur jeunesse, en les façonnant selon un modèle collectif[2]. Le désir de survie peut amener les enfants à se conformer, mais derrière leur docilité se cache un «cœur ténébreux».

Sans s'en rendre compte, de tels enfants peuvent manifester leur refus de devenir de simples répliques de leurs aînés en se créant des problèmes d'alimentation. De plus, faisant partie eux-mêmes d'une culture où les médias louent la minceur comme remède universel, source de bonheur, de sexualité, de respect de soi et d'acceptation sociale, ils sont incapables de percer à jour les mensonges insidueux de la fausse déesse. Ainsi, victimes de leurs propres instincts ravagés et ironiquement habités par le même désir de pouvoir dont usaient leurs parents à leur endroit, certains enfants se gavent de nourriture, ou la rejettent ou bien la vomissent. Que ce rejet de la vie s'habille de cent kilos de chair ou d'un paquet d'os de quarante-cinq kilos, ou encore qu'il s'exprime par le vomissement, il n'en demeure pas moins que le plus sûr moyen de se sortir d'une névrose est de comprendre ce que symbolise la nourriture dans la psyché individuelle et pourquoi elle polarise l'énergie.

Imaginons deux aimants. Le champ énergétique de l'un réagit au champ énergétique de l'autre. Lorsqu'on les rapproche, la force d'attraction entre les deux pôles, l'un positif, l'autre négatif, s'intensifie. Cependant, si les aimants ont le même champ énergétique, ils se repoussent. Ils refusent le contact. De la même manière, il y a chez la personne souffrant d'assuétude quelque chose qui réagit devant la nourriture, et c'est l'énergie de celle-ci qui provoque une attirance ou une répulsion compulsives. «Je vais mourir si je mange; je vais mourir si je ne mange pas.» Ils céderont à cette compulsion (en s'empiffrant de nourriture), résisteront avec fermeté (en refusant toute nourriture) ou alterneront entre l'attrait et la répulsion (boulimie et vomissements). Quelle que soit leur réaction, la nourriture constitue l'aimant autour duquel circule leur vie. Dans ce contexte, la nourriture symbolise la force vitale, la Grande Mère, avec laquelle la sagesse du corps tente désespérément d'établir le contact.

Nous pouvons identifier clairement l'attrait et la répulsion que provoque la nourriture dans l'extrait suivant tiré d'un journal intime. La femme qui en est l'auteur était arrivée à considérer la nourriture comme un symbole de pouvoir – pouvoir appris de sa mère. Manger permettait à la fois de s'identifier avec le désir du pouvoir et d'éviter d'y faire face. La nourriture servait à nourrir son animus gras et son enfant tyrannique. Elle ne nourrissait pas son âme-enfant qui avait faim d'amour. Avant d'écrire ce qui suit, elle s'était disputée avec son partenaire et, très bouleversée, m'avait appelée au téléphone. Elle m'avoua plus tard que, pour une raison ou une autre, l'une de mes réponses lui avait fait l'effet d'une douche écossaise. Elle passa quelques jours tiraillée entre ses sœurs tyranniques, avides de pouvoir, avant d'écrire ce qui suit:

Par combien de conneries vais-je devoir passer avant de me sortir de ce dédale? Je suis capable de trouver une explication logique à tout. Je peux jouer n'importe quel rôle et faire semblant que c'est vrai. FOUTAISE. Je ne suis pas prête à abandonner le rôle de la petite fille furieuse qui n'a pas obtenu ce qu'elle voulait. Ou encore l'autre facette du jeu. «Regarde, Maman, comme je suis une gentille petite fille. Vois-tu tout ce que je fais pour te plaire? Aime-moi. Aime-moi. Je serai tout ce que tu voudras, si seulement tu m'aimes.»

Ce bébé a besoin d'être mis aux ordures. Je me suis félicitée en me payant une bonne crise de nerfs parce que les choses ne s'étaient pas passées immédiatement comme je le voulais. (Je préférerais ne pas savoir ça!) Pourquoi faut-il aller jusqu'à l'extrême avant de pouvoir voir clair et faire quelque chose? Un autre enfantillage que je me permets est celui de me faire des montagnes avec un rien et de les confondre ensuite avec la réalité. Si ce n'est pas moi qui mène, je joue à la victime et je me convaincs que si les choses ne vont pas à ma manière c'est la faute de quelqu'un d'autre. C'est une façon pas mal pharisaïque de se donner raison et cela m'évite de faire face au fait que je joue un jeu de pouvoir. Que j'aime jouer au plus fort! Si le fait de paraître impuissante me permet d'avoir du pouvoir, alors je jouerai à l'impuissante. Je ferai n'importe quoi pour garder mon emprise. Si ce n'est pas moi qui mène, je ne suis personne et personne ne m'aime puisqu'il faut être quelqu'un pour être aimé.

Si je ne peux être la plus MERVEILLEUSE femme du monde, je peux être une femme PUISSANTE, et si je ne peux être une femme puissante, alors je peux être une petite fille détestable que personne n'aime. (Personne ne m'aime. Tous me haïssent. Je m'en vais dans le jardin bouffer des vers.) Tout ce qui me permet de devenir le centre d'attraction. La terre ne tourne-t-elle pas autour de moi? Le ciel et la terre n'ont-ils pas été créés pour moi? C'est le revers de la médaille de l'incapacité de se prendre au sérieux: TOUT ou RIEN!!!

Et le fil qui maintient ces forces en place n'est pas la manne qui tombe du ciel et qu'on attend, mais un sens des proportions acquis avec l'âge, la compréhension et l'acceptation du fait que je fais partie d'un tout plus vaste, que j'ai ma place dans le tableau. Une place bien à moi, qui n'a rien de plus ou de moins que toute autre place. C'est la place qui m'a été assignée. C'est mon destin.

Je peux m'amuser à jouer le jeu de l'exagération toute ma vie si j'en ai envie et ainsi rater ma vie. JE NE VEUX PAS RATER MA VIE.

La question qui se pose est celle-ci: «Vais-je grandir assez pour endosser mes propres vêtements et prendre mes responsabilités? De quoi suis-je ou ne suis-je pas responsable? Suis-je prête à voir une situation telle qu'elle est?» La réponse est OUI. Au meilleur de ma connaissance, la réponse est OUI.

Ces derniers jours ont été propices aux choses sérieuses. Propices à l'humilité serait peut-être plus exact.

«Mon Dieu, donnez-moi la Sérénité d'accepter les choses que je ne puis changer, le Courage de changer les choses que je peux, et la Sagesse d'en connaître la différence.» (Prière des Alcooliques anonymes)

Après deux ans en analyse, cette femme était parvenue à différencier les voix de ses sœurs psychiques et, plutôt que de les projeter sur son partenaire ou sur son analyste, elle était prête à accepter une part de responsabilité dans son propre destin. Les énergies qui, auparavant, balançaient entre «la plus merveilleuse femme du monde» et «la petite fille détestable» étaient maintenant disponibles pour le moi, et au lieu de la retrancher de la réalité de ses relations en lui faisant projeter ses propres «conneries» sur les autres, ces énergies la mettaient maintenant en contact avec la vie et avec le dialogue véritable. Mais ce processus n'est possible que si on a le courage de passer «quelques jours d'humilité» seule, face au vrai problème logé au cœur des complexes, à attendre que la vraie question surgisse de l'inconscient. Une fois que le moi sait articuler la question, la réponse de l'inconscient ne tarde pas. Dans l'extrait ci-dessus, le OUI instantané suit les trois questions venues directement du moi: Vais-je grandir et prendre mes responsabilités? De quoi suis-je et ne suis-je pas responsable? Suis-je prête à voir une situation telle qu'elle est?

La personne souffrant d'assuétude refuse le Soi. Si les parents, du fait de leur narcissisme, sont incapables de refléter leur enfant, celui-ci a peu le sens de sa propre authenticité. En grandissant, il continue d'aimer sa mère ou son père, en tant que mère, pour le pouvoir qu'ils représentent et non en tant qu'individus. La mère donne, régit, exige du rendement; l'enfant adulte demeure impuissant, sa vie même dépend du fait de plaire à la mère. L'une des caractéristiques de l'enfant dépendant – souvent rebelle – qui habite l'intoxiqué est qu'il constelle la mère autoritaire chez le partenaire, cette mère dont le message est: «Tu ne seras pas compétent. Je finirai bien par devoir prendre soin de toi, mon pauvre enfant sans défense.» C'est le pouvoir, caractérisé par l'attitude inconsciente du partenaire, et, bien sûr, par l'attitude de l'intoxiqué lui-même. La mère négative exigeante, qu'elle soit intériorisée ou projetée sur le partenaire, détruit le moi féminin de la femme et l'anima de l'homme parce qu'elle n'accorde aucune place aux sentiments individuels. Intoxiqué et partenaire n'ont plus que deux moyens d'entrer en relation: le pouvoir ou l'identification à l'autre.

Si, par exemple, un enfant donne un coup de pied sur le tibia de sa mère, la réaction naturelle de cette dernière sera la colère. Avec la franchise d'un être humain normal qui aime vraiment son enfant, elle le disputera un bon coup pour aussitôt lui pardonner. Cependant, si elle entretient une relation de pouvoir vis-à-vis de son enfant, elle dira plutôt: «Ça va , mon chéri, je comprends ça», et ne fera rien de plus. Ce refus de s'accorder une réaction plus naturelle tient de l'inhumain. De plus, l'enfant a l'impression qu'on refuse de valider sa colère et donc qu'il n'est pas aimé comme un être humain entier. Le message non verbalisé qui régit l'attitude de la mère est le suivant: «Je ne montrerai pas ce que je ressens. Toi non plus, tu ne devrais pas le faire. Ce serait mal. Et ce que je fais est bien.» C'est l'animus indifférencié de la femme qui force les sentiments, ne laissant à l'enfant qu'un choix entre deux absolus. Étouffé dans l'espace psychique de la mère et privé du dialogue naturel entre parent et enfant, l'enfant ne peut réagir que de deux façons: être soumis ou se rebeller. Les réponses individuelles ne comptent pas et les vrais sentiments sont refoulés pour ne faire irruption que plus tard dans la vie, dans des affirmations telles que: «Si je m'écoutais, je détruirais les autres», ou dans des comportements que le moi conscient ne saurait accepter. L'animus qui impose ce choix absolu pousse l'enfant extérieur ainsi que l'enfant intérieur de la femme à la manipulation et au mensonge. En les rejetant tous deux, la femme s'assure qu'ils se rejetteront eux-mêmes. Un tel rejet nourrit la vengeance.

C'est en travaillant cet animus à deux pôles que la femme arrivera à différencier ses sentiments et à agir en conséquence. Elle peut se dire: «Je ressens deux types d'émotions. Lesquelles vais-je exprimer? Enfant, moi aussi je donnais des coups de pied. Mon fils se rebiffe et c'est tout naturel; mais j'ai envie de lui rendre ses coups et ça n'est pas acceptable. Comment exprimer ce sentiment sans rejeter l'enfant? Comment valider son sentiment sans le rejeter?» À ce stade, les sentiments sont conscients. Ils ne sont plus simplement réactifs. La femme a franchi une troisième étape où elle-même et l'enfant se sont reconnus en tant qu'individus. Étant honnête envers elle-même et envers l'enfant, elle passe du pouvoir à l'amour, constellant ainsi la mère positive. La communion de sentiments reconnaît et accepte l'être humain tout entier. Au lieu de réprimer la colère, l'amour la reconnaît et pardonne, transformant ainsi une émotion négative en énergie positive latente. Tant que les parents s'identifient à un système de valeurs collectives qui nie leur nature animale et, conséquemment, celle de leurs enfants, leurs attentes implicites ne peuvent conduire qu'au faux, au masochisme et au rejet auto-destructeur de la vie.

Les jeunes plantes ont besoin de chaleur, d'eau et de lumière. L'amour est la mise en valeur des sentiments individuels qui procurent cette chaleur. L'eau est l'essence de la vie, l'énergie qui demande à couler, à explorer chaque chose. La lumière est la perspicacité qui illumine. La nature est la manifestation de l'énergie. La sanctification de la matière émerge de l'amour humain qui admet le pouvoir de l'énergie animale, reconnaît son caractère sacré et accepte que l'évolution de la nature humaine en découle. Or le fondement même de cette énergie n'est autre que la Grande Mère, Sophia, dans les entrailles de qui nous mûrissons. Notre nature biologique, animée par l'Esprit, reçoit l'énergie non seulement par les cinq sens, mais également par l'œil et l'oreille intérieurs, jusqu'à ce que la robe écarlate de la passion, symbole de l'âme vierge, se marie avec la cape bleue de la sagesse.

L'énergie positive est vie, lumière, dieu, amour. Elle maintient ensemble les atomes. Lorsque son caractère sacré est reconnu, et lorsque l'âme est capable de la contenir tout en favorisant son écoulement, alors la vierge est assise sur les genoux de la Grande Mère. La femme a pris conscience d'elle-même en tant qu'âme individuelle. Son sentiment d'individualité lui permet d'aimer individuellement. Son bébé donne des coups de pied, régurgite, se mouille et elle maintient le paradoxe: l'incarnation de l'âme. Elle change ses couches avec l'amour épanoui que lui procure le fait d'élever un enfant. Liée à la Grande Mère, elle voit l'âme en action dans le corps. Sécurisée par sa relation avec le côté féminin de Dieu, elle est capable de relations personnelles qui ne sont plus fondées sur le pouvoir ou la dépendance, mais sur la communion des idées. Elle est libre. Elle peut maintenant déplaire à la collectivité et, au lieu de craindre le rejet, se savoir bénie entre toutes les femmes. Et son enfant, intérieur et extérieur, est libre d'agir en accord avec sa propre nature, capable d'accepter la discipline parce l'amour de sa mère lui procure la sécurité. Ne vivant plus à l'écart de la vie, il n'a nul besoin de redouter le rejet, ni de chercher constamment à plaire.

Une fois tombés les voiles qui entourent l'intoxiquée, le comportement rituel obsessif est perçu comme une protection contre une peine insurmontable. Arracher ces voiles en gavant, par exemple, une anorexique, en obligeant une femme obèse à monter sur une balance ou en forçant une boulimique à rompre avec ses habitudes rituelles, provoque dans l'inconscient, l'émergence de forces compensatrices dont la puissance peut dépasser de loin le contrôle du moi. Tenter d'imposer une discipline au moi qui a été violé toute sa vie ne fait que renforcer la psychologie de victime et justifier le comportement compensatoire rebelle et menteur. L'imposition de régimes alimentaires encourage les habitudes compulsives bien ancrées et déclenche des besoins instinctuels compensatoires encore plus violents, engendrant un conflit qui annihile l'âme et peut conduire à une rupture psychotique ou au suicide. Aussi longtemps qu'une femme méprise secrètement sa propre nature de femme, qu'elle craint sa propre sexualité, qu'elle flagelle son corps à coups de malédictions, de privations ou qu'elle le gave de nourriture qui l'empoisonne, il n'y aura aucun espoir de guérison, indépendamment de tout gain ou perte de poids.

L'intoxiquée vit, avec l'objet de sa dépendance, la même relation que l'enfant impuissant vit avec une mère dominatrice: il manque à l'un et à l'autre les valeurs affectives individuelles qui leur permettraient de se porter à la défense de leur propre vie. Prisonnières de l'introjection de l'image de leurs parents, les personnes souffrant d'assuétude deviennent par la suite esclaves de l'introjection de leur propre image, évaluant leur propre comportement en fonction de son effet sur leur entourage et se laissant aller à de faux sentiments: «Si je ne goûte pas au gâteau qu'elle a fait, est-ce que je risque de la blesser? Si ma conversation les intéresse, vont-ils remarquer que je ne mange pas?» Cette dépersonnalisation d'elles-mêmes déteint sur chaque décision. Les personnes qui toute leur vie ont souffert de déséquilibre alimentaire refusent à leur corps non seulement le droit de manger, mais également la permission de jouir de la vie. Il n'est donc pas étonnant que le corps finisse par devenir allergique à presque toute forme de nourriture et que son système immunitaire devienne déficient. Le masochisme se nourrit de lui-même; les opprimés se transforment en oppresseurs. Prenant plaisir aux mêmes jeux vicieux qui les ont détruits, ils trompent les autres et eux-même avec leurs supercheries, puis ils rient, sourient, satisfaits d'avoir exercé leur pouvoir.

Imaginons une situation aussi simple que celle de la rédaction d'un essai. Une femme souffrant de troubles de l'alimentation commence à écrire, puis à manger. La nourriture devient plus importante que les idées; la machine à écrire s'embourbe dans le beurre d'arachide. Si à ce moment-là, elle peut cesser de manger et se demander ce qui se passe, elle peut différencier alors ses propres sentiments de son complexe. C'est ce complexe maternel négatif qui lui interdit de réussir quelque chose pour elle-même. Ce serait de l'égoïsme. Seul le fait de donner est sécurisant. Mais elle doit comprendre que ce don peut être une forme de manipulation, même si à l'intérieur de ce complexe, c'est le fait de recevoir qui est perçu comme étant la cause de la manipulation. Cette dernière interprétation nous renvoie à l'enfant sans ressource, victime de la générosité de ses parents puissants, au point où son moi s'est effacé, incapable d'intervenir. Dans les rêves de cette femme, le complexe peut se manifester sous la forme d'une sœur soumise parodiant tous les clichés culturels. Si elle arrive à faire surgir la mère négative dans le conscient et à se rendre compte que c'est ce complexe qui l'empêche d'agir, «parce que ce n'est pas bien d'être ambitieux», elle pourra alors cesser de se mentir et décider si *elle* veut ou non écrire son essai, ou savoir si elle désire fréquenter l'université.

Il est important de souligner que le «complexe maternel» et le «complexe paternel» englobent bien plus que les parents personnels. Il s'agit de processus archétypiques inconscients qui n'ont rien à voir avec les motivations conscientes des parents. Les parents ont été, eux-mêmes, des enfants, prisonniers des complexes de *leurs parents*. Il arrive souvent que ce soit la douleur silencieuse d'un parent qui fasse souffrir le plus un enfant sensible. Quoi qu'il ait fait pour rendre ce parent heureux, la tristesse de ce parent a persisté. Cette tristesse de l'âme finit par faire partie de l'héritage de l'enfant.

Notre culture se modifie à un rythme effarant, sous la poussée des valeurs collectives qui font fi de l'individu. Les institutions viennent renforcer les complexes maternel et paternel: notre Mère l'Église, notre Mère la Sécurité sociale, notre Père la Loi. Les gens aux prises avec un complexe maternel négatif craignent les cadeaux, que ces derniers leur soient offerts par des personnes, par l'État ou par Dieu: il y a toujours quelqu'un qui cherche à les exploiter, et plus tard, se disent-ils, le Cheval de Troie n'a-t-il pas ouvert sa trappe? La mère négative essaie de tout transformer en question de pouvoir et le moi sans défense se prête à cette trahison, ne croyant pas en sa propre valeur.

Lors de l'analyse, ce jeu de pouvoir se poursuivra aussi longtemps que le sujet projettera la mère ou le père négatifs sur l'analyste et tentera de conserver le pouvoir en interposant une persona complaisante entre l'analyste et lui-même, l'analysant. Mais une fois qu'un rayon d'amour s'infiltrera jusqu'à l'enfant mal aimé, qui se cache derrière un masque, ses larmes et sa colère réprimées surgiront et le processus de guérison pourra alors commencer. En effet, la compréhension ne suffit pas à elle seule pour libérer l'enfant abandonné. Il faut que le corps lui aussi passe par le feu. La force vitale se manifeste biologiquement autant que psychiquement. Dans les cas, par exemple, d'un enfant non désiré ou d'un enfant à qui on aurait fortement préféré un autre du sexe opposé, il n'y a rien qu'un tel enfant puisse faire pour se rendre acceptable. S'il était conscient de cette situation, sa jeune âme mourrait, assassinée, comme un serin abandonné se laisse mourir dans sa cage. C'est ainsi que le Soi semble protéger l'âme, érigeant un mur qui détourne la douleur intolérable vers le corps, laissant ainsi à la nature biologique le soin de venir à bout de la douleur comme elle le pourra. Puisque cette douleur est somatisée, son aspect psychologique n'est pas ressenti de façon consciente. On peut tenir à distance une vérité insupportable par la magie d'un comportement ritualiste obsessionnel; on peut tenter à la fois de nourrir et de tuer la bête au moyen d'un comportement alimentaire erratique. Les personnes intuitives introverties, surtout, transforment leurs sensations extroverties inconscientes en sacrements et se protègent en créant des rites alimentaires extravagants.

En situation d'analyse, la confiance fait émerger la peur de la dépendance ainsi que la peur du rejet. À l'intérieur du processus analytique, le mouvement du pendule énergétique se fait plus long et plus fort, activant des résonateurs latents qui trouvent leur source dans ce rejet primaire. Au fur et à mesure que s'accroît la confiance consciente entre analyste et sujet, la croissance de la peur du rejet se constelle chez le sujet. On remarquera que cette peur ne se limite pas aux «intoxiqués», ni au cadre de l'analyse. Tout enfant rejeté tâchera inconsciemment de créer une situation qui provoquera son rejet ou qui lui permettra de prévenir cette éventualité en devenant le premier à rejeter. Tant qu'une femme est incapable de s'accepter elle-même, elle obligera inconsciemment les autres à la rejeter,

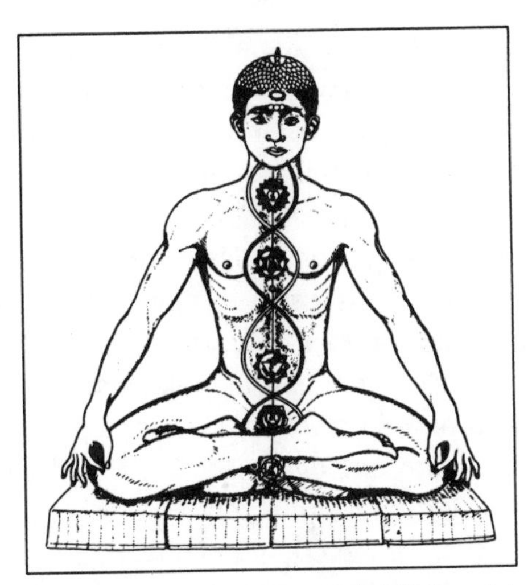

Les sept centres de la Kundalini (l'énergie).

même si son désir le plus conscient est de se faire aimer. Certes, le rejet anéantit, mais que dire de l'éclatement de toutes les défenses précaires face à l'autre qui se rapproche trop? «Que ferais-je si jamais quelqu'un m'aimait, moi?» Là est le seuil où se manifeste la terreur insupportable de la dépendance. La résistance têtue à tout changement, une caractéristique de la plupart des intoxiqués, sert souvent uniquement à protéger le moi contre le désespoir misérable qu'entraîne le rejet primaire. De façon répétée, l'énergie des rêves se rabat sur le bébé abandonné ou, même, sur le fœtus inachevé. Quand la psyché est en mesure d'accepter la douleur de savoir qu'elle n'a pas été aimée, le corps arrive alors à se défaire de la douleur somatisée. Parfois, si l'écoute du corps réussit, la libération se fait sentir depuis la plante des pieds jusqu'au sommet du crâne.

Dans de tels moments, être introduit à la connaissance des centres d'énergie du corps, les «chakras» de la Kundalini, a une valeur inestimable, du fait des relations possibles entre les dimensions physiques et psychiques des symptômes mystérieux qui affectent les diverses parties du corps[3]. La sagesse orientale peut aider à mieux saisir ce qui autrement paraît terrifiant et anonyme.

La science occidentale a aussi son rôle à jouer au cours de cette étape, mais on ne peut dissocier l'éveil physique de l'éveil spirituel. Il semble, par exemple, que l'individu qui n'a jamais réussi à se raccorder avec le muladara, premier centre d'énergie, ne survit que grâce à sa volonté farouche. Une fois cette volonté sapée, il peut succomber à l'oisiveté et au désir irrésistible de rester au lit. Peut-être que la psyché, prisonnière de son état somatique et de ses manies pathologiques, attend d'avoir la force qui permettra de libérer l'énergie vitale logée dans le muladara.

Au plus profond de la psyché, l'essence de la douleur gît parfois dans une mare empoisonnée. Mais la fleur de lotus qui s'ouvre au soleil doit être fermement enracinée dans de la boue propre. Une fois l'œil de l'esprit grand ouvert, la région du périnée est souvent un lieu d'agitation tant que les attitudes bien implantées ne sont pas abandonnées. La sœur-âme se nourrit par les racines qui plongent au plus profond de la boue noire et riche.

L'âme sœur

Dans *Till We Have Faces* de C.S. Lewis, l'auteur raconte le mythe de Psyché vu par Orual, la sœur laide de cette première. Orual subit son «dépouillement ultime» pendant qu'elle crie contre les dieux qui, croit-elle, lui ont volé son âme sœur. Coupée de par son esprit rationnel du monde joyeux de l'imagination créatrice qu'habite Psyché, elle convainc cette dernière de braver l'interdit et d'illuminer de sa lampe le visage de son dieu et jeune époux. Dès qu'elle voit la beauté de sa Brute, le paradis de Psyché s'évanouit et elle est condamnée à l'errance et chargée de tâches difficiles à accomplir. Pour sa part, Orual devient la reine voilée du royaume paternel; c'est elle qui mène ses troupes à la bataille et qui exige de ses sujets, tout comme d'elle-même, qu'ils consacrent au combat toute leur énergie physique et intellectuelle. Cependant elle est hantée toute sa vie par la belle Psyché, son âme sœur, celle qu'elle aimait par-dessus tout mais celle, aussi, qu'elle cherchait à posséder.

Orual était décidée à posséder l'âme de sa sœur et c'est pour cette raison qu'elle l'a perdue. Son âme-Psyché se démenait pour convaincre Orual qu'elle voulait habiter le palais avec la Brute, mais Orual croyait être plus sensée que sa sœur. Persuadée qu'elle avait affaire à une âme inférieure et peu éclairée, elle décida d'imposer à Psyché ce qu'elle croyait être la «bonne solution». Elle avait la même prise de position que la mère négative. Enfermée dans son propre monde renfrogné et sévère, dépitée faute d'une sexualité épanouie, Orual vivait selon la loi, tout en ressentant au fond de son cœur des instants de chagrin et d'espoir quand elle croyait entendre les sanglots déchirants de sa sœur. Ballottée entre deux pôles – celui de l'esprit et celui de l'instinct, elle n'avait pas de centre, pas d'âme.

Jeune fille, elle avait déjà accepté l'idée que «même si vous lui sacrifiez votre vie, aucun homme ne saurait vous aimer si vous n'avez pas un joli visage[4].» Elle croyait tout aussi fermement que «les dieux ne vous aimeront pas (malgré toutes vos tentatives de leur plaire, malgré tout ce que vous pouvez endurer) à moins de posséder la beauté de l'âme[5]». Aujourd'hui Orual se tient devant son juge en train de compléter amèrement la liste de ses doléances cruelles, consciente de sa laideur physique et spirituelle, râlant contre sa destinée:

Bien sûr, vous prétendrez que vous l'avez emmenée pour lui faire goûter à une béatitude, à une joie que je n'aurais jamais pu lui offrir, et que j'aurais dû me réjouir pour elle. Pourquoi? Pourquoi m'intéresserais-je à quelque horrible bonheur nouveau qui ne venait pas de moi et qui nous a séparées? Croyez-vous que je souhaitais ce genre de bonheur pour elle? J'aurais préféré voir la Brute la mettre en pièces, devant moi. Vous me l'avez volée afin de la rendre heureuse, dites-vous? N'importe quel fourbe cajoleur, minaudier qui s'amène à pas de voleur pour séduire l'épouse, les esclaves, les chiens d'un autre, pourrait en dire autant. Chien, oui... c'est très à propos. Je vous saurai gré de me laisser nourrir le mien; il n'avait pas besoin d'aller à votre table pour chercher des morceaux de choix. Vous êtes-vous jamais rappelé à qui elle appartenait, cette fille? À moi, pardi; elle était mienne. Ne savez-vous pas ce que cela veut dire? Mienne! Bande de voleurs, séducteurs. Voilà en gros ce que je vous reproche. Je ne vous accuse pas (pour l'instant) d'être des buveurs de sang, des mangeurs d'hommes. J'ai dépassé ce stade-là.»

«Cela suffit», dit le juge.

Le silence absolu se fit autour de moi. Pour la première fois, je me rendais compte de ce que j'avais fait. À plusieurs reprises, il m'avait semblé bizarre que ma lecture s'éternise de cette manière; après tout le livre n'était pas très long. Je m'aperçus alors que je l'avais lu au complet, plusieurs fois, dix peut-être. Si le juge ne m'avait pas interrompue, j'aurais continué de lire, sans jamais m'arrêter, aussi vite que possible en recommençant au début dès que le dernier mot aurait quitté ma bouche. Et la voix avec laquelle je lisais ce livre m'était inconnue. Mais j'avais la certitude qu'enfin j'entendais ma vraie voix.

Le silence qui planait sur cette sombre scène avait duré assez longtemps pour que j'aie pu relire mon livre devant l'assemblée encore une fois. Enfin le juge parla.

«Vous avez votre réponse?» dit-il.

«Oui», répondis-je.

La réponse était la plainte elle-même. M'entendre formuler la plainte était ma réponse. Les hommes utilisent sans réfléchir l'expression «exprimer sa pensée». Souvent, pendant qu'il m'apprenait à écrire le Grec, le Renard me disait: «Mon enfant, tout l'art, toute la joie de la parole consiste à pouvoir exprimer sa pensée exacte et complète, ni plus, ni moins – rien d'autre que sa pensée.» Facile à dire. Quand viendra le moment où l'on vous obligera à exprimer votre pensée, à formuler les paroles qui depuis des années occupent le centre de votre âme, et que vous vous êtes répétées comme un imbécile pendant tout ce temps, vous ne me parlerez point de la joie de la parole. J'ai bien compris pourquoi les dieux ne nous parlent pas ouvertement, pas plus qu'ils ne nous laissent répondre. Tant que nous n'arrivons pas à parler, pourquoi écouteraient-ils les balbutiements avec lesquels nous croyons exprimer notre pensée? Comment peuvent-ils nous regarder dans les yeux tant que nous n'avons pas de visage[6]?

Orual avait passé sa vie tourmentée à rédiger sa plainte contre les dieux, desquels, disait-elle, rageuse, elle n'avait «pas de réponse[7]». Elle a fini par reconnaître l'image trop fidèle du démon intérieur[8]. Craignant pour sa sœur, à la fois attirée et répugnée par le mystère de la sexualité, elle était obsédée par le désir de séparer Psyché de sa Brute bien-aimée. De même que la méchante sorcière dans *Hansel et Gretel*, elle obligeait inconsciemment l'innocence primaire à suivre le chemin angoissé qui mène vers l'innocence éclairée. Son esprit rationnel ne captait que des reflets du monde de l'imagination et c'est pourquoi, avec un comportement de compulsif typique, elle faisait tout ce qu'elle pouvait pour nuire au monde symbolique de Psyché. Puis elle accusa les dieux de lui avoir ravi sa Psyché et vit en rêve son âme sœur en train de pleurer devant le puits. Alors qu'elle gouvernait avec un poing de fer, son énergie profonde s'étiolait en vains désirs. Il y avait un écart entre l'illusion et la réalité, écart qu'elle comblait en s'adonnant au travail. Enfin amenée à «la mort qui précède la mort», elle se rendit compte que la plainte qu'elle rédigeait jour après jour dans son journal était aussi sa réponse. Elle n'avait point de calice à présenter aux dieux, elle n'avait que son journal.

Grand nombre de personnes aux prises avec un problème d'assuétude se trouvent dans une situation semblable à celle d'Orual. Tant qu'il reste un échéancier à respecter, un défi à relever, une occasion de faire la bombe, une dose à prendre, ils peuvent éviter la confrontation et, dans un journal réel ou imaginaire, continuer de rédiger leur plainte quotidienne. Puis un beau jour, c'est la crise, et ils s'entendent parler. Dès lors ils doivent faire face à leur propre perte, à leur peur, à leur sentiment de culpabilité.

Si la présence des deux «sœurs» aux comportements opposés est facile à détecter dans les cas extrêmes de désordre alimentaire, on la décèle également chez les gens dont la dépendance n'est pas aussi évidente. Afin de comprendre la structure qui sous-tend cette névrose, on doit examiner de plus près la dynamique psychique qui lie les sœurs inconscientes. L'une des sœurs peut se manifester sous l'un des aspects de l'ombre féminine; l'autre peut s'apparenter au gardien animus. Leur alliance au niveau de l'inconscient n'a rien de sacré, mais elle est redoutable. Quand une femme se regarde dans le miroir et voit son ombre grasse, son animus sombre porte un jugement immédiat: «Tu ne vaux rien.» L'ombre grasse se fige, ce qui ne fait que confirmer la justesse de l'accusation et permet à l'animus d'aller beaucoup plus loin. Face à ses arguments, c'est tout le moi qui s'effondre. La femme doit surtout apprendre à barrer la porte à l'animus. Dès qu'elle l'entend de l'autre côté, elle doit faire appel à tout ce qu'elle a de positif en elle. Elle doit renforcer son moi de façon à être en mesure de différencier les variables complexes qui constituent sa prison. Tant qu'une femme n'est pas en contact avec son identité propre, ses comportements sont déterminés par quelque combinaison de complexes interactifs. Cependant, et c'est là l'important, il manque toujours un lien. Par exemple, si le moi n'a pas réussi son intégration sexuelle, la personne agira par instinct ou à partir d'un idéal spirituel. L'amour humain, le pont qui mènerait vers l'autre, en tant que personne différenciée, n'est pas présent. La dépendance n'est pas autre chose que la manifestation de la possession (possession par le pôle somatique et instinctuel d'un archétype, par son pôle psychologique, ou par les deux à la fois) qui écarte la possibilité de liens humains. Certains des complexes pouvant avoir une action réciproque en s'attaquant à un moi faible sont indiqués dans le tableau ci-contre.

Telles que je les comprends, les sœurs-ombres symbiotiques partagent un secret dont elles sont toutes deux conscientes et auquel elles tiennent toutes deux. Cependant, il existe un autre secret qu'elles ignorent, et elles cherchent toutes deux la même clef qui leur permettra d'échapper à la même prison. En surface, elles nous apparaissent comme des être opposés, mais au fond elles ne font qu'un. Elles se complètent, car chacune possède une essence dont l'autre a besoin, dont l'autre sait qu'elle a besoin.

Liées par le sang, elles vivront ensemble, mourront ensemble, s'acharneront peut-être l'une contre l'autre. Mais face à la critique extérieure, elles seront solidaires et se défendront mutuellement. La nature de ces sœurs varie selon la psyché individuelle, mais dans le cas de troubles sévères de l'alimentation, le modèle est

Aspects de l'ombre feminine	**Aspects de l'animus**
Terre Mère • nourricière, protectrice (combinaison de l'ombre de la mère et de la mère-anima du père)	Jehovah le Père • statu quo, stase (combinaison de l'ombre du père et du père-animus de la mère)
Femme fatale • côté féminin dissocié du père • sexualité dissociée, non vécue de la mère	Don Juan • côté masculin dissocié de la mère • sexualité dissociée et non vécue du père
Fille non initiée • infantile, vit dans un monde fantastique • se rebelle contre la mère • sexualité inconsciente • énergie latente pouvant mener à la spiritualité créatrice	Adolescent rebelle • garçon affamé, non initié • rejette toutes les valeurs prônées par le père • masculinité blessée • énergie latente pouvant mener à la spiritualité créatrice
Sorcière omnivore • froide, impersonnelle • inertie, sommeil • dépression • manger ou se faire manger, ou mourir de faim	Démon • renforce l'inertie • rigidité qui tue la féminité • attitudes absolues • dévore ou meurt

Certains aspects du féminin et du masculin inconscients pouvant agir les uns sur les autres, que ce soit dans des projections entre deux personnes ou à l'intérieur de la psyché individuelle.

assez uniforme. Afin de simplifier notre modèle, de rendre plus claire sa manifestation chez une seule personne, appelons la sœur grasse Glace, et donnons à sa sœur maigre le nom de Flamme.

Leurs psychés se déplacent en s'entrecroisant, en se contournant l'une l'autre. Demandez à l'une comment elle se sent et elle vous répondra probablement en fonction de la réaction de l'autre. Elles sont toutes deux mues par une vision apocalyptique: quelque part dans un monde imaginaire, si l'on pouvait en finir de cette réalité banale, on verrait quelque chose de sacré, de totalement original qui nous révélerait toute l'essence de la vie. Glace s'attaque à sa nourriture pour en disposer et amorcer une nouvelle ère. Flamme, pour sa part, passe des heures à trier et à mettre de l'ordre, se surmenant physiquement, intellectuellement et spirituellement pour se préparer à entreprendre «la vraie chose». Les deux sœurs se sentent trahies parce que les vacances si longtemps attendues, avec leurs heures de loisir et de méditation, ne se concrétisent jamais. Il y a toujours des empêchements qui leur demandent toute leur énergie. Aucune des sœurs n'a un moi assez fort ou un sens de sa valeur personnelle suffisant pour s'accorder chaque jour des loisirs personnels. Le grand moment de vérité l'attend quelque part, si seulement elle avait le temps de s'y consacrer. Quand l'inconscient décide qu'il a assez attendu, qu'il veut vivre le moment, *maintenant*, l'apocalypse se transforme en holocauste. Glace est polarisée par le côté sacré de la matière (Mater, mère, nourriture); Flamme est magnétisée par l'esprit (pas de Mater, pas de mère, pas de nourriture). Toutes deux cherchent à sortir de leur camp de concentration.

Quand Glace est invitée à une réception, elle pense automatiquement à sa robe. Elle sait que c'est une taille quatorze et que ses hanches ne glisseront dans rien de plus petit que du dix-huit. Refusant de voir la réalité en face, elle fait semblant de ne pas avoir peur en fredonnant sa petite chanson. Mais le soir de la réception, elle ne fredonne plus. C'est la réalité qui l'attend. Elle est devenue inconsciente; elle ne peut porter cette robe; elle est trop déprimée pour sortir de chez elle. Rendue à ce point, elle pourrait chercher l'oubli dans les excès alimentaires ou autres, ou, si la tension est

Eryl Lauber, The Two Sisters (Les Deux Sœurs), *aquarelle.*

extrême, se retrouver aux prises avec le processus opposé (ce que Jung appelle «l'énantiodromie[9]», ce qui aurait pour effet de consteller Flamme, Flamme qui déteste le sybaritisme de Glace, qui ne supporte pas de la regarder manger et qui hait son corps gras. Glace a sabordé la réception à laquelle Flamme devait se rendre. Mais loin d'être envieuse, jalouse ou furieuse, Flamme est soulagée. Elle n'aura pas à briller et à faire semblant d'être ce qu'elle n'est pas. Elle n'aura pas à jouer telle femme avec un homme, telle autre avec l'homme suivant, elle ne reviendra pas chez elle après une magnifique soirée, se demandant pourquoi, malgré tout, elle pleure. Elle n'aura pas à reconnaître qu'en vérité, elle croit qu'il est plus important d'être gentille que d'être authentique et que, ce faisant, elle perd sa réalité.

Ces deux «sœurs» peuvent être personnifiées par deux personnes différentes qui vivraient dans un même foyer. Elles peuvent également occuper un seul corps et jouer leurs deux rôles en dedans d'une semaine, d'un mois. Chez la boulimique, elles peuvent être campées toutes les deux dans l'espace d'une demi-heure. Il y a des Glace-Flamme qui mènent une double vie. Bien adaptée à sa vie professionnelle, Glace est très disciplinée, directe, capable de décisions rapides. Sur le plan professionnel, elle travaille très bien avec les hommes, mais elle sait que celui qu'elle aime ne saurait «s'accorder» à son efficacité ni à sa perspicacité tranchante. D'ailleurs, elle ne voudrait pas qu'il se mette à son diapason. Pour lui, elle devient Flamme, soumise, attachée sensuellement; elle se fait le reflet de son anima, qui prolonge les rapports symbiotiques qu'elle entretenait ou qu'elle aurait voulu entretenir avec son père ou sa mère. Elle ne comprend pas que ce type de rapports ne constitue pas un lien. Elle organise sa vie, par exemple, pour permettre à Glace de tenir le haut du pavé quatre jours par semaine, et de céder la place à Flamme les trois autres jours, ou quelque autre permutation semblable. Elle sait qu'elle a besoin de temps pour passer d'un personnage à l'autre; en fait, la bataille intérieure est souvent chaude le dimanche après-midi quand la douce Flamme doit quitter son bien-aimé et emprunter le long chemin du retour vers son propre appartement, où elle doit retrouver Glace. Une fois

Glace retrouvée, elle relève avec passion les défis de la semaine à venir mais, entre ses deux états, elle est véritablement apatride (sinon «amatride»). Pour effectuer la transition, il lui faut souvent prendre un bain, se vêtir différemment, changer de voix, de régime, de démarche. Parfois l'apparence même de son corps se modifie.

Certes, nous n'adoptons pas un même rythme dans notre vie professionnelle et dans notre vie personnelle. Toutefois, la trépidation de la vie contemporaine et la pression exercée sur la femme pour qu'elle garde son intégrité – sans qu'on lui propose le moindre modèle d'une telle intégrité – amènent le dédoublement de sa personnalité. Quand on passe constamment d'un monde à l'autre, d'une façon de vivre à une autre, on crée entre les deux un *no man's land*, un vide qui ne peut être comblé que si le moi, tout en occupant son propre terrain, a la force nécessaire pour intégrer ces deux mondes.

C'est dans cette zone inhabitée que se jouent normalement les comportements de dépendance. Si Glace passe son temps à tenter de s'éloigner du vide, sa fuite ne peut être qu'illusoire puisqu'elle court vers Flamme, son personnage opposé qui la constelle et qui ne jouit de son jardin d'Éden que dans la mesure où elle sait qu'elle finira par réintégrer Glace. Elle sait également que si la fin de semaine devait se prolonger jusqu'au mercredi, Glace commencerait à lui tenir tête; elle pourrait même se mettre à manger, à se disputer avec son homme. Glace-Flamme trouve plus facile de vivre ses deux côtés, séparément, que de contenir la tension de ses opposés. Il lui faut peut-être vivre ces deux côtés jusqu'à ce qu'elle en soit tout à fait consciente. Quand le cycle se sera suffisamment répété, une voix intérieure finira par dire: «Ça y est, ça suffit!»

Cette prise de conscience est parfois déclenchée par la dépendance elle-même. Mais, le plus souvent, c'est une crise à l'intérieur d'une relation qui oblige la femme à différencier ses deux côtés opposés et, ce faisant, à se rendre compte que la femme qui devrait occuper le terrain central n'y est pas. En passant de Glace à Flamme, de Flamme à Glace, elle a perdu son identité, ou encore, elle ne l'a jamais acquise. Et ce qu'elle a perdu, c'est Fleur: la femme consciente, le bourgeon qui se développe sur la plante

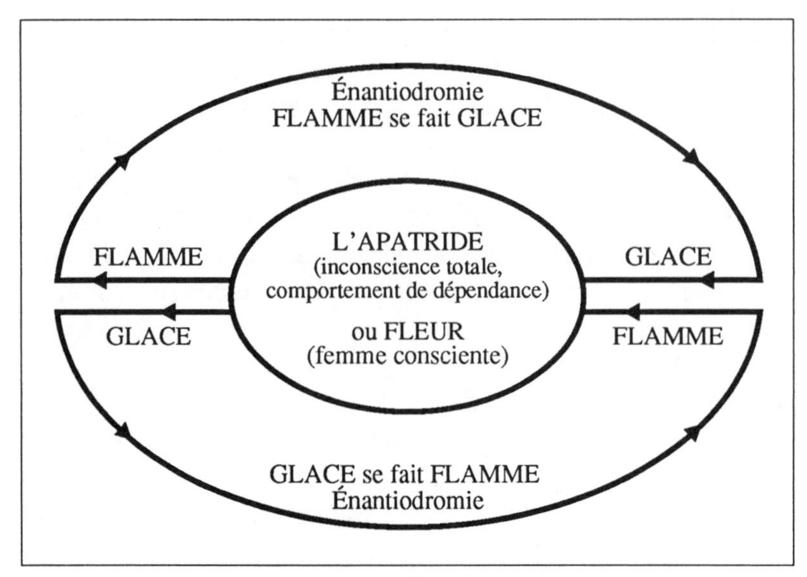

Le syndrome Glace-Flamme

saine, bien enracinée. Si elle s'en rend compte, au lieu de s'en prendre à un homme ou à un dieu paternaliste, au lieu de se laisser aller à l'amertume, elle saura alors que l'important c'est de se retrouver. La féminité ne s'épanouit pas dans la rage et l'amertume; ces sentiments durcissent le cœur et rendent le corps malade. C'est la confiance, celle qui ose faire fi de toute logique rationnelle, qui ouvre le cœur à l'amour. Il peut arriver que la franchise née de la confiance nous amène à remettre en question certaines relations personnelles; il faut alors se demander si ces relations valent la peine d'être sauvées. Même quand une relation doit être rompue, l'énergie que l'on y a investie est justifiée si les liens ainsi créés ont permis aux partenaires de comprendre pourquoi tel type de situation se répétait. Ce constat permet par la suite à chacun d'eux de développer ses propres ressources et de chercher sa vierge intérieure.

Quand Glace et Flamme auront fini leur va-et-vient effréné, peut-être se tairont-elles assez longtemps pour pouvoir entendre la voix de Fleur.

Quand Glace la grasse se rend compte que Flamme la maigre n'est pas la projection féminine qu'elle cherche avec tant de désespoir et quand Flamme constate que Glace n'est pas la mère positive, c'est alors que se manifeste la possibilité de choisir. Elles peuvent s'embrasser et s'aimer au nom de leur souffrance partagée, et s'orienter ensuite vers leur tâche ponctuelle, qui est celle de trouver Fleur. Quand la clef secrète leur révèle que chacune fait partie d'un tout, alors les problèmes de la secrète boulimie de Glace, de la tout aussi secrète anorexie de Flamme, et des vomissements secrets de Glace-Flamme seront résolus.

La psyché tend naturellement vers la complétude et même quand nous essayons de faire fi de la nature, notre corps cherche à rester en harmonie avec elle, afin de couver la personne dans sa totalité. Des abus prolongés peuvent avoir pour résultat de provoquer une maladie, qui fait alors émerger la totalité au niveau du conscient. Et voici le paradoxe. Pendant que nous rassemblons lentement les morceaux du casse-tête pour créer un tableau complet, nous avons à un moment donné besoin d'entrevoir la totalité pour arriver à mettre chaque morceau en place. À partir du moment où nous entendons la voix, celle qui crie du fond de l'assuétude, nous pouvons comprendre à quoi servaient les excès, les privations, les vomissements: ils n'étaient qu'une tentative d'étouffer les pleurs de la voix. Dorénavant, la nourriture physique ne servira plus à tourmenter les deux aspects du complexe. La nourriture spirituelle pourra nourrir l'âme et la frénésie névrotique pourra céder la place à l'énergie réelle.

L'être abandonné qui se trouve au cœur de la dépendance n'est autre que l'âme de la femme potentiellement consciente, la vierge «complète en soi». C'est elle qui a besoin de nourriture, celle de l'imagination créatrice.

La mère en tant que sœur-ombre

La mère qui agit comme sœur-ombre est souvent celle qui, en se mariant, a abandonné tout espoir de vivre une vie créatrice.

Déçue, elle a projeté sa vie non vécue sur son enfant. La douleur et la frustration engendrées par son sacrifice, qu'elle les exprime ou non, pèsent lourdement sur l'enfant. Cette mère s'est sentie emprisonnée dans la cage matrimoniale; ce n'est pas son mari, qu'elle ne voyait déjà plus comme étant le Prince charmant, qui fut les barreaux de cette cage mais l'enfant qu'elle portait dans son sein. La culpabilité ressentie par cet enfant, pour un crime qu'il n'a jamais commis, origine dans le fait même de son existence.

À l'âge adulte, les enfants d'une telle mère diront, par exemple: «J'ai l'impression que c'est de ma faute si le bébé pleure, si ma sœur n'a pas assez d'argent, si mon fils est incapable de venir à bout de sa rédaction. Si le soleil ne brille pas le jour du pique-nique familial, c'est encore de ma faute. J'ai toujours l'impression qu'ils m'accusent, alors, je me reproche de ne pas être le Bon Dieu. Tout cela remonte à ma plus tendre enfance quand ma mère me regardait avec ses yeux perçants. Je la croyais en colère contre moi. Ça, je pouvais l'accepter. Mais quand je décelais de la tristesse dans son regard, alors ça, je ne pouvais le supporter. Je ne peux toujours pas le supporter. Je ne peux pas accepter le fait d'être la cause de sa peine – sa peine parce que je suis né et sa peine, aujourd'hui, parce que je ne peux pas vivre la vie qu'elle n'a pas vécue. Et alors, je dérape. Ma culpabilité se transforme en rage. Qu'est-ce qu'elle attend de moi? Qu'attendent-ils tous de moi, ma sœur, mes enfants? Je refuse de me laisser bouffer. Allez-vous-en. Il ne reste plus rien.» La Grande Mère, aux seins gorgés de bonté humaine se tarit brusquement; elle veut que ses enfants meurent de faim, elle refuse de manger à côté d'eux, elle les déteste parce qu'ils la dévorent. La «bonne mère» devient soudain l'enfant dépossédé.

En ces moments où les contraires s'opposent, la mère nourricière, telle Janus, dévoile son visage de rapace. Les opposés se confondent –, Créateur et Destructeur – présents ensemble sous une forme indifférenciée. Tant que ces opposés ne seront pas amenés au niveau du conscient, la femme sera paralysée par sa rage et par son impuissance inexprimées. Un aspect important du problème est le fait qu'elle croit pouvoir tout régler, s'identifiant alors à la Grande Mère. Ainsi, le pouvoir se donne le visage de l'amour.

Lorsqu'elle ne peut diriger son monde, elle sombre dans le côté obscur de la mère. Elle passe de l'abondance à la privation, de l'intimité symbiotique au rejet, de l'amour à la haine. La rapidité de telles transitions et l'intensité des émotions qu'elles libèrent la terrifient.

L'enfant de sept ou soixante-dix ans ne peut rompre avec le monde de la mère que le jour où il se rend compte qu'il possède une âme bien à lui, venue sur terre par l'intermédiaire du corps de sa mère, mais qui n'appartient ni à sa mère, ni à personne d'autre. La tâche qu'un individu, homme ou femme, doit accomplir est de se détacher de sa mère en se différenciant, de savoir où se termine l'une et où commence l'autre. La femme, dont la tâche diffère de celle de l'homme[10], doit alors trouver une nouvelle façon d'établir des liens, (Déméter et Perséphone). Le risque de régresser dans l'inconscient existe cependant. Les actions humaines doivent être étayées et bénies par la nature, et pour trouver cette bénédiction, la femme doit demeurer consciente. Elle doit réaliser que même si la finalité biologique inconsciente de la vie est la reproduction, son objectif conscient n'est pas simplement de se reproduire ou de se perpétuer, mais de *connaître*. Là se trouve la différence entre la création inconsciente et la création consciente. Il n'existe pas d'antagonisme entre ces deux formes à moins que l'on tente de discréditer l'une d'elles ou qu'on la considère comme substitut de l'autre. En fin de compte, le conscient et l'inconscient ne font qu'un: l'un appelle l'autre car l'un *est* l'autre.

Parfois, la femme se rend jusqu'au seuil de la séparation d'avec sa mère et là, au lieu d'accepter la responsabilité de donner la vie à son enfant intérieur, elle se rabat sur l'idée de mettre au monde un vrai bébé. Craignant de ne pas être à la hauteur, sans identité propre, elle veut *être quelqu'un*, dans le cas présent, une mère avec un enfant, sur lequel elle pourra projeter l'inassouvi de sa propre vie. Si elle est capable de contenir la tension jusqu'à ce qu'elle prenne conscience d'elle-même, alors son bébé, si elle en a un, n'aura pas à porter le fardeau dont elle s'est débarrassée avec peine. Il arrive qu'un avortement soit le seuil qui oblige la femme à chercher son identité. Dans ce cas, le bébé devient le sacrifice par lequel la femme naît. Si cette femme arrive à prendre conscience de cela et à traiter l'événement *en tant que* sacrifice – la renonciation à un bien d'une grande valeur pour quelque chose encore plus important –, alors la dépression sous-jacente sera libérée du corps et de la psyché.

Plus la mère et l'enfant croient s'appartenir, plus la croissance psychique est compromise. Au plus profond d'eux-mêmes, la plupart des enfants savent qu'ils «n'appartiennent pas» à leurs parents: ils se sentent en communion avec tout ce qui vit. Cependant, dans un monde où les gens se possèdent, le fait de ne pas «appartenir» suscite chez l'enfant le sentiment de ne pas être accepté. Si d'un côté, la psychologie de l'orphelin qui en résulte peut être source de crainte et d'anxiété, elle est en réalité, depuis le début, une affirmation de la liberté spirituelle[11]. Cependant, la peur infantile d'être laissé seul ou d'être abandonné dans la rue ne disparaît pas pour autant. Tant que cette peur n'est pas amenée au niveau du conscient, la liberté est toujours vue sous l'aspect négatif de l'abandon par les autres. Si la mère positive n'est pas solidement enracinée dans la matrice même de la psyché, il demeurera une peur et une rage latentes qui devront être libérées.

Dans la plupart des troubles de l'alimentation, c'est le poison du complexe de la mère négative qui rend le corps malade. La mère négative tire sa devise du cri de Lady Macbeth: «Prenez mes seins de femme, et que le lait s'y change en fiel.[12]» L'intoxiquée alimentaire, c'est l'enfant buvant au sein d'une mère négative dont le lait s'est changé en fiel. On ne saura pas sortir de cette situation désespérée – ce besoin compulsif d'absorber de la nourriture empoisonnée – en vomissant, en refusant toute nourriture ou en abusant de certains aliments au point d'en contracter des allergies ou une candidose[13]. Non, pour s'en sortir, il faut savoir exactement ce que l'on est en train de manger. Il faut se confronter au complexe maternel négatif et toxique. Pour celui qui a vécu avec ce complexe toute sa vie, la confrontation est lente et pénible. Dans notre culture, la «mère» est l'objet d'une affection sentimentale; on l'érige en «vache sacrée», fermant ainsi les yeux sur les effets destructeurs que le complexe maternel négatif a sur les individus et sur notre culture. Nous confondons loyauté et amour. Tant que l'intoxiquée ne saura différencier sa vraie mère de la vache sacrée, elle continuera d'aimer ce qui la détruit. Et parce qu'elle aime ce qui la détruit, l'amour qu'elle porte à la «mère» l'amène à se rejeter elle-même. La preuve de son amour pour sa mère réside dans la haine que l'intoxiquée entretient envers sa propre personne. Plus elle se déteste, plus elle s'incline devant le complexe maternel négatif et plus elle projette sur la nourriture, la mère positive, cette source nutritive dont elle a si désespérément besoin. Tant qu'elle changera le lait en fiel, le sein empoisonné ne se tarira pas.

Et le contraire est tout aussi vrai: plus une femme s'aime, plus elle refuse l'idéalisation de la mère. Cependant, comme il est bien plus pénible, bien plus dangereux, de détester sa mère que de se détester soi-même, trop souvent, l'intoxiquée alimentaire est prête à détruire sa propre vie plutôt que de se laisser aller à haïr le complexe maternel qu'elle associe, à tort ou à raison, avec sa vraie mère. Elle peut accepter sa mère si elle le veut, mais si elle désire être libérée de la haine suicidaire qu'elle porte envers sa propre personne, elle doit détester le complexe maternel. C'est seulement quand sa haine sera entièrement libérée de son corps et de sa psyché que le fiel sera totalement expulsé du sein de sa mère.

Avec l'expulsion de ce fiel, le corps commence à vivre. S'éveillant à la vie, il fait connaissance, pour la première fois, avec Sophia, la mère positive. L'expérience du corps cesse d'être chosifiée: c'est alors que s'effectue le passage ontologique de «ça» à «elle». Le fiat de la mère négative, l'injonction cataclysmique de «Renonce à toi-même», est remplacé par la douceur de «Sois». Pour la première fois, *elle* (le corps) prend conscience d'elle-même sans plonger dans le désespoir primaire: *elle* voit l'éclat des tulipes printanières, *elle* entend le chant amoureux du cardinal. *Elle existe*. Plus une femme accorde sa respiration avec celle de Sophia, se fiant à la sagesse de son propre corps pour savoir ce dont elle a envie et ce dont elle a vraiment besoin pour vivre, plus elle a accès à l'angoisse de la femme qui lui a donné le jour. Plus elle pardonne, plus elle se transforme. Elle finira peut-être par remercier cette mère de lui avoir donné la vie. Le complexe négatif devient positif – d'ailleurs il a toujours renfermé un aspect positif. La Lumière jaillit de l'Ombre.

Je ne veux point dire par là que les vierges aux cheveux grisonnants devraient s'acharner contre leurs pauvres gentilles mamans, ni que les secrétaires devraient conspirer contre leur patronne, ni encore qu'hommes et femmes devraient prendre les armes contre les mères négatives qui s'acharnent en toute inconscience à remplir leur rôle de pions au service du patriarcat. Les femmes victimes du complexe de la mère négative ignorent qu'elles en sont possédées. Elles sont pour la plupart en train de vivre la seule réalité qu'il leur ait été donné de connaître. On pourra se décharger de sa colère dans l'intimité (il n'y a pas d'intimité derrière le volant d'une voiture en mouvement). Ne pas lâcher pied est la façon la plus claire de se faire comprendre.

Une fois que l'énergie avec laquelle on a surdoté la fausse déesse est réorientée vers son vrai centre, la vie revient. On avance vers la santé spirituelle, on s'initie à la vie spirituelle. La douleur qui accompagne la transformation est réelle, tant dans sa forme physique que psychique, mais seule l'intensité du feu a le pouvoir de réunir le corps et l'âme. Il s'agit là du processus de création de l'âme, mais cela ne nous apparaît qu'à la fin, non pas au début. Le corps est le sable qui produit la perle.

La Vierge noire

Une fois purifiée, il arrive souvent que la femme rêve à une déesse noire qui devient «son» pont entre le corps et l'esprit. Perçue comme un des aspects de Sophia, une telle image peut permettre à cette femme d'accéder au mystère de la vie qui a lieu dans son propre corps.

La signification de ce que la déesse noire symbolise est reconnue dans un grand nombre de religions. Déjà, le texte ancien, *The Thunder, Perfect Mind*, nous révèle sa sagesse enveloppante, insondable:

La Vierge noire de Montserrat, (Art byzantin, XIIe siècle).

Car je suis la première des dernières,
Celle qu'on honore, et qu'on méprise.
Je suis la gueuse et l'être sacré,
Je suis l'épouse et la vierge.
Je suis (la mère) et la fille,
Je suis les membres de la mère [...]
Je suis le silence incompréhensible
 et l'idée qui revient souvent à l'esprit,
Je suis la voix aux mille éclats
 et le mot aux apparences multiples.
Je suis l'expression de mon nom[14].

Dans la chrétienté, cette déesse trouve sa personnification dans la Vierge noire. Au Moyen Âge, les Bénédictins de Montserrat, en Espagne, voyaient dans leur montagne aux flancs escarpés et aux fleurs luxuriantes, l'image même de la Vierge.

Marina Warner, décrivant ce sanctuaire, a écrit:

> Si Marie inspire un ascétisme des plus dépouillés, elle est également perçue comme l'ultime symbole de la fertilité. La montagne s'épanouit spontanément; ainsi l'a fait la vierge-mère. Dans les sanctuaires comme celui de Montserrat, la lune et le serpent conservent encore leurs attributs divins, car c'est en ces lieux que la Vierge est vénérée en tant que source de fertilité et de joie. [...] La Vierge de Montserrat préside tout particulièrement au mariage, aux relations sexuelles, à la grossesse et à l'enfantement[15].

Comme d'autres madones noires, son côté «sombre, mystérieux et exotique[16]» inspire un émerveillement et un amour particulièrement intenses.

Le côté «sombre» de la Vierge peut procurer à la femme dépourvue d'une mère positive, la liberté et la sécurité dans la liberté, du fait d'être en elle-même un foyer naturel pour l'enfant rejetée. En effet, l'enfant issue du côté rejeté de la mère trouvera dans l'aspect proscrit de Marie, un havre pour la rebelle qui l'habite. Plus besoin d'être la pauvre petite vendeuse d'allumettes, nez écrasé contre la vitre à regarder la Sainte Famille bien au chaud la veille de Noël. Plus besoin d'allumer une allumette solitaire tandis que la famille festoie autour du feu qui crépite dans l'âtre. Plus besoin de craindre de mourir seule une fois la dernière allumette éteinte. En réalité, les préoccupations quotidiennes la détruisent. Elle est une marginale, une gitane. Il n'y a pas de place pour elle à l'auberge.

En sauvant cette enfant abandonnée à l'intérieur d'elle, la femme joue, à sa manière, le rôle de la Vierge envers le divin Enfant. Cependant, sa vierge, à l'encontre de celle que décrit Marina Warner, n'inspire pas «un ascétisme des plus dépouillés» (pas plus que ne le faisait sa mère négative). Contrairement à cette mère des plus dépouillées, sa vierge correspond à l'autre facette de Marie: «l'ultime symbole de la fertilité». En aimant l'enfant abandonnée à l'intérieur d'elle, la femme se féconde. Cette enfant que sa mère n'a jamais nourrie, c'est elle qui désormais la soutiendra, non comme la vierge biblique, pure et immaculée, qui n'a connu aucun Joseph, mais comme la Vierge noire de Montserrat, celle qui préside au «mariage, aux relations sexuelles, à la grossesse et à l'enfantement».

La Vierge noire, c'est la nature, imprégnée de l'esprit, qui accepte le corps humain à titre de calice de l'esprit. Elle est la rédemption de la matière, le point d'intersection de la sexualité et de la spiritualité. Elle est le lien d'amour biologique avec le corps, la fertilité, les bébés. Elle est la noix qui renferme le conflit opposant les «pro-vie» et les «pro-choix». Ce sont les problèmes se rapportant à la ligature, à l'avortement, à «la pilule» qui confèrent à la Vierge noire une place importante dans notre culture.

L'accès à cette image archétypique peut faire surgir dans les rêves un énorme serpent, mystérieux, impitoyable, dépourvu de tout sentiment humain. Vu comme un prolongement de la mère négative, c'est le phallus dérobé au père, qui a servi à protéger une pureté demeurée intacte. Pourtant, vu en relation avec la lune, ce même serpent symbolise le côté noir et impersonnel de la féminité ainsi que sa capacité de se renouveler. La fille qui parvient à se dépouiller de sa mère négative ne sera pas un prolongement de cette dernière; au contraire, elle la rachètera. La Vierge noire, c'est la patronne des filles abandonnées qui se réjouissent de leur état de déshéritées et savent s'en servir pour renouveler le monde.

Bien que ne figurant pas dans la version «autorisée» de la Bible, les apocryphes du Nouveau Testament renferment de nombreux renseignements sur le côté «sombre» de la Vierge. Le Livre de Jacques nous décrit Joseph qui, parti depuis longtemps pour «construire ses bâtiments», revient et découvre son épouse, âgée de seize ans et vierge, enceinte de six mois. Il en éprouve du chagrin et de la peur:

> [Il] appela Marie et lui dit. [...] «Toi qui étais sous la protection de Dieu, pourquoi as-tu fait une chose pareille? Tu as oublié le Seigneur notre Dieu[...]» Mais elle pleure à chaudes larmes et lui dit: «Je suis pure et je n'ai connu aucun homme.» Et Joseph lui dit: «D'où vient

> donc l'enfant que tu portes dans tes entrailles?» Et elle dit: «Aussi vrai que mon Dieu existe, je ne sais d'où il vient.»
> Et Joseph eut peur et ne lui parla plus, se demandant ce qu'il devait faire d'elle. Et Joseph se dit: «Si je cache son péché, je me mettrai en conflit avec la loi du Seigneur; si je l'expose devant les enfants d'Israël, je crains qu'elle ne porte la semence d'un ange et que je livre une innocente à la peine de mort. Que dois-je faire alors[17]?»

La peine de mort dont il est question ici est la lapidation de la femme adultère.

Vient ensuite la longue description d'un rêve dans lequel un ange rassure Joseph en lui révélant que l'enfant que porte Marie «vient de l'Esprit Saint[18]». Puis, Joseph et Marie doivent subir des humiliations et des «épreuves» imposées par les prêtres. L'histoire qui se déroule nous montre Joseph prenant soin de Marie, mais tous deux sont désorientés et isolés:

> Et quand ils étaient à cinq kilomètres de Bethléem, Joseph se retournant et la voyant triste se dit: «Peut-être que ce qu'elle porte en elle la fait souffrir.» Et, se retournant une autre fois et la voyant rire, il lui dit: «Marie, qu'est-ce donc qui rend ton visage heureux un moment, et triste l'instant d'après?» Et Marie lui répondit: «C'est que mes yeux voient deux personnes, l'une qui pleure et se lamente, l'autre qui se réjouit et exulte[19].»

Les «deux personnes» que Marie voit sont deux aspects d'elle-même: l'un qui «pleure et se lamente», présage des sacrifices associés à l'enfant qui va naître, et l'autre qui «se réjouit et exulte» à la pensée de la vie nouvelle qui se prépare. La mort et la vie se rencontrent au seuil de la naissance.

Ce paradoxe de la vierge se rattache naturellement à la femme qui s'est sentie rejetée dans son enfance. Si elle arrive à une communion de pensée avec sa propre mère enceinte, elle pourra l'imaginer qui regarde par la fenêtre, rêvant à une musique qu'elle ne joue plus, au tableau qu'elle a renoncé à peindre, à un monde qu'elle n'habite plus. Peut-être découvrira-t-elle chez sa mère, l'artiste créatrice ou la militante constamment en marge de la société, parce qu'elle aussi, avant de devenir mère, était «vierge» et ouverte à l'imagination créatrice. Le fait de trahir sa propre créativité l'a rendue «esclave». Déshéritées et seules, mère et fille contiennent toutes deux l'énergie en puissance de la Vierge noire[20].

La femme qui vit une grossesse inopinée ressemble à Marie. Marie, jadis vierge du temple, a tout d'abord réagi en disant à l'ange: «Que tout se passe pour moi comme tu l'as dit[21].» Au cours des mois suivants, cependant, elle a dû non seulement accepter son enfant, mais aussi s'abandonner à sa propre destinée créatrice. De la même façon, la femme moderne qui se sent piégée par la maternité doit se rendre compte que son enfant fait partie de sa destinée. C'est son complexe de la mère négative qui lui inspire rancune envers l'enfant qui va naître; c'est ce même complexe qui lui fait craindre que sa grossesse mette fin à ses propres ambitions créatrices.

Pour la mère et sa fille adulte, le maternage devient positif au moment où elles se rendent compte toutes deux que chacune doit libérer l'autre du piège inconscient de la mère négative. Si la mère atteint sa propre liberté (ou est libérée par la mort) avant que sa fille ne se libère à son tour, cette dernière sera confrontée simultanément à la naissance de sa mère et à sa propre naissance: elle pourra enfin sortir de l'utérus initial où elles s'étouffaient mutuellement. La libération de la mère peut conférer à la fille sa liberté, si celle-ci a atteint un niveau de conscience psychologique lui permettant de l'accueillir. S'il n'y a pas libération, cependant, la fille finira par assumer le rôle du parent, et la mère réagira par un comportement de dépendance infantile.

Si les deux femmes peuvent établir des liens avec la Vierge noire qui les habite, elles sauront se respecter et s'aimer à l'intérieur d'un cadre commun. La Vierge noire est l'utérus par lequel l'une a donné naissance et l'autre est née. Ce qui les sépare n'est autre chose que la vérité charnelle qui les unit. L'élément le plus positif d'un rapprochement éventuel est cette prise de conscience de leur lien charnel. Mais l'acceptation positive qui pourra conférer à chacune sa liberté psychique doit avoir lieu dans les profondeurs souterraines du foyer conventionnel et une vigilance extrême s'impose si l'on ne veut pas s'éloigner de la vraie tâche. En effet, ce qui semble se passer dans le salon peut être tout le contraire de ce qui se passe au sous-sol. La mère s'efforce peut-être de chasser sa fille du salon pour l'empêcher de suivre le chemin qu'elle-même a emprunté auparavant. La fille doit alors se rendre compte que la mère ne la pousse pas dehors par dépit, mais pour la libérer. Si la fille n'est pas consciente de cela, elle deviendra la rebelle qui se sent coupable de détester sa mère, pendant que sa mère se transformera en victime qui souffre de voir ses efforts rejetés avec dédain. Elles auront peur de se retrouver face à face.

Jouant son rôle de Vierge noire, il se peut que la femme essaie, consciemment ou non, de sauver sa fille. Si l'enfant rebelle veut aller au pensionnat, dans un camp de vacances, ou encore voyager autour du monde, sa mère fera le nécessaire: tout ce qui peut mettre fin au cycle négatif, même si c'est la dernière chose qu'elle accomplit. La fille aux prises avec un problème d'alimentation est en guerre contre la nourriture, contre sa mère. Le fait d'engloutir, de refuser ou de vomir la nourriture correspond à une répétition du cycle négatif: «Pas d'homme, pas de bébé, pas de moi!» Si, en revanche, elle peut établir un lien avec la Vierge noire, elle sentira à quel point son corps refuse la mort physique et s'efforce d'offrir à son âme la possibilité de vivre. Si elle arrive à sentir dans ses entrailles l'instinct qui s'acharne à survivre, elle sera en mesure de s'attacher au côté positif de sa mère, à l'énergie positive de la Vierge noire. À ce moment, le «régime» n'est plus privation ou gavage, punition ou compensation; c'est la mère positive qui nourrit le corps et l'âme affamés de son enfant.

Si la prise de conscience arrive à se produire avant la mort physique de la mère, les deux femmes seront libérées. Sinon, la libération de la mère (c'est ainsi que la fille emprisonnée concevra la mort de sa mère) obligera la fille à s'occuper elle-même de sa propre mère négative introjectée. Peut-elle accepter d'être libre? Son corps ne connaît que le rôle d'enfant abandonnée à la fois par la mère et par la fille. À présent, la fille doit retourner chercher cette enfant, tout en sachant qu'elle ne peut la ramener au niveau du conscient en la punissant ou en l'abandonnant, et tout en sachant également qu'elle doit lui demander pardon. Si vous n'avez jamais fait confiance à la sagesse de votre corps, il ne faut pas vous attendre à ce que votre corps vous fasse facilement confiance. Faute d'un modèle positif, on doit inventer des rapports créatifs entre la femme et sa mère dans les profondeurs souterraines. Le moi qui a refusé de se soumettre au corps doit maintenant se soumettre au pouvoir curatif de la nature. Le moi ne sait pas quoi faire et le corps, tel un animal aux mains d'un entraîneur fou, a versé dans le déséquilibre chronique. Puisque l'animal n'a pas été apprivoisé, il faudra temps et discipline avant que les pouvoirs curatifs ne rétablissent un état de confiance réciproque entre le moi et les aspects créateurs de l'inconscient.

Si les individus acceptent d'être emprisonnés dans un système collectif qui leur nie toute existence, c'est qu'ils acceptent de vivre dans un camp de concentration. Ce sont des victimes qui croient en leur vainqueur. La mère et la fille prises dans cette dynamique – leurs rêves de prison en sont la preuve même – sont victimes d'un principe de pouvoir qui vise à leur maintenir la tête dans le four à gaz jusqu'à l'asphyxie totale. Tant qu'il demeure dans l'inconscient, le cercle vicieux se répète et s'élargit de génération en génération. L'amener au niveau du conscient, c'est reconnaître que la Vierge noire, la proscrite, est ce lien positif qui pourrait permettre d'établir le contact entre les deux femmes. Là se trouve la Lumière, dans leur relation d'esclave affranchie à esclave affranchie. Dans l'Ancien Testament, c'est Hagar, la noire Égyptienne, l'esclave affranchie d'Abraham, qui est envoyée au désert pour prendre soin de son fils Ismaël.

Une fois que mère et fille se rendent compte qu'elles n'appartiennent pas l'une à l'autre, que chacune possède son âme propre, que chacune est une fille de Sophia, la Grande Mère, elles peuvent voir le côté positif de leur relation et elles peuvent cesser de mépriser leur propre féminité et de violer leur propre corps. Le viol du corps se transforme en validation de la vierge.

Chapitre 5

La vierge ouverte

Toute assuétude, qu'elle tienne du travail compulsif, de la gloutonnerie compulsive ou de la sexualité compulsive, débouche à un moment donné sur un point de satiété, point où la plainte «si seulement» sonne faux et où la question «mais pourquoi moi?» devient ennuyeuse. Continuer de se complaire dans sa dépendance, après avoir atteint ce point limite, équivaut en quelque sorte à une mort psychique: on préfère rester aveuglé par la névrose plutôt que d'avancer dans la clarté d'une perception nouvelle. Grâce à ses illusions, l'intoxiqué peut éviter de franchir le canal de la naissance. Mais une fois les neuf mois révolus, un bébé qui reste dans l'utérus meurt.

Freud et Jung se sont tous deux rendu compte, de manières différentes, que parce que la vie commence dans la Grande Mère, la relation que nous entretenons avec elle constitue un facteur déterminant de notre vie. Depuis des siècles, la Grande Mère dort dans notre corps et dans la terre sur laquelle nous vivons. Alors est-il possible que les troubles de l'alimentation, problèmes si courants de notre culture, relèvent de l'absence d'attaches primaires? Les personnes souffrant d'assuétude sont-elles à la recherche du maternage et de l'acceptation qu'elles n'ont jamais eus? Fuient-elles le fait qu'on ne les a jamais aimées et qu'elles sont également incapables de s'aimer? La Grande Mère fait-elle surface au niveau du conscient en obligeant ces personnes à transiger avec elle? Est-ce l'énergie instinctuelle qui tente de remettre ces personnes en contact avec la Grande Mère? Ce n'est que lorsque nous avons perçu le sens symbolique de l'assuétude que nous pouvons la transformer en action positive. Ce n'est que lorsque notre activité passe du plan instinctuel inconscient au plan conscient que la lumière se fait sur nos origines. C'est notre façon individuelle de racheter la Grande Mère.

En nous rapprochant d'elle, nous nous rapprochons de notre propre âme vierge et de son énergie latente. Rusée et décidée, la Grande Mère n'acceptera pas qu'on l'ignore et, parce qu'elle nous connaît si intimement, elle crée le complexe au cœur de notre assuétude afin de se protéger elle-même. Ainsi elle s'assure une place au centre. Bien que nos rapports avec elle puissent revêtir un caractère névrotique, parce que nous sommes persuadés, comme Orual dans *Till We Have Faces,* de connaître ses besoins, nous finissons par reconnaître ses larmes et, si nous avons atteint quelque niveau de conscience, nous prenons alors soin d'elle. Du cœur du complexe, la vierge archétypique nous montre le chemin à parcourir. Elle doit être sûre de l'amour du moi avant de faire confiance, avant de pouvoir se révéler à nous, face à face.

L'élaboration de la chrysalide dans laquelle Fleur, le féminin embryonnaire, va croître revêt une grande importance parce que le moi, pour lâcher prise, a besoin de l'assurance que lui confère cette structure. La chrysalide est le contenant sacré, l'utérus dans lequel s'accomplit le processus. Si le contenant est contaminé par l'opinion des autres, la vierge sans tache ne saura en émerger. L'énergie créatrice à laquelle l'individu a accès par l'analyse des rêves, par la tenue d'un journal intime, par la danse, ou toute autre voie s'offrant à lui, a besoin d'être contenue. Cette énergie rayonne à partir d'un centre de vision nucléaire, mais il ne suffit pas de s'y «brancher»; il faut aussi contenir la tension optimale à l'intérieur de la structure afin de libérer la vérité.

Jung appelle ce processus d'individuation *opus contra naturam*, ce qui signifie que l'on doit consentir un effort conscient pour ne pas agir par instinct[22]. Le processus psychoïde fait appel aux énergies tant biologiques que psychiques. En bloquant l'acte instinctuel, le moi, pleinement conscient de son pouvoir, contient la tension jusqu'à ce qu'elle soit réorientée et se manifeste par l'image. Cela tient davantage de la transformation que de la sublimation. Ainsi, quand une femme prend conscience de sa colère – la sienne et celle des générations de femmes qui l'ont précédée –, elle risque d'en faire subir les conséquences à tous les hommes de son entourage, plus particulièrement à son mari ou à son amant. Si elle peut contenir cette colère, si elle peut, de façon consciente, reconnaître que les hommes sont des victimes autant qu'elle, alors au lieu de se laisser aller inconsciemment et répétitivement à cette colère, elle sera en mesure de l'endiguer de façon consciente. Et dans ce cas, sa colère risque de se manifester dans ses rêves sous forme d'assassin ou de violeur. Cela ne fait pas appel à la répression, à la sanctification morale ou encore à l'acceptation des valeurs collectives. Il s'agit plutôt de la confiance que l'on accorde aux pouvoirs transformateurs de la psyché et à l'orientation téléologique du processus. Un comportement indulgent, où dominent la drogue, l'alcool, le sexe et les plaisirs frivoles, nuit à l'étanchéité du contenant. Si on travaille consciemment une image onirique, si on prend soin d'elle au lieu de la projeter sur les autres, à la longue, notre haine se transforme en acceptation, parfois même en amour.

Quand les réponses instinctuelles sont si étrangères au conscient que le moi ne peut les rejoindre (ce qui est vrai dans certains des cas que j'ai déjà décrits), des séances d'écoute du corps, en présence d'un ami en qui on a confiance ou d'un thérapeute professionnel qui tient le rôle du contenant conscient, peuvent permettre de libérer les instincts réprimés sans que le sujet ne coure le risque de se laisser emporter par les vagues déferlantes d'une énergie brute. Lentement, l'animal s'humanise. Un moi fort peut également faire fonction de témoin si l'individu possède un niveau de conscience assez élevé pour pratiquer seul, l'écoute de son corps. Pour détruire le pouvoir de l'amant diabolique (par exemple, Adolf Hitler, en tant que personnage d'un rêve) qui a maintenu Ève (le corps) enchaînée toute sa vie, on doit pouvoir lui opposer une force énorme. Certes, rien n'est plus fort que l'énergie de la putain quand il s'agit de conjurer la collectivité patriarcale qui a réduit la vierge au silence. Toutefois, si le moi s'identifie au contenu psychique en voie de se manifester, il risque soit d'usurper l'énergie primaire (inflation), soit de se faire engloutir (en retournant carrément dans l'inconscient). Le moi doit être suffisamment conscient pour que l'énergie libérée arrive à circuler jusque dans le contenant en attendant sa transformation.

Au fur et à mesure que le moi perçoit les diverses possibilités d'utilisation de cette énergie émergente, il doit résoudre le problème du chemin à prendre, tâche qui n'est pas facile. En effet, les sentiments peuvent indiquer une direction, tandis que le raisonnement peut opter pour une orientation différente. Il faut tenir bon tant que l'inconscient ne sera pas venu soutenir la nouvelle conscience naissante. En d'autres termes, il faut attendre que les rêves indiquent clairement le chemin que voudrait prendre cette énergie. Tout changement de direction nécessite une période d'incubation pendant laquelle la croissance se poursuit. Tout comme la femme enceinte, le moi a besoin de temps pour se reposer, rêver, se préparer pendant que son bébé absorbe l'énergie nécessaire à sa croissance utérine.

Le processus que je viens de décrire nous est souvent imposé. Un échec dans notre vie – la maladie (qui découle peut-être de l'assuétude), la fin d'une relation, la perte d'un emploi – et soudain notre persona bien adaptée est ébranlée et le moi sombre dans la douleur de l'impuissance. C'est sa défaite qui enclenche le processus initiatique. Pendant que les circonstances de la vie font appel à une persona fonctionnelle, le moi est jeté dans le feu transformateur et l'individu tire son seul réconfort intérieur de la conviction que le Soi ou quelque puissance supérieure essaie de lui apporter guérison et complétude. Cette conviction permet un certain détachement: sachant qu'il doit en être ainsi, le moi se laisse dépouiller. Le détachement, contrairement à l'indifférence, permet de vivre la souffrance, même de la ressentir davantage puisque la vérité émerge à la conscience. Le détachement, cependant, ne s'identifie pas à la souffrance. Il offre une perspective plus vaste: le paradoxe. Le moi qui passe d'un mode de fonctionnement volontaire à un mode involontaire doit être assez fort pour pouvoir tolérer la confusion, le sacrifice et les nouvelles perceptions, tout en acquérant la souplesse qui lui permettra de capituler. La peur qui s'empare du moi est une peur réelle suscitée par l'amollissement d'une raideur acquise au cours de toute une vie. La rigidité de l'ancienne persona fait place à la souplesse de la nouvelle. Le moi a l'impression d'être devenu une méduse, sans échine, et pourtant c'est en lâchant prise qu'on libère l'énergie qui entraînera le jeune enfant dans cette révolution. Le dialogue interne pourrait alors ressembler à cet extrait du journal intime d'une femme:

Je me débats entre la vie et la mort.

Moi qui ai toujours pris soin de tous les autres, je ne suis plus responsable. Je n'ose pas donner libre cours à mes larmes parce que tous dépendent de moi. Jamais il ne m'ont vue pleurer. Ils seraient scandalisés si je m'écroulais. Et si, effectivement, je m'écroulais. Je serais impuissante. Je ne sais pas prendre soin de moi-même. J'ai trop peur pour m'approcher de cette partie perdue. C'est comme si je n'avais jamais existé. JE NE VEUX PAS LA TUER.

Si seulement mon animus cessait de critiquer! Il me fait penser que chacun voit à quel point je suis désorientée. Je crois qu'ils se moquent de moi, qu'ils sont las de mes plaintes, qu'ils sont prêts à me sauter dessus. Je n'arrive même pas à parler. J'hésite, je bafouille, je commence une phrase puis je saute du coq-à-l'âne. Je ne sais pas ce que je vais dire ensuite. Tout est vérité et mensonge.

Et si tous mes rêves n'étaient qu'illusion? Si je perdais tout pour finalement constater que je ne suis personne? Et si j'étais en train de devenir folle? Pourquoi est-ce toujours moi qui suis différente? Pourquoi est-ce toujours moi qui me retrouve seule?

À l'intérieur de la chrysalide, le problème fondamental est celui de la réceptivité. Ayant justifié leur existence en se montrant aimables et amusantes, la persona et l'ombre performante cessent de fonctionner et leur énergie est refoulée jusqu'au fœtus nu et sans défense, qui habite un monde à l'intérieur duquel oser être soi-même provoque une crainte réelle de l'anéantissement. Cette régression engendre la paranoïa, état dans lequel même une femme des plus attirantes risque de dire: «Je suis intouchable, indésirable. Comment quelqu'un peut-il m'aimer? Pourquoi chercherais-je à être comprise? Je n'attends rien de personne.» Dans cet état, elle ne pourrait probablement pas accepter qu'une main l'effleure. Au cœur de l'acte de recevoir se cache la peur du viol psychique. Sa persona raffinée et charmante, son système de défense de toute une vie, constitue l'armure qui a protégé sa petite fille de l'annihilation. Pour elle, la réceptivité correspond au viol de son essence: elle ne peut concevoir que son Être puisse être accueilli ou accueillir.

Tout dans notre société semble aller à l'encontre de la réceptivité. Dès son bas âge, l'enfant apprend à se refermer et à faire semblant. De jeunes esprits acceptent facilement les images qui épousent naturellement le rythme d'un récit. Assaillis par des images télévisées qui dépassent leur capacité de comprendre, ces jeunes (ou la nature, si l'on préfère) se protègent en opérant un processus de sélection. Mais ce faisant, ils se créent une carapace qui risque de les enfermer dans un monde à part où ils se retrouvent seuls. Ainsi, des enfants, assis dans la grande salle d'une école, peuvent être distraits et rêveurs durant un spectacle de grande qualité mais, pourtant, quand la représentation prendra fin, des applaudissements bruyants et sans signification fuseront de toutes parts. Amorphes, désintéressés, ils n'ont rien capté; leur énergie réprimée explose cependant dans des battements de mains dénués de sens. Leur manque de politesse est probablement tout aussi vide de sens. Pour eux, la communication interpersonnelle ne peut être que le chuchotement des habitants d'un royaume caché. Il n'est donc guère étonnant qu'en grandissant ils demeurent incapables de recevoir.

Le rythme effarant du monde des adultes, cadencé par la peur, rend impossible l'ouverture vers le don éventuel. Assaillis à la fois par des futilités et des babioles et par des images désolantes de famine, de guerre et de nature outragée, les gens ne songent qu'à se défendre. Enfermés dans leur rigidité corporelle, ils essaient de se conformer à l'image des dieux contemporains: devenir des machines efficaces et sans cœur. Ils avalent pilule sur pilule, se font rapetisser l'estomac ou subissent une greffe abdominale tandis que leur corps émet des cris de désespoir et de colère. Malgré cela, ils continuent à ne tenir aucun compte de leurs rêves féroces de viol et, orientés vers leur objectif insensé de perfection, ils se lancent à la poursuite de cet idéal illusoire en ignorant, hélas, que ce n'est qu'un moyen de ne pas se regarder en face, de ne pas se rendre compte de leur échec en tant qu'êtres humains.

Nous ne sommes pas des dieux; nous ne sommes pas non plus des machines pouvant être mues par la logique ou par le pouvoir.

Nous avons un cœur et ce cœur habite un corps lié à nos instincts. Tant et aussi longtemps que nous acceptons que tête et corps soient séparés, nous nous faisons complices de la folie contemporaine. Nous tentons de guérir le mal physique sans apporter les correctifs psychiques nécessaires. Nous y arrivons peut-être sur le coup, mais le corps finira par l'emporter. Le corps ne mentira pas: il porte la douleur que l'esprit ne peut tolérer. À la longue, le corps arrachera le masque qui empêche tout échange vrai: il s'agit ici de ce genre d'échange qui se construit lentement en associant nerfs, ventre et cœur, et qui dépend d'une réaction vraie et honnête. Lors d'une conversation vraie, il y a échange, les âmes partagent. Chacune a assez de Présence pour permettre à l'autre de «prendre place» sans créer de distorsion ou de projection. Chacune donne de l'énergie à l'autre.

Aucune thérapie, aucune analyse ne peut guérir un cœur méfiant. La vierge est tellement atteinte par la pression de la vie d'aujourd'hui que, même si la connaissance objective peut l'aider, seule une expérience sacrée d'amour et de grâce déferlant sur elle depuis l'inconscient, sera en mesure de la racheter. Enfants, on nous répétait sans cesse qu'«il y a plus de bonheur à donner qu'à recevoir», si bien qu'ayant été trop occupés à donner, nous sommes devenus incapables de recevoir.

Toute réceptivité est faussée par le message inconscient: «Tu n'es pas digne de recevoir; si tu reçois, tu te rends coupable.» La femme qui a eu ce message de sa mère qui, elle, l'a reçu de sa mère, consentira à peu près n'importe quel sacrifice pour un homme, tout en détestant le mot «réceptivité». Pour elle, la réceptivité est associée à la passivité, à la soumission, à la non-existence. De telles connotations négatives laissent entendre que la femme réceptive posséderait un moi faible, qu'il n'y aurait chez elle aucun calice à percer. Craignant de recevoir quelque chose, même de ceux qu'elle aime, elle n'ose pas se montrer réceptive à l'autre, cet autre totalement inconnu. Elle craint de céder à l'inconscient créatif. Et pourtant, la vraie créativité ne peut prendre vie que lorsque le moi est assez fort pour céder. Imaginez toute la force du calice de Shakespeare percée par le phallus divin.

Des points de vue biologique et psychique, la féminité est réceptive par nature, et tant que les femmes n'apprendront pas à reconnaître la réceptivité active et son importance cruciale dans tout travail créatif et tout rapport interpersonnel, elles dénigreront leur propre féminité. L'homme, aussi, s'il cherche à être créatif et à accueillir la femme, doit trouver sa propre vierge intérieure. Trouver l'équilibre entre la féminité et la masculinité est une tâche différente selon que l'on est homme ou femme, mais dans les deux cas, la condition préalable à la guérison intérieure et extérieure est la libération du cœur.

Tant que le jeune féminin n'est pas assez développé pour savoir recevoir, l'abandon (du Soi) devant l'inconnu peut être vécu comme un viol. D'ailleurs, le sujet rêve souvent de viol, de bandes de voyous en train d'envahir la maison de son enfance ou, encore, de tornades qui menacent le moi du rêve, qui se débat avec acharnement pour empêcher ses bagages de s'éparpiller. Il arrive parfois que la fille pubescente se mette en colère contre le moi du rêve parce qu'il met du temps à agir. Pour que Perséphone puisse grandir, elle doit être détachée de sa mère afin de pouvoir recevoir Pluton. Le moi flexible est capable de se plier et d'assimiler la peur que dégagent les souvenirs négatifs renfermés dans le corps et la psyché. C'est là une expérience pénible mais inévitable dans le cheminement vers la maturité psychologique.

Mais on trouvera également de l'énergie positive dans les rêves, la plupart du temps représentée par une jeune fille énergique. C'est souvent un événement synchronique de la vie consciente qui lui fournit l'occasion d'agir. Puisqu'elle est très jeune, il faudra peut-être trouver un terrain de compromis entre le passé et le présent. D'habitude, l'ancienne persona est ébranlée et il faut réorienter le moi pour faire place à la Présence du féminin. Des enseignants, par exemple, peuvent poursuivre leur enseignement en modifiant subtilement leur démarche pédagogique. Ce qu'ils auront perdu sur le plan de l'efficacité, ils le gagneront ailleurs, en établissant un nouveau rapport avec leurs élèves et en transformant la salle de classe en un milieu d'apprentissage nouveau. Enseignants et élèves vivront alors les plaisirs de la créativité dans le moment de *maintenant*.

Le corps entame le processus d'individuation en même temps que la psyché, et ses messages sont tout aussi importants que les rêves. Le corps tente toujours de préserver la totalité. Ainsi, une femme, qui n'a pas eu de règles pendant deux ou trois ans peut être à nouveau menstruée. «J'ai l'impression, dira-t-elle, de passer consciemment par ma pubescence. Je m'installe dans mon corps et il m'impose son rythme. Si je ne me repose pas, si je ne prends pas conscience de ce qui se passe, j'ai le vertige au point de devoir me coucher. Quand j'essaie d'articuler des idées de jadis, ma langue paraît trop grande pour ma bouche. J'ai l'impression de raconter des mensonges, des mensonges qui, hier, étaient des vérités. Les mots n'ont pas changé, seulement leur sens. La puissante énergie que je retirais de la nourriture ne m'aide plus à m'accrocher à la réalité. Elle m'envoie plus loin dans l'inconscient. Je ne peux boire ni café, ni alcool. Je préfère le poulet et le poisson à la viande rouge. J'ai tant d'énergie que je ne sais quoi en faire. Rien ne se contente de mijoter; tout se fait à pleine pression, à pleine vapeur. On me force à avancer.» Toute l'immense énergie qui poussait le corps vers la mort le pousse maintenant vers la vie. Le fait de recevoir consciemment dans la vie réelle (qui se reflète dans les rêves, par l'absorption de nourriture qui est offerte) fait maintenant partie intégrante du quotidien. Une fois la faim psychologique asssouvie, la faim physique trouve son propre équilibre.

L'ennemi par excellence du jeune féminin est l'amant démoniaque, l'aspect sombre de l'archétype logé au cœur du complexe paternel. Alors que la mère négative paralyse sa victime, la laissant figée dans l'inertie, l'animus-assassin l'agresse de façon plus active. Froid, impersonnel, consacré à l'esprit désincarné, l'animus-assassin n'a qu'un objectif, piéger sa victime pour qu'elle s'écarte de la vie. L'assuétude est sa ruse préférée: faire en sorte que la femme demeure grasse, affamée, droguée ou ivre; saper sa volonté avec des expressions telles que «devrait, doit, forcée de»; en faire une «femme dont les gémissements invoquent le démon qui l'aime[23]». C'est son refus de tomber amoureuse qui séduit l'amant démoniaque. «Vous êtes à moi, dit-il, chassez-moi cet intrus, sinon c'est moi qui le chasserai.» Et si elle ne réussit pas à l'amener au

Ange et démon se disputant la possession d'un enfant ***(1795), reproduction d'une aquarelle de William Blake, (Tate Gallery, Londres).***

niveau du conscient, il chassera l'intrus. Il dévoile son vrai visage au moment même où le jeune féminin est prêt à prendre sa liberté. Le moi, apeuré, regarde l'inconscient avec crainte et animosité, constellant ainsi le visage démoniaque dont le regard croise le sien.

Il arrive qu'une femme qui croit avoir réussi à ne plus projeter son animus négatif sur les hommes se rende compte qu'elle le projette plutôt sur l'établissement où elle travaille, ou sur un «patron» avec qui elle a peu de contacts, mais dont elle dépend professionnellement. Elle est persuadée qu'elle va perdre son poste ou qu'elle devrait le perdre à cause de son incompétence. La meilleure façon d'invalider le complexe paternel est d'initier alors une relation personnelle à l'intérieur de la situation problème: s'arranger pour connaître l'autre et se laisser toucher par lui ou elle, en tant qu'être humain. Ainsi le pouvoir du complexe sera conjuré et la femme cessera d'être la proie d'idées impersonnelles et désincarnées. Tant qu'une femme ne peut se distancer de la logique implacable de l'animus, elle reste possédée et convaincue que quelqu'un veut sa perte. Ce «quelqu'un» n'est autre que le complexe. Pour vaincre celui-ci, elle doit faire la différence entre sa vérité et la logique du complexe qui, lui, est incapable de ressentir quoi que ce soit. Elle doit se dire: «Ce que j'entends, c'est la voix du complexe. Sa logique est fondée, cependant mes sentiments constituent ma vérité à moi.» La meilleure stratégie qu'elle peut adopter pour combattre le complexe est de structurer la réalité du moi, à chaque instant, en différenciant ce qui lui convient, à *elle*, de ce qui convient au complexe. Elle dira, par exemple: «Mon travail ne sera jamais parfait. En acceptant cela, je ne suis pas en train d'admettre ma défaite, mais d'accepter mon statut d'être humain.»

La femme libre a le cou solide et souple: le cœur et la tête sont liés, la réalité et les idéaux s'équilibrent. Quand elle glisse dans le complexe, elle se condamne pour ses propres imperfections; quand elle s'ouvre à l'attitude de la vierge, elle accepte sa vie humaine et découvre sa propre vérité. C'est alors que Lucifer montre son autre visage; il devient le Porteur de Lumière, le Christ. Tant que la vierge est inconsciente, elle n'est pas capable de s'abandonner à la Lumière. C'est la Lumière même qui l'empêche de s'accepter et qui se transforme en amant démoniaque parce qu'elle n'est pas apte à recevoir. (On trouve une illustration frappante de cette thèse dans le film *Poltergeist* de Stephen Spielberg.) Lorsqu'elle est suffisamment consciente pour se pardonner ses propres imperfections et oublier celles des autres, son animus positif devient alors le lien entre le conscient et l'inconscient. La créativité tire son énergie de l'inceste psychologique. Le complexe paternel est transfiguré par le travail de l'âme de la vierge réceptive.

Au Moyen Âge, cette épreuve était symbolisée par l'apprivoisement de la licorne. La popularité de cette bête mythologique refait surface dans notre culture contemporaine. Cependant, son image est tellement abâtardie, tellement sentimentale, qu'il est difficile d'imaginer qu'un commerce fructueux puisse avoir lieu entre elle et les vierges folles qui habitent les brumes romantiques qui l'entourent. Une corne flasque pénétrant un utérus qui tombe en pâmoison ne saurait créer l'Être. Il se peut qu'une masculinité à la guimauve soit attirée par une féminité fantoche, mais cela n'a rien à voir avec la signification psychologique de la licorne et de la Vierge. La licorne symbolise le pouvoir créatif de l'esprit et on la percevait au Moyen Âge comme une métaphore du Christ[24]. Son énergie est féroce et dangereuse au point où seule une vierge peut la dompter, à condition d'être rusée. Elle doit la remettre aux chasseurs humains qui la tueront en répandant son sang rouge. Transformée, ressuscitée, la licorne représente l'énergie puissante que renferme le jardin sacré de la vierge.

Le pouvoir qu'exerce l'animus négatif au moment même où la liberté devient possible nous apparaît clairement dans le rêve de Sarah, une femme d'âge moyen qui, après avoir été en analyse pendant cinq ans, se croyait enfin affranchie du patriarcat. La voici soudain aux prises avec une situation qui l'oblige à défendre ses convictions personnelles et qui la met en conflit avec l'homme dans sa vie. Ce rêve clarifie le conflit qu'elle a vécu:

Je cours rejoindre mon bien-aimé sur un bateau qui s'apprête à prendre le large. Je vois une robe dans une vitrine. Tout à fait mon genre – très simple, avec pour décoration, un grand œil à la place du cœur. J'entre en hâte dans la boutique et me voici accueillie par une vendeuse anorexique qui porte une petite robe noire impeccable, des chaussures noires et des lunettes à monture d'écaille.

Je lui demande: «Combien pour la robe?»

Elle a l'air effrayée. Moi, je suis très pressée.

«Voyons, est-ce quarante dollars?» Ma voix se fait pressante. Elle me regarde droit dans les yeux, paralysée par la peur. Elle a les larmes aux yeux. «Je vous en donne quatre mille», lui dis-je. Elle se met à pleurer, et moi aussi, à ma surprise, j'ai les larmes aux yeux. C'est alors que j'aperçois, caché derrière un rideau, le propriétaire de la boutique, monsieur Wolf. Il nous guette. Il est conscient du pouvoir qu'il exerce sur elle. Il ne veut pas que j'aie la robe et bien qu'elle soit prête à me la céder, la vendeuse ne peut rien faire. Je me réveille en pleine impasse.

Ce rêve nous fait réaliser l'importance des rapports entre les «sœurs-ombres». Si la femme n'est pas consciente à chaque instant du désespoir de son ombre, elle tombera, sans le réaliser, entre les mains de son amant démoniaque, peu importe la forme qu'il ait prise. Sarah était prête à partir avec son animus créatif et à mettre toute son énergie féminine (4 000 = 4 x 10 x 10 x 10) dans une robe qui, avec «son grand œil à la place du cœur», symbolise une attitude empreinte de sentiments authentiques. Mais, en dépit de son énergie et de sa bonne volonté, sa sœur-ombre, que la peur «paralyse», n'a pas eu la force de braver monsieur Wolf. (Ici, la sœur-ombre qui, en bonne fille, se soumet au masculin, personnifie un mélange de l'anima paternelle et de l'ombre maternelle.) L'énergie du complexe paternel est évidente dans le nom, référence intéressante puisque la boutique de mode préférée de Sarah, dans son adolescence, appartenait à un certain monsieur Wolf.

Puisque, de surcroît, les loups hantent souvent les rêves des intoxiqués, «l'énergie du loup» doit être une dimension de l'assuétude. L'enfant d'un parent «loup» naît habituellement avec cette même magnifique soif de vivre qui caractérisait autrefois le parent. Plein d'énergie et de joie de vivre, cet enfant a toujours cherché Apollon, dieu du soleil, dont la représentation animale est le loup. Il riait avec ardeur, pleurait avec force. Puis l'ombre de la prison[25] s'est abattu et sa soif de vivre a été coupée. Sur le plan psychologique, son moi s'est identifié au loup et sa soif de vivre s'est transformée en cupidité ayant pour objet une chose ou une personne. L'obsession, le monde de la fantaisie, le comportement compulsif, répétitif, ne sont que des tentatives d'éviter la douleur réelle d'avoir été privé de la vie-même dans toutes ses dimensions. Tant que l'âme ne sera pas libre, il y aura toujours, sous une forme ou une autre, un comportement névrotique.

Si nous percevons «M. Wolf» comme un amalgame de la mère et du père négatifs, ce rêve suggère alors que les parents de Sarah étaient eux aussi ébranlés par un besoin de pouvoir personnel. En vendant à la rêveuse le symbole de sa propre identité (la robe), on lui aurait donné tout loisir de se laisser aller à son pouvoir créateur. Cela, les complexes négatifs ne s'y résigneront jamais, et tant que la sœur-ombre, désespérée, sera leur victime, le moi sera, lui aussi, à leur merci.

La solution de cette impasse s'avère être la robe elle-même. Un peu comme si le «grand œil» se trouvait déjà à la place de son cœur, Sarah voit l'angoisse de sa sœur piégée. Dès qu'elle pénètre la blessure, dès qu'elle constate la faiblesse inhérente à la rigidité, elle entre en contact avec sa propre vierge intérieure. À ce moment, son cœur s'ouvre et elle se met à aimer son côté sœur, ce côté qui l'agaçait tellement auparavant. Chacune reconnaît que sa liberté dépend de l'autre: la faible oblige la forte à prendre conscience et à ouvrir son cœur afin que toutes deux soient libérées. L'accord se passe dans le silence. La colère, l'amour, le pardon sont presque simultanés. Le dégoût et le mépris réciproques qui les séparaient auparavant sont devenus un secret qui les unit. Chacune garde ce secret pour elle jusqu'à ce que le moi puisse regarder l'ombre bien en face et la réclamer comme sienne, sans être sapé par le jugement de l'animus. Au lieu d'accepter ou de rejeter, on «se réveille». Le moi du rêve ne peut rejoindre son bien-aimé avant que la douleur de cette prise de conscience n'aboutisse à l'intégration et à l'émergence d'un nouveau point de vue moral chez le moi.

Ce rêve a rendu Sarah plus triste, mais aussi plus sage. C'est le genre de confrontation avec l'ombre qui, en général, ajoute de la profondeur, de la compréhension et de la Présence à la personnalité.

Le féminin conscient

Le problème de base quand il s'agit de troubles de l'alimentation n'est pas d'alterner entre les gains et les pertes de poids, entre Glace et Flamme. Le problème se pose, comme toujours, sous forme de question: «Qui est Fleur? Quelle est ma réalité à moi?» Le moment venu, on met fin aux grands jeux et aux sacrifices forcés. On dénonce l'accord secret avec la mort et on fait face à une réalité dont la vérité nous transperce. La sagesse féminine enracinée dans Sophia accepte ce qui *est*: «Voilà qui je suis. Je ne cherche pas votre approbation. Je n'ai pas à justifier mon existence. Je veux me connaître et être reconnue pour ce que je suis.» La décision de s'engager dans le canal de la naissance provoque un transfert d'énergie: une force nouvelle est mise à la disposition du moi et le visage démoniaque, lorsqu'il tourne son côté positif vers l'inconscient, est pénétré par la Lumière. Les tourments de l'agonie deviennent les douleurs d'une naissance.

Au fur et à mesure que le moi établit ses propres positions féminines, la masculinité créatrice de la femme se libère de l'emprise paternelle. Ces deux processus se déroulent parallèlement et se reflètent dans les rêves. Les images varient d'une personne à l'autre car les expériences de chacune ne sont pas identiques. Ainsi, par exemple, l'image de Hitler pourra être remplacée par celle de voyous. Cependant, on retrouve une image masculine qui revient de façon plus ou moins systématique: le rebelle adolescent. Très souvent, il vient tout juste de sortir de prison et il dépasse le rêveur en se dandinant, insolent, mains dans les poches, cigarette aux lèvres. C'est le fils rebelle, prêt à tout pour ne pas ressembler à son père. Chez les femmes souffrant de troubles de l'alimentation, il se manifeste généralement en adoptant un comportement social provocateur pouvant se traduire par des actes non conformistes qui vont même jusqu'au crime violent. L'adolescent rebelle est un anarchiste qui refuse les lois de la collectivité sans toutefois en être arrivé à une prise de position intérieure qui lui soit propre. Il se présente parfois comme un droqué, parfois comme un hippie homosexuel, parfois encore comme une âme douce mais perdue, et capable de violence. L'échec de son initiation au monde des adultes trouve sa contrepartie dans l'incapacité, chez la femme, de s'alimenter de façon rationnelle. Elle n'a aucune voix intérieure qui résonne en elle pour dire «oui» à un régime alimentaire bien équilibré. Pas plus qu'elle n'a l'envie réelle de se faire une place dans le monde extérieur.

Une fois transformé, cependant, cet adolescent arrogant pourrait devenir un guerrier qui s'unirait au moi féminin dans une attitude consciente renouvelée. Voici le rêve que Sarah a fait, un an après s'être libérée de «monsieur Wolf» et avoir pris en main ses propres talents créateurs. Elle était en train de céder aux énergies dynamiques de l'inconscient quand elle a fait ce rêve:

Mon mari est un guerrier qui combat au loin. Moi, avec nos jumeaux nouveau-nés, je pose pour un portrait. Je voudrais que mon mari partage avec moi ce miracle. Je suis assise dans une clairière, baignée de soleil, et je porte un manteau de velours blanc avec un col de fourrure de loup blanc. Je tiens un jumeau dans chaque bras, des garçonnets forts, que j'appelle tous les deux T. Je sais également que ma bonne a donné naissance à des jumeaux dans la forêt et qu'ils s'appellent t, tous les deux.

Sarah s'est réveillée confiante de comprendre vraiment ce qu'*Être* voulait dire. Pendant que son mari se bat pour les protéger, elle et ses nouveaux-nés, Sarah reste tranquille, sereine et confiante, bercée par le miracle de la naissance. Le loup roux qui rôdait dans ses rêves précédents et la poussait à chercher, toujours insatisfaite, toujours agitée, s'est transformé en un col de fourrure blanche. Symboliquement, l'énergie passionnée, sauvage, instinctuelle s'est changée en passion spirituelle. Mais il ne s'agit pas simplement d'une passion cérébrale parce que, tout en étant assise sous le soleil clair du conscient, elle se trouve en même temps dans une clairière, et sa bonne-ombre (une variante de la vendeuse anorexique du rêve précédent) a elle aussi donné naissance, dans un endroit éloigné de la forêt (le monde instinctuel).

Ce genre de rêve nécessite une méditation tranquille car sa tonalité affective doit s'imprégner dans toute la personnalité. Sarah a donc appris à relaxer – relâcher les mâchoires, abaisser les épaules, détendre la ceinture pelvienne, en un mot, faire disparaître le complexe rigide et *«être là»*, tout simplement[26]. Après une de ces séances de méditation, elle a écrit ceci:

Je suis allongée par terre. Je sens mes pieds nus sur la terre chaude. Je sens la paix solide de la terre monter, comme de chauds rayons, jusqu'à mes jambes sombres et traverser mon corps pour aller rejoindre les rayons plus chauds du soleil. J'incarne T. L'énergie de l'arbalète traverse mes bras tendus, les étire: elle expose mon cœur, me décapite. Mes jambes et mon buste se convulsent: «Tension, Tumulte, Terreur, Tentative, Tristesse, Toucher». Les mots jaillissent en même temps que mes sanglots.

«Toucher!» Je crie, et toute la honte, la culpabilité et la peur, l'humiliation et la vulnérabilité, le chaos de toutes ces années passées à chercher mon propre moi, tout cela me traverse, vague après vague, d'une douleur intense. Soudain, il fait noir. La noirceur m'aspire. Je suis terrifiée. Je meurs. Je nais. Et la tourmente cesse. Je suis étendue, épuisée, aux côtés du Temps.

Plusieurs mois plus tard, elle a osé incorporer «t»:

Mon corps chante quand mes orteils se plient en forme de «t» et l'énergie monte: «taille, tronc, torse, triste, toucher, tendre, transgresser, téméraire, torride, total, temple, triomphe». Je réinvestis mon corps exquis: sa musculature, son squelette, sa perception, sa souffrance effacée, la souffrance de l'enfant coincée dans ses muscles. Je pénètre dans la noirceur de mon corps, ma noirceur, mon identification inconsciente avec sa densité, ce tas de chair abandonné que j'ai traîné avec moi. Je ressens sa tristesse. Je l'aime. Je le supplie de me pardonner. La Noirceur englobe la Lumière. Sa Lumière, sa Sagesse, ancienne, plus ancienne que moi, BRILLE. Mon corps, mon âme. Mes bras, ma poitrine me font mal à force de trop aimer – ici, maintenant – à jamais, en cet instant.

«t» s'ouvre, doux, souple, s'abandonnant – s'abandonnant, oui, s'abandonnant à T, un T vibrant, chatoyant de Lumière. Je me laisse faire, cellule par cellule, mon âme s'ouvre à mon esprit. Je suis allongée, silencieuse, dans la Vérité.

Dans *The White Goddess*, Robert Graves considère les lettres de l'alphabet comme étant des archétypes. Selon lui, les lettres écrites révèlent des images de la nature et, de ce fait, renferment en elles l'énergie et la vérité des instincts. Au sujet de la lettre T, Graves écrit ceci:

> Nous pouvons considérer les lettres D et T comme des jumelles: «les garçons blancs comme des lys tout de vert vêtus, ô!» de la chanson médiévale *Green Grow the Rushes, Ho*. «D», c'est le chêne sacré des druides, le chêne byzantin de Yeats. «T», c'est le chêne vert, l'yeuse, qui régit la partie décroissante de l'année, le chêne san-

guinaire. [...] Dann ou Tann [...] est le mot celte servant à désigner tout arbre sacré[27].

Quand par l'imagination active, une lettre, apparue dans un rêve sous forme de symbole, s'incarne (c'est-à-dire: quand elle s'enracine à nouveau dans les instincts), son pouvoir de guérison devient sacré. Lors d'expériences empiriques, T, en tant que symbole, initie souvent le mouvement vers le troisième œil, mouvement vers la transformation, plus précisément vers la différenciation du corps et de l'esprit. C'est la lettre de la crucifixion, liée à la croix sacrée comme l'arbre qui unit la terre et le ciel. Elle force le corps à s'ouvrir tout en demeurant assez souple pour permettre à la lumière de pénétrer la chair sombre.

Le motif des jumeaux laisse supposer que quelque chose, jusque là inconnu, tente de franchir le seuil du conscient, mais qu'une fois devant ce seuil, une partie seulement de ce quelque chose réussit à passer dans le conscient, l'autre demeurant alors dans l'inconscient[28]. Sans concentration corporelle, les jumeaux du rêve de Sarah seraient restés sans signification. L'énergie archétypique dégagée lors de leur incorporation a apporté une vie nouvelle. Ce n'est qu'à ce moment-là que Sarah a lu Robert Graves, lequel est venu valider son expérience de la crucifixion. Dans la vie réelle, ce rêve préfigurait son premier contact avec sa propre âme féminine, par le biais d'une conscience nouvelle de son corps. Il préfigurait également la reddition de son moi devant l'esprit quand, comme elle le dit elle-même, elle s'est permis «d'habiter sa folie afin d'y découvrir quelque chose de neuf». Comme Ève dans le jardin d'Éden, sa matière avait été inconsciente; comme Marie, elle est restée fidèle à sa propre destinée personnelle et est devenue une Ève consciente. Pour Sarah, le sacré émergeait de la totalité de l'expérience, centrée sur le pouvoir du symbole T, qui lui était complètement inconnu. Involontairement, son corps a répondu à l'appel de l'ancien symbole. Son rêve et l'expérience vécue dans son salon ont fait figure de guides quand la vie l'a soudain entraînée vers la crucifixion psychique, prélude à sa renaissance.

L'expérience profonde du sens de l'incarnation qu'a vécue Sarah n'est pas rare chez les hommes et les femmes engagés dans un voyage conscient. Pas plus que ne l'est la transformation de l'énergie du loup, antérieurement au service de l'assuétude, en une quête spirituelle intense chez des drogués qui entrevoient le gouffre béant au cœur de leur dépendance. Pourtant, les troubles de l'alimentation de toutes sortes sont encore un fléau grandissant dans notre société, et cela malgré les millions de dollars investis dans des tentatives «rationnelles» d'enrayer ce problème. Quand la tête et le cœur suivent des chemins différents, séparés par un gouffre de trahison, seul l'amour peut les rapprocher. Est-il possible que Sophia, par sa façon particulière de nous nourrir physiquement et spirituellement, tenterait de nous obliger à accéder à la conscience par le biais de notre propre agonie ou celle d'un être que nous chérissons?

En rejetant le côté féminin de Dieu, nous courons à notre perte, tant sur le plan individuel que sur le plan mondial. Les personnes souffrant d'assuétude sont un exemple extrême de cette profanation au sein de notre culture; elles sont également les catalyseurs éventuels de la renaissance du féminin. Non seulement ces personnes portent en elles le contenu inconscient de leurs ancêtres mais elles vivent aussi le contenu inconscient de leur environnement social, en tant que chaînons de l'histoire de l'humanité. Nous ne pouvons apercevoir notre ombre personnelle tant que nous n'avons pas regardé les yeux affamés d'une personne anorexique ou alcoolique que nous aimons; nous ne pouvons non plus apercevoir notre ombre collective tant que nous n'avons pas allumé la télévision et regardé les yeux d'un enfant affamé.

Nous, qui vivons dans une civilisation qui se grise de ses pouvoirs technologiques destructeurs, nous sommes destinés à être les victimes d'une conscience patriarcale désuète, et nous continuerons de l'être, tant que nous accepterons que la féminité ne corresponde qu'à une simple désignation biologique. Une telle conscience pousse non seulement l'individu, mais toute la planète, vers une dépendance face au pouvoir et à la perfection, et cette dépendance, ou cette assuétude, tellement contre nature, ne peut mener qu'au suicide. Il n'est pas possible que le conscient féminin soit limité à la matière morte ou à la mère inconsciente. Il est tout aussi important sur le plan collectif que sur le plan individuel de constater qu'une névrose peut servir à des fins créatives. À une époque où l'on attache tant d'importance à l'idée de pouvoir et à l'acquisition de biens matériels, ces fins créatives doivent se rapporter à la seule chose qui puisse nous sauver – l'amour de la planète, l'amour des autres –: la sagesse de la Déesse. Cette responsabilité incombe à chaque foyer, à chaque cœur, à l'énergie qui relie les atomes et non à celle qui les sépare.

Je crois que la vision apocalyptique est un élément foncier de la psyché du drogué. (Le mot «apocalypse», du grec «apocalypsis», signifie «révélation» – on dévoile l'ancien, on révèle le nouveau.) L'alimentation compulsive correspond, en partie, à une tentative de tout liquider, de nettoyer son assiette, de prendre un nouveau départ. Le boulimique avale des quantités industrielles de nourriture, se purge et recommence. L'anorexique ne cherche pas consciemment la mort, mais son obsession de «l'ordre» renferme la peur de l'annihilation provoquée par le chaos. Et ce qui vaut pour la nourriture s'applique également à l'argent, à l'énergie, aux travaux ménagers: leur vie entière se résume à la tentative d'en finir avec tout, pour ensuite recommencer *ou* ne pas recommencer. Peut-être endossent-ils le point de vue philosophique qui veut que l'ancien meure pour que naisse le nouveau. Cependant, au niveau de l'inconscient, ils confondent littéral et symbolique, si bien que leur recherche de l'essence les rapproche du Néant plutôt que de l'Existence. La psychologie apocalyptique d'une culture aux prises avec l'assuétude – psychologie qui perçoit la révélation divine comme un moment de perception soudain et éblouissant – pourrait à l'échelle planétaire présager l'holocauste final.

Parmi ceux et celles qui souffrent de dépendance et n'arrivent pas à trouver dans notre société un exutoire acceptable pour leur énergie, nombreux sont ceux et celles qui auraient été des fidèles de Dionysos s'ils avaient vécu au temps de la Grèce antique, dans cette culture où les tendances religieuses avaient un but significatif. Ils ne cessent de répéter: «Si c'était bon pour Dieu, ce serait bon pour mon corps.» Leur intuition leur donne raison. Leur besoin intempestif de vivre est à la fois physique et spirituel; ils se languissent dans l'attente de ce que Walter Otto appelle «l'unité du paradoxe qui est apparu dans l'extase dionysiaque avec une force renversante[29].»

La description que nous offre Walter Otto des ménades grecques et de leur danse exotique nous révèle l'essence de ce qui gît, la plupart du temps, au cœur d'un comportement de dépendance:

> Celui qui engendre quelque chose de vivant doit plonger dans les profondeurs primordiales où résident les forces de la vie. Et quand il refait surface, ses yeux brillent d'une lueur de folie parce que dans ces profondeurs, la mort côtoie la vie. Le mystère primordial relève lui-même de la folie – la matrice de la dualité et de l'unité dans la désunion. [...] Plus cette vie prend vie, plus la mort s'approche, jusqu'au moment suprême – le moment enchanté où quelque chose de nouveau est créé – où la mort et la vie se croisent et s'étreignent dans un moment de folle extase. Si le ravissement et la terreur de la vie sont si profondément ancrés, c'est qu'ils sont intoxiqués par la mort. Chaque fois que la vie se renouvelle, la cloison qui la sépare de la mort est brisée pendant un instant. [...] La vie, devenue stérile, s'achève d'un pas branlant, mais l'amour et la mort se sont accueillies, se sont étreintes passionnément dès le début[30].

Walter Otto décrit la folie dionysiaque comme étant «le tourbillon de l'essence de la vie au cœur de la tempête de la mort[31]». On retrouve ce même paradoxe dans le passage suivant, écrit par une jeune femme enceinte:

Après avoir fait l'amour, je me suis mise à sangloter sans pouvoir me retenir. Je me suis cachée la tête dans les bras de mon mari. Je ne voyais rien que l'obscurité. Je me sentais à l'abri de tout regard, en sécurité. Je me sentais incroyablement vivante et passionnée dans tout mon corps – humaine, charnelle, vraie, détachée du monde, dans la passion de son corps et du mien. Je sentais la vie intensément, tout en sentant ma propre mort, ma mort solitaire, isolée et définitive. Alors une première fausse contraction m'a fait prendre pleinement conscience de l'accouchement prochain: tant de vie et de mouvement, tant d'événements physiques, réels, tellement liés au corps que je ne peux leur échapper.

Et en plus de cette réalité vivante, physique, il y a aussi la réalité de la mort, qui s'y rattache, faisant partie du même tout, de la même totalité. Bien sûr, nous cherchons des meubles d'enfant maintenant, nous nous préparons... et il y a aussi les préparatifs de la mort. Sont-ils vraiment si différents? Cet enfant quittera l'espace en moi pour rejoindre ce monde éphémère. Je crois cependant que la semence, qui est devenue cet enfant, a été déposée en moi il y a très longtemps, comme si quelqu'un de plus grand que moi avait déjà tout su de mon mariage. Cette vie prendra fin, mais il se peut que la vie elle-même continue d'une façon nouvelle, encore inconnue.

Tout comme les ménades grecques, les personnes souffrant d'assuétude fuient les situations statiques, le statu quo sans signification. À travers leurs jeûnes et leurs purges, il se peut qu'elles accomplissent inconsciemment des rites initiatiques qui, une fois compris, leur permettront d'échapper au corps purement biologique pour accéder au corps subtil. Il s'agit ici de femmes forcées, par leur assuétude, à se donner naissance ou à mourir. Elles doivent réaffirmer la nature au niveau conscient. La destruction aveugle de la nature par les hommes, qui tentent de les subjuguer, peut être rachetée par l'affirmation féminine de la nature dans leurs propres corps. Les actions humaines ont besoin de la bénédiction de la nature et pour cela il faut que la femme soit consciente. L'enfant de Marie était la nature, accueillie de façon consciente. L'incarnation est continuelle. Si le conscient manifeste le dieu ou la déesse en nous, alors, au cœur de l'énergie impétueuse de l'assuétude, se trouve peut-être la voix divine. Même si les victimes de troubles de l'alimentation paraissent complaisantes, désintéressées et obstinées, elles possèdent souvent un autre côté qui véhicule une force insoupçonnée. Leur vie passée à refléter les autres les met en contact avec l'inconscient collectif de la culture. Leur corps, leurs images, leurs rites ont une signification, ainsi que leurs rêves – dont les images reflètent le besoin de pouvoir animant les hommes et les femmes contemporains, qui emprisonnent en eux le féminin.

De telles images me font penser à Etty Hillesum, une jeune juive déportée des Pays-Bas et incarcérée à Auschwitz en 1943. Un an avant de mourir, très consciente du sort réservé aux siens, elle écrivait ce qui suit:

> La réalité, c'est quelque chose que nous endossons en même temps que la souffrance et les difficultés qui l'accompagnent. Et au fur et à mesure que nous les assumons, nous devenons plus résistants. Mais il faut nous défaire de *l'idée* de la souffrance, car l'idée n'est pas la réalité, puisque la *vraie* souffrance est productive et peut rendre la vie précieuse. Et si vous vous défaites des idées qui, comme des barreaux, emprisonnent la vie, vous libérez votre vraie vie, ses mobiles essentiels. C'est alors que vous trouvez la force de supporter la vraie souffrance, la vôtre et celle du monde.
> [...] Ô Dieu, accordez-moi de supporter la souffrance que vous m'avez imposée, et non seulement la souffrance que j'ai moi-même choisie[32].

Le médecin Elisabeth Kubler-Ross raconte qu'en visitant un camp de concentration après la guerre, alors qu'elle passait dans la caserne où des juifs avaient été enfermés avant d'être expédiés à la chambre à gaz, elle aperçut des dessins sur les murs, là où les enfants avaient été séquestrés. Leurs petites mains avaient dessiné des papillons, dans l'attente de la liberté.

L'amour – plus fort que la Mort, plus difficile que l'Enfer.

Meister Eckhart, (traduction libre).

L'une des tâches les plus difficiles faisant partie du processus d'individuation est d'établir un contact entre les gens. Il y a toujours un risque qu'une seule personne avance vers l'autre, ce qui, invariablement, donne lieu à un sentiment de violation suivi de ressentiment. *Dans toute relation, il faut maintenir une distance optimale*, qu'on trouvera, bien entendu, à force d'essayer et de se tromper.

C.G. Jung, Letters, *(traduction libre).*

Ce ne fut point la pénétration d'un ange – admettez-le –
qui l'effraya. Elle ne fut pas plus troublée que d'autres
quand les rayons du soleil ou de la lune
animent les objets de leur chambre.
Elle ne s'est point davantage indignée
de la forme que l'ange avait prise.
[...] Non, point sa pénétration; mais il pencha,
l'ange, un visage si jeune vers le sien, qu'il se fondit
dans le regard qu'elle leva vers lui, et tous deux
se rencontrèrent, comme si soudain tout, au dehors,
était vide. Ce que des millions voient, entendent, font,
était comprimé en eux; lui et elle seulement;
possédant et possédé; œil et plaisir de l'œil.
Rien d'autre en ces lieux – ô voyez
comme cela terrifie. Et tous deux étaient terrifiés.

Puis l'ange chanta sa mélodie.

Rainer Maria Rilke, «Annonce faite à Marie», *(traduction libre).*

Chez le mâle, sexe et agression peuvent être
combinés, mais non pas sexe et peur.
Chez la femelle, sexe et peur peuvent être combinés,
mais non pas agression et peur.
Et voilà le problème de l'animus-anima résumé en
quelques mots.

Marie-Louise von Franz,
The Problem of the Puer Æternus, *(traduction libre).*

Je souhaiterais connaître une femme
qui serait comme un feu éclatant dans l'âtre
brillant après les courants d'air incessants de la
journée.
De laquelle on pourrait s'approcher
dans la tranquillité vermeille du crépuscule
et vraiment prendre plaisir en elle
sans devoir consentir l'effort poli de l'aimer
ou l'effort mental de faire sa connaissance.
Sans devoir prendre froid, à lui parler.

D.H. Lawrence, «I Wish I Knew a Woman».,
(traduction libre).

6

Au cœur du cœur: Yin, Yan et Jung

L'amour consiste en ceci:
Deux solitudes qui se protègent,
se touchent et s'accueillent mutuellement.
Rainer Maria Rilke, (traduction libre).

Un matin d'avril, traversant le parc dans mes chaussures de clown, je méditais sur

cette scène fantastique
Cette expérience totale du Vert
Comme s'il eut été [mien][1]!

Et je me rappelais d'autres printemps, ceux de mes premières amours, quand j'avançais dans la brume timide du matin, chantant, me remémorant deux cœurs qui battaient au rythme de leur doux miracle, les jonquilles jaunes qui s'ouvraient plus jaunes, les cheveux plus ondulants, le sang qui coulait d'un rouge plus vif, et les bras ouverts qui embrassaient l'univers entier sans même un effort.

Soudain, je fus transpercée par une lance de forsythia, venue d'un autre printemps – immobilité –, instant d'alors, instant de maintenant, le regard troublé par les larmes, les buissons de forsythia et l'herbe verte se fondant en un mélange abstrait d'or et de vert. M*aintenant.*

[...] en ce moment suspendu, là est la danse,
Mais sans pause, sans mouvement. Et ne l'appelez pas fixité,
Là où passé et futur se rencontrent. Ni mouvement de recul ou en avant.
Ni ascension, ni déclin. Si ce n'était de ce moment, ce moment suspendu.
Il n'y aurait pas de danse, et il n'y a que danse.
[...] concentration
Sans élimination, le monde nouveau
Ainsi que l'ancien nous sont rendus explicites [...][2].

«Oui, pensai-je, les larmes consacrent l'unité. Le clair de lune aussi.»

La conscience féminine est une conscience lunaire – le reflet translucide de la perle qui illumine de ses délicats rayons de lune. Tandis que la conscience solaire analyse, discrimine, tranche et clarifie, traçant des frontières bien déterminées, la conscience lunaire unit; elle pense avec le cœur, et les pensées du cœur incorporent le passé, le présent et l'avenir. Elle se déplace dans le Temps hors du temps. Et bien que les larmes puissent faire partie du voyage, les larmes du cœur pensant ne sont pas teintes de sensiblerie. Le cœur sait ce qui est vrai. Il bat dans la réalité de *maintenant*, et quand nous pensons avec le cœur, nous ne revenons pas en arrière traverser les corridors nébuleux de l'esprit. Nous sommes dans la réalité de *maintenant* – la réalité d'autrefois est toujours vraie et elle le demeurera à jamais. Quiconque sait se donner comme point de départ cette réalité tranquille sera libre d'être vierge, libre d'aimer et d'être aimé, libre d'émerger d'un centre de gravité et libre de laisser les autres émerger du leur.

À mesure que sont arrachés les voiles de l'illusion, nous reconnaissons l'être sacré à l'intérieur de nous. Nous reconnaissons également que le monde ne peut se résumer à une dichotomie contradictoire. Il serait enfantin de structurer la vie de la sorte: une fois le paradoxe de la totalité assumé, l'armure qui nous protégeait contre un monde d'ennemis devient la pleine armure de Dieu, l'armure de l'invincibilité qui protège le buisson sacré intérieur.

C'est là que Dieu est à la fois Lui et Elle – lumière du soleil qui illumine avec clarté, rayon de lune qui illumine avec amour. Notre énergie ne sert plus à combattre l'ennemi, mais à faciliter l'épanouissement de la rose créatrice dans le feu même de la conscience. Nous passons du viol au ravissement.

Il n'est pas facile d'incorporer cette vision. On a parfois l'impression d'être des éternels puiseurs d'eau munis de pots fêlés. Et ce sont nos relations, qui reflètent la présence de Dieu dans notre vie, qui nous font constater cette fêlure. L'amour éternel a ses racines dans l'amour humain. C'est dans les petites choses que le mystère divin nous touche (ou ne nous touche pas): donner une fraise, *avec amour*; se laisser toucher, *avec amour*; partager l'éclat flamboyant d'un coucher de soleil automnal.

Dans le présent ouvrage, je me suis concentrée sur la tâche des femmes qui tentent de se libérer de leurs complexes paternel et maternel. Cette tâche n'est pas moins ardue pour les hommes dont la féminité intérieure est psychologiquement violée par les valeurs collectives. Leurs rêves à eux aussi sont remplis de bébés femelles mutilés, de jeunes femmes enchaînées que l'on traîne, de grand-mères qui pleurent, de prisons et de tours qui emmurent le féminin. Les vidéos rock et la pornographie, qui nous montrent des femmes dont la sexualité est aveugle et insatiable et qui présentent l'acte sexuel comme un geste de manipulation et de violence, ravagent l'âme qui vit de symboles. Les images dont nous nous nourrissons régissent notre vie. Si nous acceptons de devenir des poubelles pour la pornographie tamisée de la publicité et des téléromans, nous laissons profaner notre féminité. La télévision nous bombarde d'images de victimes menacées qui cherchent un Papa fort, ou de sorcières dont le seul but dans l'existence est de détruire leur homme. De tels portraits ont tendance à nous rendre insensibles et à nous empêcher de prendre conscience du viol de notre propre personne.

De nombreux hommes, cependant, sont profondément conscients de leur propre féminité menacée et de l'angoisse qui habite leur femme ou leur partenaire. Ainsi, un ami thérapeute me confiait, dans une lettre: «Il y a tellement longtemps que je me bats, que je me tue à aider les femmes à découvrir leur propre féminité emprisonnée. J'ai été le conseiller de nombreux couples avant leur mariage et j'ai vu trop d'hommes qui n'avaient aucune idée du féminin qui est en eux et, encore moins, du féminin de leur future épouse. Je me sens tellement impuissant devant l'ampleur du problème. [...] J'ai longtemps cru que, d'une certaine façon, l'homme pouvait amener la femme à s'épanouir, l'aider à passer du bouton fermé à la fleur ouverte. Mais je me suis aperçu que bien des féministes ne partagent pas cette idée, convaincues qu'elles sont de pouvoir «y arriver toutes seules». Je sais aussi que si l'homme veut être en mesure de s'aquitter de cette tâche, il doit être en contact avec sa propre masculinité intérieure – je ne parle pas de cette attitude «macho» généralement reconnue, mais de la vraie masculinité qui a suffisamment de force pour reconnaître aussi le féminin qui l'habite.»

La problématique féministe soulève d'autres questions que je ne commenterai que brièvement. Notre culture est redevable aux victoires des pionnières des mouvements féministes, mais les femmes qui ne cessent de vociférer leurs protestations contre les hommes et qui s'évertuent à cerner leur psyché femelle devraient prendre le temps d'examiner leurs propres rêves. La rigidité détruit la spontanéité, et ce fait apparaît souvent dans les rêves où des petites filles sont violées. Mais leur rigidité ne leur permet pas de reconnaître que les hommes sont tout autant victimes du patriarcat et de la mère phallique que les femmes, et qu'un animus ouvertement ou subrepticement hargneux arrive sans difficulté à tuer dans l'œuf leur féminité. Dans une culture qui chancelle au bord de l'anéantissement, il ne fait aucun doute que nous devrions viser à travailler ensemble plutôt que de nous acharner sur des problèmes qui ne font qu'amplifier la division.

Je regarde les rêves de femmes tyrannisées par des violeurs, des voleurs et des dictateurs, et je regarde les rêves d'hommes menacés par des requins, des chats sauvages, des sorcières. Je vois les images que chaque sexe projette sur l'autre et je me demande comment on arrive à coexister sur la même planète, voire dans la même maison ou dans le même lit. Ce qui se passe à l'intérieur se manifeste à l'extérieur ou, comme le dit Jung: «Quand une situation intérieure n'est pas amenée sur le plan du conscient, elle se produit à l'extérieur sous forme d'un destin[3].» Tant que nous demeurons inconscients, nos sentiments ambivalents composent les images de nos rêves. Une femme croyant aimer son mari rêve qu'elle lui sert un magnifique plat de crevettes empoisonnées. Un homme qui adore sa femme rêve qu'il lui transperce le cœur avec un pieu. Tant qu'on ne fera pas passer la guerre intérieure au plan du conscient, le monde extérieur demeurera le champ de bataille des sexes, aussi serein puisse-t-il nous sembler par moments.

C'est l'amour avec lequel on brandit l'épée affûtée de la discrimination qui fait la différence entre l'union et la séparation. Si l'on s'attache à réunir des opposés, l'accent est mis sur *maintenant*; la frontière qui sépare le masculin et le féminin s'estompe amoureusement puisque les parties sont subordonnées au tout.

Il ne s'agit pas de «l'unisexe» où féminin et masculin sont à peu près indifférenciés, étroitement enlacés dans un grand cocon psychique. Il s'agit plutôt de la différence subtile entre le Yin et le Yang, chacun contenant une partie de l'autre, chacun étant le complément de son opposé.

Dans *L'homme et ses symboles*, Marie-Louise von Franz nous explique les quatre stades du développement de l'anima chez l'homme. Elle nous les présente ainsi:

> Le premier pourrait être parfaitement symbolisé par Ève, qui représente les relations purement instinctuelles et biologiques. Le deuxième est incarné par l'Hélène de *Faust*; elle personnifie le niveau romantique et esthétique, encore caractérisé cependant par des éléments sexuels. Le troisième pourrait être représenté par la Vierge Marie, une figure dans laquelle l'amour (Éros) atteint l'altitude de la dévotion spirituelle. Le quatrième est la sagesse, qui transcende même la sainteté et la pureté, symbolisée entre autres par la Sulamite du Cantique des Cantiques. (Ce stade est rarement atteint dans le dévelop-

pement psychique de l'homme moderne, et la Mona Lisa est le symbole qui se rapproche le plus de la sagesse de l'anima[4].)

Bien que ni Jung, ni von Franz n'aient fouillé la question de la Sulamite, la sensibilité contemporaine pourrait voir dans cette reine «noire... mais jolie» (Cantique des Cantiques 1:5), un symbole équivalant à la Madone noire. Ce quatrième stade du développement de l'anima chez l'homme marquerait l'intégration de sa sexualité et de sa spiritualité.

Au premier stade, symbolisé par Ève, l'homme est esclave du complexe maternel, il est l'enfant non sevré se nourrissant au sein tout-puissant. Le besoin est réciproque: le sein doit se vider et l'enfant prend plaisir à être allaité. Les besoins de dépendance sont satisfaits: la Mère Nature joue son rôle, rôle essentiellement symbiotique et interactif. Quand la Mère refuse de donner le sein, elle devient la sorcière manipulatrice et aucun homme ne saurait satisfaire à ses exigences.

Et il ne faut pas grand chose pour en arriver là, comme en témoigne l'anecdote suivante de la vie d'un couple dont le mariage était en difficultés sérieuses. Après une fin de semaine cruciale de dialogue, les deux partenaires se croyaient sur la voie de la réconciliation. Le lundi matin, au moment où la femme s'apprêtait à partir au travail et que son mari était sur le point de dévaler l'escalier pour venir l'embrasser (baiser qui revêtait beaucoup d'importance à ce moment particulier de leur union), elle lui lança: «Apporte-moi les Kleenex.» Il resta figé entre les deux étages. Il n'y avait aucune malice dans cette demande, mais le mari complexé l'entendait autrement: sa mère négative lui imposait une ligne de conduite, et sa masculinité bourgeonnante lui fit répondre: «Non!»

Dans un autre ordre d'idées, examinons le grand nombre de «relations» et de mariages qui, dans notre culture contemporaine, ne dépassent jamais le deuxième stade, le stade de l'Hélène de Faust. Une fois la mère négative démasquée et le père négatif neutralisé, il arrive souvent que les hommes et les femmes constatent brutalement qu'ils n'ont jamais vécu leur vie. Il y a alors

Dessin d'homme représentant la «montagne-anima», le féminin lié à la matière (le stade d'Ève dans le développement de l'anima).

émergence de la dichotomie inconsciente vierge/putain. Le cercueil de verre de la vierge idéalisée peut voler en éclats, la projetant dans l'énergie sexuelle diffuse de la putain. Il peut s'ensuivre une période transitoire dangereuse à l'intérieur de laquelle le moi de la femme ou l'anima de l'homme, coupés des valeurs affectives différenciées, risquent de se départir des «perles et des rubis» de leur féminité pour une cause romantique, qu'elle soit religieuse, politique ou morale. Sur le plan psychologique, la relation est fondée sur une projection archétypique. L'homme projette son âme sur la femme, la femme projette son âme sur l'homme; les deux s'accrochent de peur de perdre la moitié d'eux-mêmes, puis crient de panique quand les comportements de leur partenaire ne correspondent plus à leur projection archétypique. Ils sont amoureux de l'amour, prisonniers de leurs propres idéaux.

La dynamique tragique qui lie Othello et Desdémone, dans la pièce de Shakespeare, nous montre les dangers de la projection archétypique, le soit-disant amour romantique. Othello, le Maure noir, le guerrier loyal, le fils de la mère, l'homme primitif, projette sur son épouse Desdémone, dont «la peau [est] plus blanche que la neige[5]», la perfection de la femme. Elle, la fille qui a idéalisé son père, projette sur son époux la perfection de l'homme. Berné par Iago, son ombre, le Maure insécure croit que sa femme le trompe et lui tend un piège en se servant du mouchoir sur lequel sa mère a brodé des fraises. Malade de jalousie, Othello croit tous les mensonges de Iago et finit par décider que «cette rusée putain de Venise[6]» doit mourir parce qu'elle ne correspond pas à son image idéalisée de la femme. Desdémone, pendant ce temps, prépare sa chambre comme s'il s'agissait d'un rituel. Sachant inconsciemment que son lit nuptial deviendra son lit de mort, elle chante le fatidique hymne au saule:

> Chantez tous le saule vert dont je ferai ma guirlande!
> Que personne ne le blâme! J'approuve son dédain [...][7].

Quand Othello vient éteindre «d'abord cette lumière; et puis [...] celle-ci[8]», son amour est déjà ravagé par son jugement erroné:

> C'est la cause, c'est la cause, ô mon âme!
> Laissez-moi vous le cacher à vous, chastes étoiles!...
> Pourtant il faut qu'elle meure; autrement elle en trahirait d'autres[9].

Sur le point de l'assassiner, il l'embrasse pendant qu'elle repose dans son sommeil, sommeil dans lequel elle a été plongée pendant la plus grande partie de sa vie:

> Jamais chose si douce ne fut aussi fatale. Il faut que je pleure, mais ce sont des larmes cruelles.
> Cette douleur-là tient du ciel, elle châtie qui elle aime[10].

Sans l'amour humain qui reconstruit leur réalité humaine, ils ne peuvent percer le voile de l'illusion. Othello voit en elle sa propre âme; Desdémone est inconsciemment complice de cette identification. Ensemble, ils consomment le mariage mortel.

Ce ne sont pas tous les couples qui constellent un mariage mortel, mais beaucoup d'entre eux, embourbés dans leur «divin chagrin», font surgir la mort de leur propre mariage. Vus par tous comme «le couple parfait», forts de ce que les autres pensent d'eux, ils dépérissent derrière leur masque parfait. Leur interaction est souvent fondée sur l'idéalisation de celui qui donne; l'action de donner est alors idéalisée, mais derrière le don se cache le pouvoir. «Mon amour pour toi dépend de ce que tu peux me donner, et je t'en donnerai pour que tu m'aimes.» Les archétypes des parents déterminent cette relation, lorsque les valeurs affectives individuelles n'ont pas été différenciées des attitudes collectives. La mère a besoin du fils; le fils a besoin de la mère; le père a besoin de la fille; la fille a besoin du père. Tôt ou tard, le tabou de l'inceste est constellé entre eux. La sexualité devient un problème et la communication en souffre. «Maman» vit avec «Papa». Dans leur désir de maintenir une harmonie de surface, le côté viscéral de leur relation n'est pas admis; l'individu a peur d'être confronté à l'individu. Il en résulte parfois une brisure énorme: les projections du père et de la mère sont maintenues, mais l'instinct cherche ailleurs un partenaire érotique. Le tragique de l'histoire, c'est que tant que la vierge mûre ne sera pas libérée de la mère, le cycle se répétera. En rêve, on sera encore au lit avec papa ou maman; dans la vie réelle, on partira encore une fois à la recherche d'un nouveau partenaire sexuel.

Prisonniers de leurs visions romantiques, certains désespèrent de jamais pouvoir changer le modèle archétypique dans lequel ils sont figés. «À quoi bon aller en analyse?» demandent-ils. «Ça ne fait que me rendre plus conscient de ce qui se passe – de l'horrible obligation d'aller au bout de mon destin.» Ils ont l'impression de tourner en rond, de vivre des situations différentes, mais selon la même dynamique, une dynamique qu'ils ont consciemment tenté d'éviter. Avec un peu plus de discernement, ils en viennent à réaliser qu'ils ne sont plus au même endroit, mais qu'ils ont atteint un nouvel anneau de la spirale. Peut-être s'identifient-ils moins qu'auparavant au désespoir ou à la peur, la peine, l'abandon. Peut-être sont-ils plus objectifs, laissant passer en eux le flot de leur chagrin et de leur rage, sans être emportés par l'un ou l'autre. Leur moi ne se laisse peut-être plus inonder par l'énergie archétypique et il risque moins, ainsi, de mettre en scène le modèle archétypique. Il ne fait aucun doute qu'une mort a lieu, un sacrifice que l'on doit percevoir et traiter comme tel, sans quoi il y a danger d'anéantissement. L'identification archétypique fait partie de ce qui doit être sacrifié. Et c'est justement ce que les gens ne veulent pas sacrifier – l'idéalisation, l'obsession, la perfection de la joie, même la perfection de la souffrance.

Une Desdémone qui porte la projection paternelle de la vierge idéalisée finira fatalement par sacrifier sa féminité au profit d'un Othello. Le rêve suivant, d'une femme dans la trentaine avancée, vient confirmer cette affirmation. Diminuée dans ses relations avec les hommes par une mère avide de pouvoir et un père *puer* alcoolique, Kate, après un an d'analyse et plusieurs années de thérapie et d'écoute du corps, a fini par trouver sa propre déesse sombre. Le rêve que voici a marqué le début d'une transformation majeure de sa masculinité et de sa féminité.

Je me trouve sous la jupe d'une jeune esclave noire. Je regarde son vagin. Une larme s'en échappe. J'entends ma voix qui se fait plus forte et plus mélodieuse à mesure que je chante un hymne à son vagin. Ma voix s'amplifie avec mon chant et pendant que je chante, son vagin devient d'une beauté exquise; la larme se transforme en une goutte scintillante. Je me sens hypnotisée par elle. Je ressens d'abord une certaine répulsion, mais la signification des sécrétions vaginales en tant que symbole de l'essence féminine m'amène graduellement à accepter sa féminité. Je ressens le désir de m'y perdre. Je commence à comprendre pourquoi les hommes aiment les caresses bucco-génitales.

Puis je sors de dessous sa jupe et je suis un garçon. La fille se défait de ses perles pour me les offrir en gage d'amour et d'appréciation. Je crains l'homme qui la possède; j'ai peur qu'il la batte. Elle se laisse glisser sur un sofa, pâmée d'admiration, et reste étendue là, telle l'esclave d'un sultan. La fille veut que je la prenne, mais j'ai peur que l'homme se venge sur moi. Je reste là, debout, sans plus. Et je redeviens une femme.

Alors le rêve se déroule à nouveau, vu d'en haut. Je regarde un homme noir chanter les louanges du vagin de la fille et prendre ses perles. Je me rends compte qu'elle fait don de la seule chose précieuse qu'elle possède. Je regarde la fille, puis l'homme. Avec elle, il pourrait s'enrichir, mais il n'a nullement l'intention de l'aimer. Je regarde l'homme, essayant de trouver chez lui une preuve de la tendresse qui m'a fait louer le vagin de la fille. Au lieu de cela, je vois sa bouche se tordre de cupidité. La fille croit s'unir à l'homme en lui faisant don de ses perles. En fait, elle se départit de toute valeur.

La tendresse croissante et soigneusement modulée des sentiments envers l'esclave noire nous rappelle le rêve initiatique de Béatrice, au chapitre 4 (page 147). La jeune fille noire est esclave parce qu'encore indifférenciée, c'est-à-dire que le rêveur la connaît relativement peu, ce qui fait qu'elle est encore unie au «sultan» par les liens de l'esclavage. Comme Kate le conçoit, l'esclave est un amalgame du côté ombre de sa mère idéaliste et de l'anima primitif de son père. Au début, le moi du rêve éprouve du dégoût devant sa fascination pour le vagin de l'esclave, attitude envers le corps féminin que la rêveuse a inconsciemment adoptée sous l'influence de ses parents. Quand, par le chant (ses vrais sentiments), le moi du rêve transcende cette réaction contre nature, elle désire «se perdre» dans la sexualité de la fille, voyant dans la larme vaginale un symbole de l'essence féminine.

Soudain, le moi du rêve abandonne sa chanson féminine et se voit en homme attiré par des relations bucco-génitales. La chanteuse se transforme alors en garçon – aspect masculin de la rêveuse, trop faible, cependant, pour protéger le féminin. Simultanément, la jeune esclave perd conscience et devient l'esclave d'un sultan (le monde du père autoritaire). D'un geste émouvant, la fille essaie de remercier la rêveuse de l'avoir au moins, ou enfin, reconnue, et elle lui fait présent de son unique bien, ses perles, qui symbolisent le clair de lune lumineux, et dont le lustre dépend de la peau vivante sur laquelle elles reposent. La rêveuse, cependant, se tient debout, impuissante, incapable de les recevoir; son moi n'est pas encore assez fort pour accueillir la puissante énergie féminine qu'elles représentent.

Dans la réalité, les parents de Kate avaient toujours méprisé la sexualité. À deux moments importants de son développement, a cinq ans et à treize ans, son père avait violemment réagi devant sa sexualité naissante. À cinq ans, elle avait eu droit à une bonne fessée, culotte baissée, pour s'être amusée à des attouchements sexuels avec un petit garçon. À treize ans, elle était constamment victime d'abus physiques empreints d'un caractère nettement sexuel. Lorsque son père ridiculisait le corps de sa fille, il projetait sur elle sa propre anima putain. Auparavant, il avait projeté sur elle l'image de la vierge pure comme le lys, rôle qu'elle tentait consciemment de remplir à travers son orientation spirituelle. Pendant ce temps, sa mère clamait son horreur de la sexualité, mais faisait sans cesse la chasse aux «obscénités». Elle aussi se moquait des seins naissants et de la féminité bourgeonnante de sa fille. Leur comportement ambivalent à son endroit avait créé chez Kate la dichotomie vierge/putain reflétée dans son rêve.

La violence du père ressort dans ce rêve: c'est la peur que l'homme passe sa vengeance non seulement sur l'esclave mais sur la rêveuse elle-même. Elle est incapable de bouger. Pétrifiée dans l'attitude *puer* du père qui était terrifié par le pouvoir chthonien du féminin, elle demeure impuissante, sous l'aspect d'un jeune garçon, incapable de réclamer sa propre féminité. Bien que la jeune fille noire, éventuellement sa Vierge noire, lui tende la main, elle est incapable de recevoir.

Alors, comme pour s'assurer qu'elle reçoit bien le message, le rêve se répète, mais cette fois la rêveuse se voit dans la personne d'un homme noir qui est effectivement en train de violer l'esclave. Il s'agit ici du côté ombre du père sultan tyrannique, dont la sexualité chaotique dévaste l'ombre féminine inconsciente. Bien qu'il aille jusqu'à chanter les louanges du féminin, il ne témoigne d'aucune tendresse, d'aucun amour personnel pour l'esclave. Au contraire, l'avidité lui déforme les lèvres.

Commentant son rêve, Kate dit: «Si j'avais habité consciemment cette fille noire, elle n'aurait pas été esclave. En regardant l'homme noir prendre ses perles – essence de son identité féminine –, je me rendais compte qu'elle se défaisait du seul bien précieux qu'elle possédait. Peu importe son statut, c'est à ces perles qu'elle le devait, et grâce à elles, les hommes la traitaient avec respect bien qu'elle fût esclave. Trop naïve pour garder son propre être intact, elle était sentimentale et complaisante, convaincue que l'homme l'aimerait si elle lui remettait ses perles de gratitude. Sans ses perles, elle se retrouvait complètement à la merci de l'homme; sans elles, elle serait condamnée à traîner dans la rue. L'homme, dans sa cupidité et sa lubricité, ne s'intéressait aux perles que pour leur valeur matérielle. L'esclave, elle, les offrait comme un gage d'amour – un cadeau de l'âme.

«Je me rends compte de l'importance du point de vue féminin par rapport au point de vue masculin. Les femmes ne conservent pas leur propre façon de voir. En tentant de plaire, elles se défont de leurs perles, de leur âme. Elles croient ainsi faire preuve d'appréciation, d'amour. En réalité, elles sacrifient leur propre vigueur, leur propre substance; elles se dégonflent. En donnant leurs perles, elles finissent par s'abandonner à la lubricité de leur propre masculinité. La profanation qui a lieu dans la psyché d'une femme qui ne sait pas s'apprécier en tant que femme se déclare au grand jour à travers ses relations avec un homme.»

Le déséquilibre entre le masculin et le féminin dans la psyché de Kate ressort clairement dans ce rêve. En tant qu'anima de son père, elle agissait en fonction de la psychologie masculine, jouant le rôle que les hommes attendaient d'elle au lieu de suivre ses propres instincts de femme. À ce stade de son évolution, il lui manque la force masculine nécessaire à l'appréciation de sa féminité bourgeonnante, tout comme il lui manque le sens inné de sa valeur personnelle, sinon la jeune fille noire du rêve n'aurait jamais trahi sa propre essence. Le jeune garçon se tient debout, figé, pareil à l'homme trop lié à sa mère qui craint l'authentique féminité. Tant que la rêveuse n'appréciera pas consciemment son propre côté «sombre» d'esclave, le côté ombre du patriarcat continuera de violer psychologiquement le féminin en elle. Des dynamiques analogues constituent les éléments mêmes de notre inconscience culturelle.

Kate devait vivre encore une autre relation, au cours de laquelle elle céda ses «perles» à un homme, avant d'être en mesure de briser le modèle. Deux ans après le rêve de l'esclave noire, Kate a rêvé à un grand oiseau noir (symbole de la mère phallique négative) qu'escortait au loin un jeune homme (son animus héros), qui avait bien voulu accepter la tâche dangereuse d'emporter l'oiseau vers une terre lointaine. Le garçon craintif du rêve précédent avait alors assez de pouvoir pour affronter la mère négative. Il fallait cette énergie masculine pour que le conscient arrive à se déployer et évoluer. Dans la vie réelle, Kate consacrait toute son énergie à se bâtir un monde à elle.

L'année suivante, un nouvel homme entrait dans sa vie. La nature de leur relation faisait constamment appel aux réponses de sa féminité consciente. Cet homme n'était pas du genre à se laisser mener et elle devait sans cesse réprimer le désir qu'avait son moi de lui donner sans cesse des «coups de coude». Quand elle fut capable de «lâcher prise», son animus positif émergea. Vers la fin d'un long rêve, un jeune homme apparaît dans la cuisine de Kate. Une essoreuse à laitue se transforme en bocal qui contient cinq poissons vivants; puis l'eau devient du feu qui se répand sur le dessus de la main gauche de l'homme. Quand il met sa main droite sur sa main gauche, les deux sont en feu. D'un geste suppliant, il tend les deux mains vers elle. Elle regarde autour et aperçoit une serviette de tissu blanc sur le parquet en pin, elle la mouille et en recouvre les mains de l'homme. Puis elle les voit tourner au rouge vif sous le tissu. Plus tard, les mains de l'homme ne portent plus de trace de brûlures.

La transformation, qui a lieu en rêve, passe du produit de la terre à l'eau vivante, puis au feu sacré. Quand Kate a été capable d'aimer l'homme lui-même et non pas l'image qu'elle projetait sur lui, l'Esprit n'a plus été une fantaisie dans le ciel mais une réalité dans sa cuisine – avec le feu de l'Esprit Saint dans son bocal à poissons. Ouverte au don que lui faisait la vie, elle voyait les mains non pas comme de la chair qui recouvre des os, mais comme de la chair humaine consacrée par l'esprit – le mystère de l'amour qui brille, incandescent, la substance incorruptible recouverte de son propre voile sacré. Elle n'était plus une esclave qui fait don de ses perles, qui vend sa féminité à la cupidité et à la lubricité. Kate vivait désormais une relation qui exigeait de l'amour vrai, des souffrances réelles – rose abandonnée au feu des flammes.

La vraie souffrance purifie; les flammes de la souffrance névrotique produisent, elles, de plus en plus de suie. On assiste dans notre culture, à l'émergence du phénomène suivant: un nombre sans précédent d'individus essayent d'articuler leurs relations réciproques autour d'Éros, ce qui correspond selon Jung, au troisième stade du développement de l'anima. Dans une relation fondée sur Éros, les deux partenaires sont en contact avec leur propre vierge en devenir; ils établissent des relations interpersonnelles où l'on ne demande plus «ce que chacun peut *faire* pour l'autre» mais «ce que chacun peut *être* pour l'autre». Bien que craintifs, ils tentent d'ouvrir leur cœur et trouvent le courage de se jeter dans le feu qui purifie.

La relation humaine intime, telle que je la conçois, signifie que deux personnes sont au même diapason, qu'elles sont parfaitement accordées sur les mêmes harmoniques, tout en cherchant chacune à devenir consciente de sa dynamique propre. Le mystère de chaque individu est sacré, et le mystère qui met chacun en relation avec l'autre est ténu, invisible et tout aussi sacré. Comme l'écrivait Jung à la mort de son ami, le père Victor White: «Le mystère vivant de la vie est toujours caché entre Deux, et c'est le vrai mystère qui ne peut être trahi par les mots ni détruit par la raison[11].»

Dans une telle relation, les deux partenaires essaient de prendre davantage conscience de leurs complexes et de leurs côtés masculin et féminin; tous deux acceptent de réfléchir à leur interaction, et tous deux ont le courage d'honorer le caractère unique de ce qu'ils partagent. Nul n'essaie de posséder l'autre, nul n'a le désir d'être possédé. La relation elle-même n'est pas entravée par la pression des besoins et des attentes rudimentaires. Les partenaires n'exigent pas une relation «totale», pas plus qu'ils n'espèrent qu'elle les rendra entiers. Pour eux, la relation est précieuse dans la mesure où elle est ce contenant dans lequel se réfléchit la complétude qu'ils cherchent en eux-mêmes. Chacun a la liberté d'être authentique. Vivant *maintenant*, et ne jugeant pas la façon d'être ou d'agir de l'un ou de l'autre en fonction des idées généralement admises, ils n'ont aucun moyen de prévoir l'évolution de leur relation. S'ils persévèrent, peut-être connaîtront-ils la grâce de la licorne, telle que nous la décrit Rilke dans ses *Sonnets à Orphée*:

> Elle, c'est la créature qui n'a jamais existé
> Ils ne l'ont jamais connue, n'empêche,
> ils ont aimé sa façon de bouger, sa souplesse,
> son cou, son regard même, doux et serein.
>
> L'éternelle absente, parce qu'ils l'aimaient, a fait semblant
> d'être présente. Ils lui ont toujours laissé un espace
> Et dans cet espace clair, non peuplé, qu'ils lui ont réservé
> elle a relevé la tête légèrement, laissant à peine deviner
>
> Son absence. Ils l'ont nourrie, non pas de blé,
> mais seulement de sa possibilité d'être.
> Et cette nourriture lui a conféré une telle force
>
> Qu'une corne a poussé sur son front. Une corne.
> Dans sa blancheur, elle s'est faufilée jusqu'à une jeune vierge, afin d'être dans le miroir d'argent et en elle[12].

Ceci peut nous sembler idéaliste, mais toute personne engagée dans le processus de «création de l'âme» sait qu'il s'agit de réalité ferme. Cela exige honnêteté, fermeté, humilité, humour, détachement, et la capacité d'endurer la douleur du sevrage des projections. Et la liste pourrait s'allonger. Il faudrait y ajouter foi, amour et espérance – quand il y a peu de raisons d'espérer.

L'existence d'une telle relation dépend de la façon dont les partenaires réagissent aux nuances de plus en plus subtiles qui accompagnent l'évolution du masculin et du féminin chez l'un comme chez l'autre. Chacun s'aventure sur un territoire nouveau parce que chacun essaie de communiquer avec l'autre, non pas à travers les complexes manipulateurs, mais à partir d'un centre conscient. Voilà ce qu'est la relation *humaine*, «Je t'aime comme tu es». Cette sorte de relation n'est pas possible tant que les personnes sont esclaves des modèles archétypiques, sur les plans instinctif ou spirituel. C'est la liberté par opposition à l'esclavage; c'est regarder un autre être et, plutôt que de vouloir en être aimé, l'aimer – aimer la beauté, le courage et la fidélité d'une âme distincte et en évolution. Ce n'est pas l'«union», c'est la séparation psychologique qui laisse un «espace libre, non peuplé», ouvert à «la possibilité d'être».

La tâche la plus ardue est celle de renoncer aux projections. Nous craignons de nous apercevoir que nous sommes seuls, essentiellement. Mais là où réside notre peur se trouve notre tâche. La projection est un processus naturel par lequel, à condition d'être attentifs, nous arriverons à reconnaître notre propre monde intérieur. Le retrait de nos projections nous permet d'entrer en possession de ce que Jung appelle nos «trésors»:

> Lorsque vous êtes dans un état de début de vie, dans un état d'esprit adolescent, vous n'êtes pas en possession de l'animus – ou de l'anima, pour l'homme – et vous n'avez pas conscience du Soi, parce que tous deux sont des projections. Vous êtes alors [...] susceptible d'être possédé par quelqu'un qui en apparence détient ces valeurs; vous tombez sous l'influence des possesseurs apparents de vos trésors et il s'agit, bien entendu, d'une sorte d'influence magique.
>
> Il faut alors comprendre que plus la fascination vous tient, moins vous pouvez bouger. [...] Vous êtes en prison, sans liberté aucune.
>
> C'est pourquoi les gens ont peur les uns des autres – ils craignent que quelqu'un ne les mette en prison. Grand nombre de personnes éprouvent une peur terrible de s'attacher [...] comme si leur âme elle-même s'en trouvait menacée[13].

Ce genre de peur peut conduire quelqu'un à se résigner à une vie sans relation significative: la douleur qu'engendrerait un espoir déçu serait trop grande. Ils refusent de courir le risque de tomber amoureux «encore une fois». Cependant, l'individuation ne peut avoir lieu en dehors de la relation. Ainsi, comme le précise Jung:

> Si vous acceptez le fait d'être pris, bien sûr, vous êtes emprisonné, mais en revanche il vous est donné une chance d'entrer en possession de vos trésors. Il n'existe pas d'autre moyen; vous n'entrerez jamais en possession de vos trésors si vous gardez vos distances, si vous courez partout comme un chien errant[14].

Les projections sont porteuses d'une énergie très réelle; elles nous soutiennent ou nous écrasent. Si quelqu'un nous frappe avec une projection empoisonnée, nous la sentons, que nous en soyons conscients ou non. Si nous sommes touchés par une projection amoureuse, notre énergie est libérée; elle sera cependant étouffée si nous sommes la cible d'une projection de puissance. Plus nous devenons conscients, plus nous nous rendons compte des projections que nous avons faites sur les autres, du bon autant que du mauvais qui est en nous. Inconsciemment, nous leur avons demandé de prendre sur eux ce que nous n'avons pas su admettre en nous-mêmes – ou cette partie de nous que nous n'avons pas su réaliser.

Tant qu'elles ne sont pas assimilées par le moi conscient, les projections sont chargées de l'énergie archétypique. Notre nature propre ainsi que les circonstances individuelles de notre enfance nous mettent en contact avec des modèles archétypiques particuliers qui forment la trame de notre vie. Mais nos rapports avec ces archétypes ne dépendent que de nous. Ainsi, nous pouvons nous laisser imposer un modèle et le vivre aveuglément, sans jamais nous demander qui nous sommes; nous pouvons nous identifier avec un modèle qui va à l'encontre de notre nature et, de ce fait, nous enterrer vivants; alors nous pouvons haïr notre destinée apparente, provoquant une réaction négative de la part de l'inconscient (conflit chronique, accidents, maladie), ou nous pouvons reconnaître nos paramètres personnels et célébrer le mystère de la personne que nous sommes. Ce dernier choix fait appel à une redéfinition de la «souffrance» que l'on considérera dorénavant non pas comme une douleur à éviter à tout prix, mais comme le travail naturel inhérent à tout processus de croissance.

Prenons comme exemple une femme qui, à travers l'expérience d'elle-même, se rend compte qu'elle est une «fille à papa». Avant d'en devenir consciente, elle ne pouvait espérer être un jour libérée. Cependant, une fois qu'elle reconnaît ce fait, elle réalise que tout n'est pas perdu. Elle voit qu'elle est à la fois bénie et maudite et qu'un sauveur l'habite. Elle peut projeter son père sur un homme mortel et vivre la «passion infinie, et la douleur des cœurs finis qui aspirent en vain[15]» ou établir des rapports intérieurs avec cette image archétypique et laisser à son partenaire humain tout loisir d'être qui il est. Si elle arrive à célébrer sa réalité psychologique en explorant consciemment les liens qui l'unissent à l'imagination créatrice, elle peut alors réclamer son droit sacré de gérance des dons de l'inconscient, dons qui sont naturellement siens. Elle jouit alors de la liberté qui lui permet de voir l'homme qu'elle aime dans la pleine dignité de sa masculinité, peu importe ses limitations personnelles. Le mystère évanescent de l'amour humain dans son sourire, la configuration changeante de son visage, les nuances de sa voix – ce sont là, les ponctuations qui confèrent à la vie mortelle, un sens à l'intérieur du contexte de l'immortel. Savoir qui nous sommes, célébrer qui nous sommes: voilà des façons d'invidualiser l'archétype.

L'animus positif se manifeste à travers l'énergie créatrice de la femme. Son rayonnement ne trompe pas. Il est le bien-aimé intérieur et le guide vers le Soi. Il apparaît rarement en rêve tant que la femme ne possède pas un moi assez fort pour prendre sur elle la responsabilité de ses propres dons intérieurs. Sarah, la femme du chapitre 5, dont l'ombre était encore esclave du père (page 203), a travaillé fort sur sa tendance à remettre l'autorité au patriarcat et à projeter son propre talent de création sur des hommes créatifs. Plus important encore, elle a abandonné la lutte épuisante qu'elle livrait au nom de son «identité propre»; elle s'est laissé prendre en main par son propre Être, par sa propre vierge réceptive, et elle a attendu que la vie vienne jusqu'à elle.

En travaillant à contenir son énergie psychique plutôt que de la projeter, Sarah est arrivée à amener son propre talent artistique au niveau du conscient. Elle s'est engagée envers ce qu'elle croyait être son don et a établi une relation d'amour avec sa créativité en lui aménageant un espace dans sa vie. Elle a dû affronter une nouvelle crise quand est venu le moment de présenter son œuvre au grand public. Son propre animus perfectionniste et, par conséquent, les hommes sur qui elle projetait cet animus l'en dissuadaient. Le rêve suivant, survenu un an après celui des jumeaux (page 207), l'a libérée de sa peur constante des jugements critiques et du rejet du public.

Je me promène dans un vieux cimetière en lisant les inscriptions sur les pierres tombales. Les tombes, pour la plupart des caveaux de béton, sortent du sol. Soudain, je me rends compte que le dessus de l'une d'elles bouge. Je m'arrête, surprise, à quelque dix mètres de là. Le couvercle est poussé du dessous. Un puissant bras d'homme le déloge d'un seul coup. Une jambe velue tout aussi puissante sort par-dessus l'une des parois. Un magnifique homme blond aux yeux bleus bondit hors du tombeau en riant et en se secouant. La lumière sautille sur sa peau. Il ouvre les bras en s'avançant vers moi à grands pas, comme si j'étais sa bien-aimée retrouvée après une longue absence. C'est mon Christ dionysiaque.

L'esprit masculin, libéré du tombeau, d'un monde désormais mort pour Sarah, se lève avec la joyeuse énergie du masculin instinctuel et la radieuse énergie de l'esprit. La pierre du passé a été enlevée et l'énergie nouvelle et vibrante vient à la rencontre du féminin, cet esprit qui l'aurait aimée depuis toujours, si seulement elle avait su l'accueillir. L'animus créateur occupe maintenant la place qui lui revient, une réalité psychologique, faisant fonction de psychopompe pour diriger la femme vers une liberté encore plus grande. «Il ressemblait au Seigneur de la Danse», nous dit Sarah. «Il me faisait sentir que j'avais été conçue avec amour. Les cellules mêmes de mon corps vibraient d'amour à l'idée de le recevoir. Je ne sais s'il était un esprit incarné, ou un corps fait esprit, je sais seulement que je l'aimais.» En accueillant l'animus positif, la femme s'ouvre à une nouvelle dimension sexuelle. Son corps entier – la terre entière – devient érotique quand elle transcende les frontières de la conscience du moi. Ce genre de rêve donne à la femme une grande confiance, une confiance dont elle a désespérément besoin lorsqu'elle a passé presque toute sa vie à trahir ses propres sentiments.

La fonction affective est si mutilée chez les femmes qu'elles arrivent à se trahir elles-mêmes sans même comprendre ce qu'elles font. Sans un animus bien différencié, une femme ne saurait départager son propre point de vue et celui d'un homme. Elle s'engage constamment dans des guerres intestines, craignant d'agir selon ses propres besoins «insensés», redoutant la logique méprisante de son partenaire si elle lui avoue ce qui lui tient le plus à cœur. Refusant ce qu'il y a de vrai dans ses sentiments, elle se laisse entraîner par tout ce qui paraît être d'une logique évidente. Le vrai problème n'est pas amené à la surface: *en s'identifiant au point de vue masculin, elle trahit sa propre âme.* La tête ne comprend pas les raisons du cœur, pas plus que le cœur ne respecte celles de la tête, bien que les deux puissent parfois coopérer.

Cœur! Nous allons l'oublier!
Toi et moi – ce soir!
Tu peux oublier sa chaleur
J'oublierai la Lumière! [...]

Vite! sinon pendant que tu traînes
Je me souviens de lui[16]!

Ce qui est crucial pour une femme peut ne pas sembler avoir d'importance pour son partenaire, mais si elle renie ses sentiments de femme, tous deux pourraient finir par le regretter.

Il en est de même pour un homme. S'il a l'habitude de ne pas tenir compte de ses sentiments, leur préférant un point de vue rationnel, il trahit lui aussi son âme. Il pourra lui arriver de rêver qu'il est séduit par une femme «virginale» – son côté féminin indifférencié recherchant l'union avec sa masculinité consciente – ou qu'il est avec une inconnue de qui il est responsable, souvent une femme enceinte ou une femme qui a un enfant, dont il s'occupe. Quand il en vient à accorder plus d'attention à la signification de ces images en lui-même, sa fonction affective peut entrer en conflit avec sa pensée.

Le «fils de la mère», par exemple, si facilement culpabilisé parce qu'il n'est pas «meilleur» ou «plus homme» ou «plus capable», pense automatiquement à plaire aux femmes dans sa vie. Il peut croire que c'est ainsi qu'il voit les choses, mais ses sentiments n'ont rien d'authentique. Il s'agit au contraire de pensées contaminées par le complexe maternel. Les sentiments qu'il voue aux femmes sont de la pure sentimentalité; ils constituent des prétextes pour être aimé. Mais qu'on l'aime ou non, cet homme éprouvera de la rancœur parce qu'il place tout le pouvoir entre les mains de la femme. S'il arrivait à entrer en contact avec ses propres sentiments et à les exprimer, il pourrait cesser de voir chez les femmes, la mère négative dont il s'efforce sans cesse d'être digne. Il pourrait alors célébrer ses vraies forces – par exemple, des sentiments religieux profonds ou une grande capacité d'amitié, celle qui, selon Jung, «donne souvent lieu à une tendresse étonnante entre hommes et peut même rendre possible l'amitié entre les deux sexes[17]».

L'homme aurait alors la tâche de distinguer les femmes réelles des images archétypiques qu'il a projetées sur elles. C'est par ce processus que sa vierge intérieure est séparée du complexe maternel; en arrivant à reconnaître que sa dépendance à la mère, autant dans son faire que dans son être, est son propre problème intérieur, il s'approche de son propre *Je suis*, il s'approche de son âme.

Le conflit intense entre l'attitude sentimentale usée et les valeurs affectives émergentes constitue souvent la serre chaude d'où éclora un nouveau point de vue. Je pense présentement à David, un homme dans la trentaine avancée, dont le mariage symbiotique semblait être un modèle d'harmonie amoureuse mais qui, en fait, avait été un échec sexuel pendant des années. Il se sentait triste la plupart du temps, envahi par un désespoir tranquille, et songeait souvent à s'en aller, mais savait que cela n'avait aucun sens logique. Sa raison lui disait que la sexualité était «relativement peu importante, à côté de toutes les autres choses que nous partageons – et puis elle a besoin de moi». Il continuait à tout faire pour plaire à sa femme-mère mais pendant ce temps, il s'enfonçait de plus en plus profondément dans sa dépression et ne cessait de s'apitoyer sur son sort.

Finalement, pendant qu'il était en analyse, il se mit à explorer ses sentiments pour savoir où il en était vraiment. Il fit une série de dessins représentant sa femme, pendant qu'il écrivait et revivait leur biographie commune. Il reconnaissait consciemment qu'il y avait conflit et arrivait à contenir la tension. Un mois plus tard, le vingt-huit juin, il rêva qu'il abandonnait sa femme pour suivre une jeune femme qui traversait un pont. Bien que n'ayant pas résolu son problème et ne s'étant pas encore résigné à briser son mariage, il vit dans ce rêve une récompense qui lui était accordée parce qu'il avait consacré son temps et son énergie à l'expression créative de ses propres valeurs affectives.

Neuf mois plus tard, l'après-midi du premier mars, David se rendait compte qu'il ne pouvait plus continuer de vivre avec sa femme. Sa situation lui apparaissait soudain claire, à la lumière de ses propres besoins, et non de ceux de sa femme. «C'est ça! C'est ça!» s'écria-t-il. «Je ne *veux* pas d'une vie comme celle-là!» C'était pour lui une prise de conscience expérientielle qui venait confirmer sa vérité propre; c'était aussi une révélation à laquelle il lui fallait obéir, cette sorte de «pensée sous forme d'une expérience» à laquelle Jung attribue un effet transformateur:

> «Tant qu'une analyse évolue sur le plan intellectuel, rien ne se produit. Vous pouvez discuter de tout ce qui vous plaira, ça ne fait aucune différence. Mais quand vous touchez à quelque chose au-dessous de la surface, c'est alors qu'une pensée fait surface sous forme d'une expérience et qu'elle se tient devant vous tel un objet [...]. Quand vous faites ainsi l'expérience d'un objet, vous savez sur-le-champ qu'il s'agit d'un fait[18].»

Et cette nuit-là, David fit un rêve:

Oh! C'était vraiment quelque chose! Éva (sa femme) donnait naissance à un garçon. Un spectacle fantastique, une naissance au bord de l'eau, entourée d'un tas de gens. Je suis la sage-femme et le père.

Tout cela se passe au haut d'un escalier qui donne en bas sur une grande étendue d'eau. Éva est étendue sur une table qui ressemble à un autel rituel. L'ouverture du vagin est parfaitement visible, et du sang en sort. Elle n'entre pas réellement en contractions; tout semble indiquer que l'accouchement sera à peu près sans douleurs. Elle m'indique à haute voix ce que je dois faire, me dit de me rapprocher, de me baisser davantage – de m'agenouiller par terre. Cela m'ennuie un peu: j'ai déjà fait des accouchements auparavant et je ne crois pas nécessaire de me baisser davantage – de m'approcher – tant que le bébé ne commencera pas à sortir.

Puis je quitte la scène et descends l'escalier jusqu'à l'eau. Je patauge. Pendant ce temps, la foule qui entoure Éva s'excite de plus en plus. J'aperçois un médecin qui monte à la hâte, ses gants chirurgicaux remontés sur les bras. Je cours jusqu'au haut de l'escalier et une fois arrivé, à ma grande surprise, je constate que le bébé est déjà né. Le médecin tient l'enfant bien haut pour que tous puissent le voir. Je me fraye un chemin parmi la foule. Je suis l'heureux père. J'espère que c'est une fille. Je peux voir sa tête recouverte de petits cheveux frisés, et alors le médecin s'écrie: «C'est un garçon!» – et je pense: «Oh, un garçon, quelle chance!» Je remercie le médecin. Il presse le haut de la poitrine du bébé pour qu'il vomisse du liquide. Tout ça est merveilleux. Il y a beaucoup de sang.

On peut voir ce rêve comme étant la réponse de l'inconscient à «la prise de conscience expérientielle» de David ce jour-là; il reflète la naissance en lui, d'une nouvelle attitude envers lui-même, qui lui a permis d'agir en fonction de ses sentiments. Neuf mois après l'émergence de son conflit intense, si intimement relié à sa masculinité, cette nouvelle attitude affective faisait littéralement irruption dans le conscient. En exprimant ses sentiments de façon

créatrice – par l'écrit et l'image –, David avait en fait imprégné sa femme intérieure. Toutefois, cette énergie vitale latente, représentée par le personnage anima avec qui il avait traversé le pont dans le rêve précédent, ne s'est pas manifestée, en tant que nouvelle attitude consciente, avant que la période d'incubation ait été terminée.

Les détails du rêve évoquent ceux d'une naissance rituelle. La naissance a lieu «au bord de l'eau», sur une table «qui ressemble à un autel rituel». À qui cet autel appartient-il? Cela n'est pas clair, mais les ordres de la femme – «elle me dit de me baisser davantage» – font partie d'un modèle que l'on retrouve souvent dans les rêves où la voix de la Grande Mère insiste pour que le moi du rêve entre davantage en contact avec la terre, établisse un lien plus étroit avec la nature, se fasse humble devant le mystère de son humanité.

Les mouvements, vers le bas de l'escalier, en direction de l'eau, et vers le haut de l'escalier, jusqu'à l'autel, représentent un changement radical du niveau de conscience de David. De façon symbolique, le moi du rêve met en scène un baptême – la mort, par l'eau, de l'ancienne vie et la résurrection de la nouvelle. Quand il arrive près de l'«autel», l'enfant est déjà né. Un médecin l'a libéré, détail qui suggère que bien que le moi du rêve doive subir la descente et l'ascension, la naissance elle-même échappe à son pouvoir. C'est une action de grâce, un présent des pouvoirs curatifs du Soi. Le médecin-Soi expulse le liquide embryonnaire, ouvrant les poumons du nouveau-né au premier souffle de la vie. La décision (le fait de décider plutôt que la décision en elle-même) que David a prise ce jour-là libérait sa masculinité de l'utérus protecteur – et étouffant – de la mère.

Le dessin que David a fait pour illustrer cette scène nous montre l'enfant endormi dans un panier placé entre ses jambes. L'enfant occupe la place du phallus du père et représente l'énergie masculine que David vient de se découvrir. Le fait que le nouveau-né soit dans un berceau suggère également que le moi du rêve est à la fois le père et la mère de l'enfant. Évoquant certaines scènes de la Nativité, un âne brun se tient debout sous un arbre bourgeonnant. Encore là, l'inconscient nous montre la nécessité de l'équilibre entre le spirituel et le physique. L'âne représente la sagesse des instincts, renforçant le besoin qu'a le rêveur d'honorer sa masculinité. De même que l'ânesse de Balaam dans l'Ancien Testament aperçoit l'ange alors que Balaam ne voit rien[19], l'instinct animal chthonien, représenté par l'ânesse, est une intelligence qui a sa propre valeur et qui complète l'intellect conscient. Quand Balaam frappa l'ânesse à trois reprises parce que cette dernière lui désobéissait,

> le Seigneur fit parler l'ânesse et elle dit à Balaam: «[...] Ne suis-je pas ton ânesse, celle que tu montes depuis toujours? Est-ce mon habitude d'agir ainsi avec toi?» «Non», dit-il[20].

Dans le dessin de David, la forme grillagée que l'on aperçoit derrière la mère est rouge, évoquant le sang dans le rêve et symbolisant le sacrifice, le sang vivant qui doit être répandu afin que l'on passe de l'anima-mère à une vie nouvelle. Dans ce dessin, la juxtaposition de la naissance et de la crucifixion illustre la douleur de ce passage.

La femme intérieure de l'homme évolue à mesure qu'il travaille à différencier ses propres valeurs affectives, augmentant sa capacité de se laisser emporter par son propre courant de vie. Loin de l'efféminer, sa vierge enceinte exige que son *puer* enfantin grandisse et devienne un contenant masculin solide. Plus le contenant sera fort, plus il sera flexible et plus les richesses de l'inconscient deviendront disponibles au conscient. Pensez à un danseur comme Baryshnikov. Son corps est merveilleusement discipliné, prêt à obéir consciemment. Ce n'est cependant pas la technique qui fait les grands danseurs. Chez Baryshnikov, c'est sa capacité de soumettre sa technique à l'énergie de l'âme qui donne à ses sauts toute leur force et qui l'ancre dans le moment de *maintenant*. Quiconque a vu Baryshnikov interpréter *L'Enfant prodigue* ne peut oublier les moments de la fin quand, après une vie de débauche, il retourne vers son père. Tel un jeune enfant, il rampe vers les bras puissants de ce dernier et lentement, en des gestes qui s'harmonisent avec l'énergie transpersonnelle qui monte en lui et chez les spectateurs, son corps angoissé vient se poser en toute sécurité sur la poitrine du père qui pardonne. Baryshnikov met en scène le *processus* et la *présence* que ressent l'auditoire.

Consciemment, avec le plus grand soin, le moi masculin différencie les valeurs affectives qui relient un homme à son âme et font de lui une personne authentique. Saxton, un homme dans la trentaine, avait été en analyse pendant cinq ans quand il a fait le rêve suivant:

Je suis au volant d'une voiture de sport rouge de marque Ford, équipée d'un moteur V-8 et d'une transmission à huit vitesses. Elle est rapide et puissante. Je me promène dans les rues de la ville et dépasse une autre Ford, une V-4 ou V-5. Je vais jusqu'aux abords de la ville et alors je me retrouve à pied, courant en compagnie d'un petit chien agressif. J'apprends à ne pas émettre de grognements car il les interprète comme une invitation à la bagarre et me mord. Nous nous promenons ensemble et j'arrive à une clôture que j'enjambe.

Je me retrouve ensuite dans une chambre. Dehors, il y a des champs cultivés et la nature. À l'intérieur, une femme magnifique avec qui j'ai déjà passé quelque temps. Elle s'appelle Sophia et ressemble à Sophia Loren: chaude, sage, sensuelle, terre-à-terre et profonde. Nous sommes tous deux allongés sur un lit et je veux qu'elle reste avec moi et que nous ayons une relation amoureuse. Elle se montre réticente parce qu'elle a pris une résolution à la suite de certains événements de sa vie passée. Je souhaite ardemment qu'elle reste avec moi et lui demande ce qui est arrivé. Elle me raconte une triste histoire: sa fille adolescente s'est suicidée après avoir été dans la mer où elle a été blessée et mutilée de quelque façon, subissant des blessures au visage et à la tête. Sophia, se reprochant l'accident de sa fille – de l'avoir laissée errer jusqu'à la mer –, a décidé de ne plus avoir d'union fructueuse. Je l'assure qu'elle ne pouvait pas savoir et qu'elle n'y est pour rien. Je sens qu'elle restera peut-être si j'accepte ses sentiments et lui laisse du temps. En dehors de la chambre, la lumière est intense et je tiens un grand carton rectangulaire plié en deux, en guise d'écran, pour nous protéger de l'éclat de la lumière.

Le moi du rêve se met en route dans une puissante voiture de sport rouge. Le véhicule est doté d'un moteur V-8 et d'une transmission à huit vitesses, le double du chiffre féminin quatre. Ici encore, on retrouve un motif double présageant d'un processus de prise de conscience qui n'a pas tout à fait abouti (page 207). Les caractéristiques du véhicule laissent à penser que l'énergie féminine peut permettre de rejoindre le Soi complet. Le moi du rêve, cependant, se sert de la puissance de son véhicule pour dépasser des voitures moins puissantes. La joie qu'il éprouve à être en tête de file semble indiquer qu'il éprouve une certaine fierté, celle du mâle dominant, satisfait de ses réussites dans une société qui valorise la vitesse, le flair et le pouvoir. C'est le jeu de la persona. Ensuite, il court en compagnie d'un petit chien agressif, représentant son monde instinctuel, qui demeure son ami en autant qu'il ne «grogne» pas ou ne se moque pas de lui. Ils débouchent sur une clôture – barrière derrière laquelle le moi du rêve accède à un monde nouveau, un monde où une femme vient remplacer le chien[21].

Il se retrouve à la campagne, en compagnie d'une femme magnifique: Sophia, «chaude, sage, sensuelle, terre-à-terre et profonde». Elle est peu disposée à avoir une relation amoureuse avec lui car elle a pris une résolution «à cause de son passé». Elle ne peut lui faire confiance tant qu'il ne la rejoint pas à partir de sa propre réceptivité féminine. Résolu de rester avec elle, le moi du rêve écoute la triste histoire de Sophia. Comme Déméter, elle pleure la fille adolescente qu'elle a perdue. À l'encontre de Perséphone, sa fille s'est suicidée après avoir été dans la mer (l'inconscient) où elle a été blessée. Son visage, miroir de son âme, et sa tête ont été ravagés. Les blessures aux orifices de la tête, causées par des fusils, des ajutages de boyaux ou de tuyaux, viennent souvent symboliser le viol psychique dans les rêves des femmes et des hommes. Se sentant responsable de ce qui est arrivé à sa fille, Sophia a fait le vœu de ne plus avoir «d'union fructueuse», ce qui encore rappelle la décision de Déméter, qui a privé la terre de la fertilité. Dans le cas présent, ceci équivaut à retrancher l'homme de la réalité de son monde intérieur. Le moi du rêve doit tendre la main à Sophia afin de la convaincre qu'elle n'est pas à blâmer, persuadé lui-même qu'elle restera peut-être avec lui s'il accueille ses *sentiments* et fait preuve de patience dans sa relation avec elle. Ceci veut dire que dans la vie de chaque jour, l'homme doit être fidèle à ses propres sentiments personnels afin de renforcer le lien transpersonnel qui l'unit à sa propre femme intérieure.

Le rêveur associait Sophia Loren au film intitulé *Two Women* (Deux femmes), dans lequel l'actrice joue le rôle d'une mère aimante qui prépare sa fille à devenir femme. Un jour que toutes deux voyagent sur la route, des soldats les séparent et les violent. Par la suite, Sophia Loren, oubliant sa propre peine, part à la recherche de sa fille qu'elle craint de trouver morte. Au cours d'une scène particulièrement touchante, elle aperçoit derrière des arbres, sa fille, debout dans un ruisseau, qui éclabousse d'eau, avec ses petites mains, son corps mutilé, essayant de le laver de l'horreur indescriptible qu'il a connue.

Commentant son rêve, Saxton disait: «La relation de ma conscience avec mon âme est brisée, violée. C'est ce qui ressort du problème de Sophia: elle incarne la réalité de ce viol dans sa réaction. J'ai peur de me lier à mon âme parce que cela voudrait dire que je serais lié à la perception que j'ai de ma propre identité. Tôt dans ma vie, j'ai été violé parce que j'étais fidèle à mon âme. Quelqu'un – ma mère, mon père –, qui n'était pas en relation avec *moi*, était en colère et, conséquemment, ce quelqu'un m'a violé. Établir le lien avec mon âme, c'est faire face au danger d'un viol perpétuel. Quand je me rapproche de mon âme, j'éprouve de la terreur – une terreur sournoise et destructrice.»

Que le moi du rêve souhaite que sa relation avec Sophia soit amoureuse et non simplement sexuelle revêt de l'importance. Le rêveur est capable de poursuivre le bien qu'il estime le plus précieux quand il se rend compte qu'il pourrait le perdre. La sensibilité et la douceur des sentiments, que représente le chiffre huit du moteur et de la transmission, est soutenue par une force masculine formidable. Par le passé, il avait négligé de se rendre responsable de son âme. Ici il peut agir. Il ne permettra pas à Sophia de disparaître.

«La mère en moi, dit Saxton, n'a pas assumé la responsabilité d'une vie nouvelle. La mythologie grecque veut que Déméter se soit mise en colère, mais elle n'est jamais allée jusqu'à se reprocher de ne pas avoir materné sa fille. La peur et la rage peuvent émaner de la culpabilité inconsciente. Accepter la responsabilité de ses propres actions veut souvent dire que l'on reconnaît dans sa rage, la frustration de ne pas s'être pris en main. On s'est contenté de blâmer les autres pour ses propres manquements.»

Dans le rêve de Saxton, c'est la peur de la souffrance, la peur de s'ouvrir encore à la possibilité de la peine destructrice, qui a poussé Sophia à prendre sa décision. À cause de cette peur, elle tentera de dominer – de briser – la relation, et c'est ça le pouvoir, le pouvoir de briser les liens entre le conscient et l'inconscient.

«C'est le pouvoir inconscient qui m'a d'abord brisé l'âme, dit Saxton. En fin de compte, j'étais tout simplement incapable de souffrir davantage. J'ai alors décidé que ça ne valait pas la peine d'essayer d'être moi-même.»

La jeune fille du rêve est incapable d'accepter d'avoir été mutilée, incapable d'accepter sa laideur qui la rend indigne d'amour et, pour cette raison, elle choisit la mort. Chez l'homme, cela se traduit par la répression de son âme. La culpabilité de Sophia découle de son incapacité de protéger la nouvelle vie. Cette tâche incombe désormais au moi. Si le moi ne perçoit pas le modèle qui se déploie inconsciemment, alors la «blessure» de la vierge-âme ainsi que la rage et la culpabilité de la mère se manifesteront quotidiennement dans la vie de l'homme. Les valeurs nouvelles, les sentiments récemment émergés se heurteront à un manque d'amour, un manque d'affectueuse attention. La peur et la colère qui s'ensuivront viendront bloquer toute possibilité de douleur éventuelle et protégeront l'âme contre l'intolérable angoisse. Au fil des jours, il faut une vigilance constante et un glaive masculin clairvoyant pour protéger l'âme féminine, tout en lui donnant l'espace nécessaire à sa croissance.

La dernière image d'un rêve indique généralement la direction qu'emprunte l'énergie pour corriger le déséquilibre psychique. Celle du rêve de Saxton propose une autre possibilité dans la façon de protéger l'âme. La lumière radieuse en dehors de la chambre symbolise peut-être le soleil brillant du conscient dont Saxton a fait son quotidien. Elle peut également symboliser le feu ardent du Soi. Le «morceau rectangulaire de carton plié en deux», que le moi du rêve utilise pour se protéger de l'ardeur du soleil, est encore le double de quelque chose qui n'est pas encore conscient. «C'était un réflecteur, quelque chose de vaguement argenté», explique Saxton. Cela rappelle «le miroir d'argent» du poème de Rilke. Il ne s'agit pas ici de se regarder dans un miroir, de tisser une toile de fantaisies. Il s'agit d'une relation consciente que l'on contemple dans une âme vierge et qui met fin aux gestes mécaniques. Graduellement, on arrive à contrôler les mots cruels qui, issus de nos complexes, détruisent la relation. On arrive aussi à reconnaître les «moments de grâce[22]» qui ouvrent la relation à un tiers – au Dieu ou à la Déesse reflétés dans l'amour. Sans cette dimension contemplative, une relation manque de la réceptivité «humide» et ombrageuse qui permet d'*être* vraiment. Le mystère de l'amour s'étiole sous la lumière analytique du soleil; il brille dans le lustre du cœur compréhensif.

Le rêve de Saxton et celui de Kate avec sa jeune esclave ressemblent à beaucoup de rêves qui m'ont été racontés, et dans lesquels un puissant personnage-ombre violait effectivement la vierge intérieure. Le moi devait prendre la responsabilité de la chérir et de la ramener au conscient. Si nous considérons ces rêves comme étant le reflet de l'inconscient collectif de notre culture, il apparaît que le lien archétypique entre mère et fille est précaire et menacé. Tant que notre moi n'aura pas le discernement et le courage de reconnaître l'angoisse et la culpabilité de la mère et la perte de sa fille vierge – corps et âme – il y a peu d'espoir de réussir une relation vraie. Luxure et amour demeurent séparés. Le conscient et l'inconscient ne s'unissent pas. C'est à nous qu'il revient de soigner la matière souffrante et d'aimer la vierge morte ou mourante.

Et pour qu'il y ait guérison, nous devons écouter avec notre oreille intérieure – cesser de parler à tort et à travers sans arrêt, et *écouter.* La peur nous incite à bavarder – cette peur qui surgit du passé, cette peur de laisser s'échapper ce que nous craignons véritablement, cette peur des répercussions futures. C'est elle, cette peur même de l'avenir, qui déforme le moment de *maintenant*, susceptible de nous amener vers un avenir différent, si nous osons être *entiers* dans le présent. La femme qui a acquis quelque perspicacité psychologique en travaillant sur elle-même, par exemple, peut devenir zélée au point d'entreprendre d'amener son homme à la conscience. Ignorant tout de sa réalité, elle peut séduire l'âme de celui-ci par une projection habile. Mais qui recevra son âme à elle? Pourquoi le dialogue se transforme-t-il en monologue? Pourquoi la voix de son homme devient-elle plus acerbe, ses yeux plus écarquillés, son corps plus rigide? L'interaction qui devrait monter des profondeurs est bloquée; la relation n'est plus organique. À moins que tous deux ne soient en contact avec leur propre centre de vulnérabilité, les paroles de l'animus constellent un sentiment anima et rien ne peut se produire. Le canal de la Vierge est obstrué avec de la cire. Tant que nous ne nous relaxons pas jusqu'à adopter le rythme qui fera s'ouvrir ce canal sur notre vérité intérieure, nous serons tout simplement incapables de faire l'expérience de qui nous sommes dans la situation telle qu'elle est. La réalité ne se trouve pas dans ce blocage; la main de la Déesse n'est pas plongée dans la merde.

Si l'intégration psychique a lieu parallèlement à l'intégration physique et si le corps devient de plus en plus conscient, il faut tenir compte des symptômes physiques qui apparaissent dans la relation. Le féminin ne s'intéresse ni aux théories abstraites ni au raisonnement logique. La sagesse féminine origine de la moelle de l'os, de la douleur de l'expérience – c'est le poisson qui vient des tripes, non pas l'oiseau qui vient de la tête. Comme la femme primitive, le féminin atteint la maturité quand il sent qu'il s'insère dans les rhythmes cosmiques de la nature tout en regardant en face la réalité d'*ici et de maintenant*, qui est le présent en perpétuel mouvement. Cette vérité-là n'est pas négociable.

C'est ici que surgissent les véritables problèmes dans les relations de longue durée. Le féminin mature ne supportera pas de recevoir les ordres et les projections du patriarcat. Il sépare d'un coup les jumeaux symbiotiques. Il ne servira pas de pis-aller, telle la saccharine instantanée. Si le partenaire n'est pas en analyse, le transfert d'énergie est exaspérant. Si, pour la première fois, la femme fait l'expérience de son moi féminin, bien installé dans son propre corps, son mari peut être ravi, surpris et troublé par son abandon sexuel. Mais, en ouvrant son corps, il se peut qu'elle ouvre aussi dans son cœur une crevasse qui pourrait bien devenir un abysse, rempli de la douleur de toute une vie. Soudain, la conscience peut éclairer cette crevasse ou le Soi peut exiger un nouvelle dimension à son intégration physique et spirituelle, et dans ce cas, la femme doit reconnaître en elle, le besoin d'une période naturelle de célibat. Il se peut que le mari voie dans cette abstinence un rejet. Cependant, si la femme va à l'encontre de son instinct, son corps manifestera des symptômes physiques intenses qui la forceront à l'abstinence sexuelle tant que le problème ne sera pas amené à la conscience.

L'homme peut également faire l'expérience d'un effacement de sa sexualité. Si les deux âmes ne vivent pas en harmonie, ou si le

Soi exige une harmonie nouvelle à un niveau différent d'intégration sexuelle et spirituelle, les partenaires peuvent essayer de se berner et croire que tout va bien. L'un ou l'autre peut donc exiger l'intimité sexuelle. Mais l'âme incarnée ne ment pas et sa sagesse n'est pas frivole. Le corps conscient tentera de passer à un nouveau plan d'intimité spirituelle qui, une fois incarnée, pourra être vécue comme une sorte de sexualité très différente[23]. Ce passage exige que l'on différencie bien le féminin et le masculin dans chacun des partenaires, sans quoi leur relation pourrait sombrer. On s'aventure dans une région à peu près inexplorée. C'est le pays de Sophia où il faut avancer avec foi.

Parfois, quand une relation atteint un point de floraison spirituelle, la fleur et la plante sont frappées par la rouille, soudainement et sans raison apparente, au douloureux étonnement des deux personnes en cause. Le cœur de chacun «aspire toujours à partir, mais les pas demandent: *vers où?*[24]» Il se peut que l'un des deux partenaires ait à se détacher de la relation pour découvrir son identité propre. L'esprit a soif de l'esprit; la chair a besoin de la chair. Il faut parfois du recul pour saisir la racine profonde d'une relation; la plante, dans ce cas, même si elle est coupée au ras du sol, peut revivre si on lui prodigue soins et tendresse.

On tire souvent une leçon d'humilité de ces périodes de détachement. Le Soi consume les désirs du moi. Dans *Quatre Quatuors*, T.S. Eliot explique en quelques mots ce qu'est le feu de l'enfer, sur le plan émotionel:

> Il y a trois conditions qui souvent paraissent semblables
> Mais diffèrent complètement, et croissent sur la même haie:
> L'attachement à soi, aux choses, aux personnes, le détachement
> De soi, des choses, des personnes; et, entre elles, l'indifférence
> Qui ressemble aux deux autres comme la mort à la vie,
> Étant entre deux vies – poussant sans floraison,
> Entre l'ortie brûlante et l'ortie blanche. L'utilité

De la mémoire est de nous libérer:
Non pas diminution d'amour, mais expansion
De l'amour au-delà du désir, et de la sorte
Libération de l'avenir en même temps que du passé[25].

Le détachement libère le cœur du passé et du futur. Il nous donne la liberté d'être qui nous sommes et d'aimer les autres pour ce qu'ils sont. Le détachement nous lance dans la réalité de *maintenant*, ce courant d'Être dans lequel tout est possible. Il est le domaine de la vierge enceinte.

Le chaos peut se déclencher quand on rompt avec le passé. La colère, la peine, la peur sont des réactions naturelles. La mort d'un être aimé, un divorce, la fin d'une relation sont des événements qui peuvent donner lieu à une année de deuil: le premier Noël dans la solitude, le premier rouge-gorge dans le jardin, les embûches de chaque saison qui prennent le cœur par surprise. Un instant on consent aux désirs du moi, l'instant d'après on les repousse. Mais l'essentiel de tout sacrifice, surtout lorsqu'il se rapporte à une relation, est de laisser tomber les demandes du moi. Si le moi se sert de l'énergie transpersonnelle à ses propres fins égoïstes, c'est de la magie noire. Le Soi exigera qu'on «lâche prise» seulement si la douleur persiste année après année, si elle emprisonne l'individu dans le passé, ou si l'énergie devient destructrice. Parfois, un rite sacrificiel, tel que celui décrit dans la partie consacrée à Lisa (page 131), est à l'origine de la ré-entrée dans la vie. On ne se lancera pas dans un tel rituel sans posséder un contenant fort pour son moi, ou sans un ami qui se tienne près du téléphone. S'il y a lieu de pardonner, on devra alors se rappeler ceci:

> Quand donc tu vas présenter ton offrande à l'autel, si là tu te souviens que ton frère a quelque chose contre toi, laisse là ton offrande, devant l'autel, et va d'abord te réconcilier avec ton frère; viens alors présenter ton offrande[26].

Il me semble que la chose la plus importante dans la rupture d'un lien intime, c'est d'arriver à sacrifier la relation sans sacrifier l'amour. Si la vie ressemble à «l'éclosion d'une rose qui ne peut plus rester fermée[27]», alors, chaque fois que nous aimons quelque chose, c'est un pétale qui s'ouvre. Quand nous acceptons les épines, l'amour dure. Les relations profondes de notre vie, peu importe leur dénouement, nous ont donné la richesse d'aimer et ce trésor est le seul qui demeure, en fin de compte.

Si nous pouvons contenir le conflit des opposés – ce que notre petit moi désire par opposition à ce que le Soi ou Destin a ordonné –, si nous pouvons nous maintenir au centre, alors nous apprenons à penser avec le cœur. Nous somme capables de savoir ce que nous ressentons, de savoir ce que nous désirons et, en même temps, de nous abandonner graduellement à notre circonférence élargie. Alors, sans ressentir d'amertume, sans nous couper de notre propre réalité, nous pouvons accepter en toute conscience ce qui arrive. Conscient des deux points de vue, l'esprit peut accepter et le cœur peut continuer de ressentir. Lorsque l'esprit et le cœur se détachent l'un de l'autre, il n'est possible de transcender les opposés qu'en pensant avec le cœur. Ce qui serait autrement le sel de l'amertume, peut ainsi devenir le sel de la sagesse. C'est la sagesse de Sophia, qui comprend si bien le grain de sel qui donne à la vie sa saveur.

L'émergence de la conscience féminine dans notre culture entraîne avec elle un remous social comparable à celui provoqué par l'effondrement d'une digue. À mesure que les valeurs affectives individuelles viennent remplacer les obligations morales collectives, le «vouloir» paraît avoir préséance sur le «devoir»: des «relations» de longue durée peuvent se briser ou être perçues comme des contenants vides, qu'elles ont toujours été. Cependant, un moi fragile, qui affronte seul le monde, court le danger d'être inondé par les énergies archétypiques; même un moi fort peut être secoué par la libération d'une sexualité longtemps réprimée. C'est peut-être le prix qu'il faut payer pour connaître l'énergie révolutionnaire de la Déesse noire qui essaie d'offrir un contrepoids à notre milieu où priment les buts précis, le rationnel et la technologie.

Comme nous l'avons déjà vu, l'ombre pâle de cette déesse nous apparaît sous une forme concrète dans la personne des vedettes du rock. Son souffle nous effleure chaque fois que nous entendons parler, une fois encore, d'un mariage brisé. Bien que nous la reconnaissions à peine, elle est présente (d'une façon perverse) dans les viols, les avortements, les technologies de reproduction ainsi que dans le monde de la contraception qui libère les femmes de leur destin «biologique», tout en les plongeant dans la conscience d'elles-mêmes. La Déesse noire élève la destinée biologique au niveau de la conscience et de la liberté.

Elle apparaît dans les rêves sous des formes diverses, la plupart du temps vêtue de noir, à l'orientale, ou simplement sombre. Elle prend parfois l'allure d'une gitane fière, d'une danseuse dans une taverne, d'une prostituée sacrée, d'une Marie-Madeleine. Toujours à l'écart du système des valeurs collectives du monde conscient du rêveur, et même si elle peut parfois être blessée ou défigurée, elle porte en elle une immense possibilité de vie nouvelle. Son énergie est celle qui peut unir les opposés – la putain et la vierge idéalisée – parce qu'elle les porte toutes deux en elle. La vierge idéalisée qui est coupée de ses instincts, qui tisse sa toile spirituelle, peut trouver en elle, les racines de son propre corps. La vierge à la blancheur de lys est renfermée – égoïste, possessive et déconnectée d'avec sa réalité féminine. Elle est la sœur-ombre de la putain, qui croit que ses attraits sexuels sont des attributs qui lui ont été donnés pour piéger le masculin. Ensemble elles dérivent telles des sirènes, dans les eaux de l'inconscient – créatures dont les pouvoirs d'enchantement ne peuvent être brisés que lorsque leur queue de poisson ou de serpent se transforme en jambes humaines capables de marcher sur la terre. Pour ce faire, il doit y avoir une intégration consciente de leurs énergies respectives. Le corps humain devient un vaisseau d'amour humain à condition de s'abandonner à la Déesse noire qui est le lieu de rencontre de l'esprit et de l'instinct. Ceux-ci sont réunis en elle par la sagesse de Sophia. Grâce au détachement qu'engendrent les souffrances profondes, Sophia est capable d'entrer en communion d'esprit avec la douleur humaine et de reconnaître, en même temps, que la vie est

Isobel Gloag, **Le Baiser de l'Enchanteresse,** *1890.*

ainsi faite. Quand la conscience est en contact avec cette sagesse, Sophia apparaît alors non pas comme un concept abstrait mais comme une «pensée sous la forme d'une expérience», un fait déterminant dans la vie de quelqu'un.

Dans les temps anciens, la plupart des femmes s'abandonnaient à la déesse de l'amour, une fois au cours de leur vie. Elles célébraient ce mariage sacré dans le temple de la Déesse Lune, pleinement conscientes que l'énergie instinctuelle qui coulait en elles ne leur appartenait pas personnellement. Au contraire, elles l'honoraient en tant qu'énergie transpersonnelle de la Déesse. S'étant une fois abandonnées à cette énergie, elles étaient «virginales», incapables d'usurper l'énergie de la déesse pour en faire leur attribut personnel[28]. En d'autre mots, la virginité psychologique, qui libère l'individu de ses attaches égoïstes, avait été atteinte et est encore atteinte à travers l'abandon à un dieu ou à une déesse.

Dans l'un de ses «Sonnets sacrés», Donne prie Dieu de «(le) briser, le projeter, le brûler et faire de lui un homme neuf», pour conclure:

Conduis-moi jusqu'à toi, emprisonne-moi, car
À moins que tu ne me séduises, je ne serai jamais libre
Ni chaste, à moins que tu ne me ravisses[29].

La chasteté s'ouvre à la vie de l'esprit, purifiée du désir du moi. Le ravissement dit *oui* à la vie, non pas le oui de l'innocence naïve, mais le *oui* de l'innocence secondaire qui fait consciemment partie du sacrifice. L'abandon à l'Esprit ouvre l'âme vierge à toute l'étendue de l'Être, aux passions charnelles et spirituelles qui brûlent au centre de la personne, mais qui ne sont pas personnelles. Reconnaître que le feu n'est pas personnel permet aux désirs du moi personnel d'être purifiés par les flammes. En n'étant plus identifié ni avec les instincts ni avec l'esprit, on devient humain, ouvert à l'amour de Sophia et à la fertilité qui vient de cet amour. C'est alors que la subtile Présence de la Déesse se manifeste à travers les expériences quotidiennes.

La lune sans cesse changeante est l'image de la transformation de cette portion de nous-mêmes qui, la plupart du temps, habite les ténèbres. Protégée contre l'esprit éclairé, l'essence même de la vie est lentement extraite de l'expérience concrète. La transformation a lieu à travers la réflexion – à travers le miroir argenté. À travers la contemplation, les désirs du moi peuvent être transformés en amour – un amour qui honore sa propre essence individuelle et celle de l'autre. Se situant hors des lois collectives, l'amour obéit à ses propres lois internes et crée des relations uniques.

Quiconque est engagé dans le processus de création de l'âme est lié à la vierge, car elle seule est capable de saisir l'inévitabilité du moment en action. En elle, sexualité et amour sont perçus comme des manifestations du divin, et cette énergie devient dans la vie quotidienne le mystère de la transformation. Sur le plan collectif, son amour pourrait créer une explosion plus grande que ne le ferait tout engin nucléaire existant.

William Blake, **La Nativité.** ***(Musée d'art de Philadelphie).***

De l'union de l'âme et de l'esprit, un enfant est conçu – Joyau dans le Lotus, nouvelle conscience dédiée à la possibilité d'Être. L'enfant est l'énergie nouvelle qui jaillit du passé et qui tourne son visage vers l'avenir avec espoir, tout en habitant le moment de *maintenant*.

Les religions institutionnalisées ont toutes reconnu à un moment donné le mystère de l'union de l'âme à Dieu et la peur ainsi engendrée. Les rituels de ces Églises ont été créés non pas pour éliminer ce mystère, mais pour permettre aux gens d'en faire l'expérience. Le monde scientifique de l'Occident trouve le mystère intolérable et s'acharne à l'expliquer ou à démontrer qu'il est mauvais. Par la logos, on tente de résoudre le mystère plutôt que de le pénétrer. Le rituel et la contemplation ne constituent pas des tentatives d'expliquer le mystère, mais plutôt des tentatives d'acheminer les individus vers le mystère, afin qu'ils puissent s'en approcher sans peur. Quand le Saint Esprit parle, sa voix peut engendrer la terreur parce qu'elle évoque en nous, la peur profonde de l'inconnu, la peur de la vie, la peur de nous lancer dans notre propre destinée. Cependant, si hommes et femmes trouvent leur propre vierge à l'intérieur d'eux-mêmes, ils peuvent apprendre à *Être*, autant dans la solitude qu'avec les autres. Le mystère vit dans la possiblité d'Être. L'amour nous choisit.

La conscience féminine est orientée sur le processus. Elle perçoit le but comme le voyage lui-même et reconnaît que le but est d'être conscient du voyage. Être, c'est être conscient du Devenir. Voir le but comme le processus même, c'est apporter au rayon de lumière masculin, un «dôme de verre multicolore[30]» qui réfracte sa lumière et, tel un prisme, lui donne une multitude de facettes, chaque facette devenant un miroir du centre, le centre se trouvant dans chaque facette. La conscience féminine n'a pas pour objet de réduire la matière à l'esprit, ou l'esprit à la matière; elle vise plutôt à saisir l'esprit dans la matière et la matière dans l'esprit. Une telle approche est tout à fait étrangère à la conscience strictement masculine qui la considérerait comme une impossibilité logique.

La différence qui existe entre les sentiments d'un homme et les sentiments d'une femme peut créer d'innombrables difficultés chez les hommes et les femmes qui essaient de devenir conscients. Quand les sentiments émergent chez l'homme, cela se produit souvent à travers sa perception d'une valeur psychique; ils sont moins liés au corps que ne le sont les sentiments de la femme. Chez la femme, le corps, qui est le lieu sacré de l'âme, participe à sa réalisation personnelle en tant que femme. Si la Madone noire l'a déjà habitée ou si Sophia lui a permis de relier l'esprit et le corps, la *connaissance* qu'elle possède peut permettre à l'homme de trouver ce même lien en lui-même. Ce lien naturel peut s'exprimer dans une sexualité partagée mais, plus que cela, il peut donner lieu à une relation spirituelle dans laquelle chacun servira de pont pour l'âme de l'autre, en lui permettant d'entrevoir la réalité éternelle qui se cache derrière la nature et les sensations. Quand le masculin est libéré et quand le féminin est dévoilé, ils agissent alors, ensemble, l'un sur l'autre, en dedans et au dehors. Le pouvoir pénétrant de la masculinité consciente libère l'éternel féminin. La femme éveille l'homme à ses propres pouvoirs de réception. Le masculin la pénètre; elle le reçoit. Il l'éveille, elle, à son propre pouvoir de pénétration; elle l'éveille, lui, à la présence de sa propre âme féminine. Ensemble ils sont mis en présence de leur propre sagesse intérieure. C'est le processus et non le but qui compte.

Que la rencontre du féminin et du masculin émane d'une expérience intérieure ou d'une expérience relationnelle, l'individu doit être conscient des lois internes qui ont leur propre absolu et qui peuvent être d'une exigence brutale. Ce sont des lois auxquelles il faut obéir, non pas avec résignation, mais avec acceptation et amour. La vulnérabilité est un aspect du féminin; le masculin apprend du féminin comment accepter ce qui est transitoire, comment mourir au passé et au futur, comment vivre *maintenant*. Le pont de Sophia est construit entre les pôles du masculin et du féminin.

Sophia n'acceptera pas de compromis. Tant qu'un des partenaires n'a pas été ravi par elle, la relation demeure fondée sur l'échange émotionnel: «Je te donne si tu me donnes.» Sophia exige que nous abandonnions les vieux modèles, la vieille mythologie. Les hommes ont toujours craint le pouvoir du féminin chthonien et jusqu'à maintenant, les femmes de notre culture se sont effacées devant le point de vue du mâle. Au fur et à mesure que les femmes deviennent conscientes de leur esclave intérieure, elles reconnaissent la profondeur de leur propre sensualité et de leur propre sexualité, qui sont au service de la déesse et non au service des hommes. Bien que cette prise de conscience constitue une menace pour la persona mâle du macho, elle encourage les hommes à devenir de plus en plus conscients de leur propre côté féminin.

S'ils intègrent consciemment les valeurs affectives réprimées auparavant, les hommes *puer* peuvent sortir de l'ombre du patriarcat et adopter un point de vue personnel plus authentique – point devue qui implique une relation intime avec leur propre vierge intérieure. Ils ne peuvent plus alors contenir une anima divisée: ils ne peuvent plus aimer la vierge idéalisée pendant qu'ils

Dame enceinte de la Croix

Dame, dame sur la Croix
Est-ce moi qui vous ai crucifiée?
Et suis-je aussi là-haut à vos côtés?
Comme un voleur pour rire de vous
Joyau parmi les rebus?

Dame enceinte sur la Croix
Est-ce que l'homme-enfant en vous
Qui forcera vos muscles raidissants
Pourra vivre sa vie sans vous déclouer?
Gagner, mais à quel prix!

Dans cet acte je joue Pilate
Je lève le rideau du début
Auteur et metteur en scène
Il n'y a rien de mieux
Que d'être à la fois auditoire et décorateur

Quand je suis déprimé, ne sachant pas que faire
Je cherche alors à vous libérer
Mais donnez-moi la force de prendre votre place
Étendue sur cet arbre de souffrance
Vous, Dame enceinte de la Croix
Dame enceinte de la Croix.

Chanson de Peter Tatham

violent son corps de putain. Et la femme consciente n'est pas davantage capable de s'abaisser à conspirer avec cette séparation. L'abandon à la déesse libère l'homme de la mère et de la fille inconscientes comme il libère la femme du père et du fils inconscients.

Toute relation évolue et sa dynamique interne est en mouvement constant. Il n'est pas deux relations qui se ressemblent, mais certaines questions difficiles reviennent constamment chez les hommes et chez les femmes, à mesure que leur conscience progresse. Comment la femme peut-elle quotidiennement maintenir un équilibre entre l'amour qu'elle porte à son animus (ses propres énergies créatrices) et l'attirance sexuelle qu'elle éprouve pour l'homme qu'elle aime? Est-ce que la recherche de la conscience vient élargir l'abysse qui sépare l'Éros d'un homme de celui d'une femme? Ou est-ce que la conscience intensifie ces pôles magnétiques qui finiront par s'attirer? La différence fondamentale qui existe entre les sentiments d'un homme et ceux d'une femme devrait-elle être reconnue, peut-être même célébrée? Le mystère de l'amour se fonde-t-il sur la reconnaissance de l'immensité de notre propre altérité et de l'altérité de l'être aimé?

Les réponses à ces questions nous attendent au sein de la chrysalide. Nous ne pouvons les forcer à émerger, pas plus que nous ne pouvons commander l'amour. Mais nous pouvons écouter. Nous pouvons écouter la Présence qui nous habite avec notre oreille intérieure et nous pouvons honorer notre propre âme et l'âme de ceux que nous aimons, en aménageant en nous un «espace clair, non habité» où s'entretient la possibilité d'Être.

> J'ai dit à mon âme de rester tranquille, d'attendre sans
> espérer
> Car espérer serait espérer la mauvaise chose:
> d'attendre sans amour
> Car aimer serait aimer la mauvaise chose; il y a encore
> la foi
> Mais la foi, l'amour et l'espoir sont tous dans l'attente:
> Attends sans penser, car tu n'es point prête pour la
> pensée:
> Ainsi la noirceur sera la lumière, et l'immobilité sera
> la danse[31].

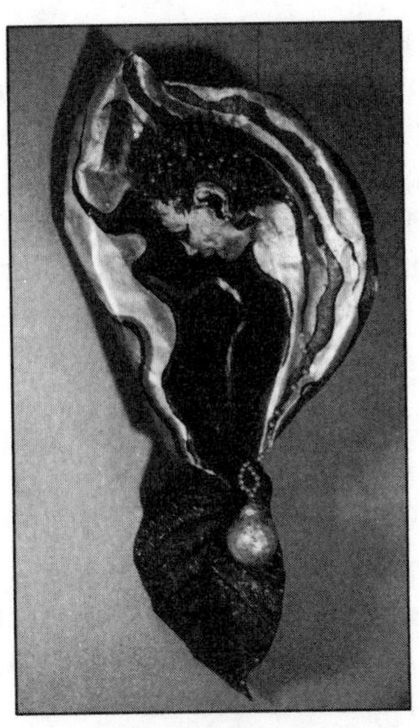

Dorothy Cameron, **The Listener (Celui qui écoute),** ***papier mâché.***

Échos de la chrysalide

Ma vie a été une série de fouilles, d'un homme à l'autre, jusqu'à ce que qu'ils se confondent tous et que je m'aperçoive qu'ils sont tous les mêmes.

Ça ne marchera pas si vous criez à une fleur OUVRE-TOI!

Je m'éveille la nuit. J'ai le cœur comme une fournaise ardente. Je crois que je vais succomber à une crise cardiaque. Mon bras est allongé sur son oreiller vide. Je suis incapable de bouger. Je n'arrive pas à me lever.

Chaque vendredi, je commence à me sentir déprimée au travail parce que tous rêvent de leurs sorties de fin de semaine. Moi je ne rêve pas car je n'ai rien, personne, pas de «grands projets» pour la fin de semaine. Je rentre chez moi. J'essaie de rester calme. J'essaie d'enfiler des robes – la petite présentation d'une collection privée... Je me force à aller nager. Cela brise l'emprise de la dépression qui m'envahit. Il me faut bien accepter qu'aucun Prince charmant ne viendra me sortir de ma réalité. J'espère en des jours meilleurs. Je ne peux m'empêcher d'avoir de la peine de m'être conduite comme une enfant.

Avec les hommes, ma vie est un va-et-vient continuel. Ils m'offrent quelque chose; je tends les bras pour recevoir et ils me les arrachent. Ils sont pleins de promesses, mais rien n'arrive. Ils me laissent toujours vide. Je ne peux rien faire quand ils en ont terminé avec moi. Je les rends puissants, comme je rendais mon père puissant.

Je ne vais pas vivre cette relation aux dépens de ma réalité. Je respecte ma propre réalité. Pour mon père, j'ai joué mon rôle à la perfection. Mais pour mon amant, ça n'a pas marché. Cette part de féminité en moi, qui a été prisonnière toutes ces années, n'accepte tout simplement plus de faire le yo-yo pour les hommes.

L'innocence n'est plus une vertu. Je suis responsable de mes actes. Je sais que j'ai facilement tendance à jeter de la poudre aux yeux.

Ma femme râle et m'injurie. Elle ne comprend pas que certains problèmes sont importants alors que d'autres sont insignifiants. Pour elle, un problème est crucial quand il la tient à cœur, et depuis quelque temps, à peu près tout la tient à cœur.

La douleur, la terreur et l'isolement m'ont forcée à suivre mon propre chemin. Mon mari était une merveilleuse mère pour moi. Je le maudissais de ne pas être un bon amant. Je l'ai maudit de m'avoir quittée. Je me suis retrouvée en enfer et j'ai trouvé mon propre chemin.

J'essaie de la laisser partir. J'ai l'impression d'être en train de me noyer pendant qu'elle se tient debout sur mes épaules.

Il veut que tout lui arrive cuit dans le bec.

Je ne peux plus me cacher derrière ma stupidité et je ne peux plus me cacher derrière ma petite fille ou mon papa. Ma fleur ne s'ouvrira pas si on ne l'arrose pas.

En Inde, la vie ne s'est pas encore réfugiée dans la tête. C'est encore le corps tout entier qui vit. Il n'est donc pas étonnant que les Européens aient l'impression d'y être comme dans un rêve: cette façon de vivre complètement, qu'on retrouve en Inde, est une chose à laquelle ils ne font que rêver.

C.G. Jung, (traduction libre).

On dit que la réalité n'existe que dans l'esprit
que l'existence corporelle est une sorte de mort
que l'être pur est sans corps
que l'idée de la forme précède la substance

mais ce n'est que foutaise!
comme si quelque esprit avait pu imaginer le homard
qui sommeille dans les profondeurs, puis avance sa pince dure
et féroce!

Même l'esprit de Dieu ne peut imaginer
que les choses qui sont devenues ce qu'elles sont;
corps et présence, ici et maintenant,
créatures qui ont pris pied dans la création
même s'il ne s'agit que d'un homard sur la pointe de ses pinces.

La religion en sait plus long que la philosophie
La religion sait que Jésus n'a jamais été Jésus
avant de sortir des entrailles maternelles, de manger soupe et pain
et de grandir, puis devenir, dans le miracle de la création, Jésus,
avec un corps et des besoins, avec un esprit admirable.

D.H. Lawrence, «Demiurge», (traduction libre).

Les grandes époques de notre vie sont celles où nous avons enfin le courage de déclarer que le mal que nous portons en nous est le meilleur de nous-mêmes.

Nietzsche, Par delà le bien et le mal.

Le rêve est une porte étroite, dissimulée dans ce que l'âme a de plus obscur et de plus intime; elle ouvre sur cette nuit originelle cosmique qui préformait l'âme bien avant l'existence de la conscience du moi et qui la perpétuera bien au-delà de ce qu'une conscience individuelle aura jamais atteint.

C.G. Jung (1963), L'âme et la vie.

7

L'ENNEMI BIEN-AIMÉ: UNE INITIATION MODERNE

Au-dedans sois nourrie: cessant dehors d'être riche;
Ainsi tu mangeras la Mort, qui mange les humains,
Et une fois morte la Mort, rien n'a plus à mourir.

William Shakespeare, Sonnet 146[1]

Il y a très peu de rapport entre ce qui m'a amenée en Inde et les raisons pour lesquelles j'y suis allée. Certes, j'étais attirée par une vision romantique de l'Orient – le Taj Mahal au clair de lune, les palais d'ivoire, les saints hommes. Sans aucun doute, *Passage to India* de E. M. Foster avait avivé mon imagination. Qu'était-il arrivé à Adela Quested dans les grottes? Quel mystère se cachait derrière son histoire? Quoi qu'il en soit, je me suis rendue en Inde, j'ai vu les palais et les saints hommes, et j'ai trouvé des réponses à quelques-unes de mes questions. J'ai toutefois mis seize ans à découvrir pourquoi j'y étais allée.

Si je raconte cette histoire à présent, c'est qu'elle va bien au-delà de l'anecdote personnelle. En effet, il s'agit de l'histoire d'une initiation moderne à la féminité. C'est l'histoire d'une fille inconsciente qui n'était jamais passée par les rites de la puberté parce que son monde ignorait jusqu'à l'existence de tels rites. Comme grand nombre de ses semblables, elle n'avait jamais quitté la sécurité de la Mère Société; elle n'avait jamais élu domicile dans son propre corps; elle ne s'était jamais rendu compte qu'elle faisait partie du cosmos. Il ne lui était jamais arrivé de penser que Dieu puisse avoir une contrepartie féminine, capable de donner un sens à sa vie de femme parmi les femmes et, en même temps, de la mettre en contact avec sa propre destinée unique. C'est l'histoire du passage dans le canal de la naissance, de la mort et de la renaissance.

À cette époque, j'avais un peu plus de trente ans. Je possédais à peu près tout ce que la culture bourgeoise peut offrir: une belle maison, un bon mari, un excellent poste d'enseignante. Je m'attendais à ce que ma vie suive son cours à travers les années prospères de la quarantaine, pour enfin me combler de l'aisance et du respect qui vont nécessairement de pair avec l'âge d'or. Tout me portait à croire que ma mère patrie s'occuperait toujours de moi: après tout, mon chèque mensuel était déposé dans mon compte en banque par les bons soins de ma commission scolaire; les déductions pour mes impôts et ma pension se faisaient automatiquement; les congés de maladie étaient là pour parer aux urgences. Tout allait pour le mieux.

Ma vie s'était déroulée sans la moindre anicroche. J'aimais être fille de pasteur. Enfant, j'avais plaisir à me rendre à l'église le dimanche, dans ma robe d'organdi, les cheveux bouclés, et tout enrubannée. Je trouvais exaltantes toutes les cérémonies qui se déroulaient au presbytère: baptêmes, mariages, funérailles. J'aimais me glisser dans l'église chaque après-midi pour attendre Dieu. Cachée sous un banc, je l'entendais, mais je ne quittais jamais ma cachette assez vite pour Le voir face à face. Puis, le sacristain m'a expliqué un jour que c'étaient les vieux bancs de bois réchauffés par les rayons du soleil qui produisaient ces bruits étranges, et non pas Dieu. Et j'ai tranquillement mis la foi de mon enfance en veilleuse.

J'ai fréquenté l'université. Je me suis mariée et j'ai quitté la sécurité de la maison paternelle pour celle de la maison de mon mari. Je continuais de croire en Dieu, mais je ne fréquentais plus l'église. Je me faisais piéger de temps à autre, mais dans l'ensemble, ma vie semblait suivre son destin.

Puis, par une froide soirée d'hiver, je me trouvai seule à Toronto. Il me fallait un taxi. J'avais beau lever le bras, aucune voiture ne s'arrêtait. Je n'avais pas le geste assez ferme. J'en étais arrivée à dépendre de mon mari à un point tel que je n'étais même pas capable de héler un taxi. «C'est absurde, pensai-je. Moi, une femme adulte, je suis incapable de me débrouiller seule.» C'est ce soir-là, en marchant dans la neige, que je me suis rendu compte que chaque fois que je m'étais laissée piéger, quelque part, en dedans de moi, la rébellion grondait. C'est alors que j'ai su qu'il me fallait trouver qui j'étais, une fois démunie de tout soutien extérieur. Je savais que j'achèterais un billet pour l'Inde et j'espérais y rencontrer Dieu, dans un ashram de Pondicherry.

Six mois plus tard, j'arrivais à New Delhi. Dieu était bel et bien à mes côtés, mais ses idées différaient quelque peu des miennes. En Inde, il était Elle, un Elle dont je n'avais jamais soupçonné l'existence dans les confins étroits de ma tradition chrétienne épiscopale, un Elle qui venait jusqu'à moi non pas entre les murs protecteurs d'un monastère hindou, mais dans les rues grouillantes de pauvreté, de maladie et d'amour.

Je demeurai d'abord à Delhi, tentant de m'orienter dans ce monde totalement étranger. Il me fallait tout mon courage pour m'aventurer dans les rues. J'avançais sous l'impulsion de la peur. De partout, des mains me cherchaient: mendiants, infirmes, trafiquants en quête de dollars américains, professionnels de l'amour qui, selon leurs dires, n'étaient surpassés dans ce domaine que par les Africains, et enfin, deux petites filles abandonnées qui m'avaient adoptée. Tous les matins, les deux petites attendaient devant l'entrée de l'hôtel; elles s'accrochaient à mes vêtements toute la journée, si bien que je devais en reprendre les coutures tous les soirs. Dans ce monde-là, c'étaient elles, les adultes. Elles avaient l'habitude de la vie de la rue – des hommes qui se rasaient, des femmes qui nourrissaient leurs enfants, des jeunes de trois ans qui trimbalaient un bébé mourant sur une hanche. Partout où je regardais, je me sentais obligée de détourner mon regard de peur d'empiéter sur le petit univers privé de quelqu'un. J'étais tellement désorientée que je me retrouvais souvent nez à nez avec une vache, ou les pieds dans la bouse. Les gens criaient «Bonsoir» le matin, et je savais que quelque chose clochait quand je leur répondais

«Tous les matins, les deux petites attendaient devant l'entrée de l'hôtel...»

«Bonsoir». La fatigue tournant à l'épuisement, mon moi n'arrivait plus à prendre de décisions, et des événements bizarres commencèrent à se produire. Avec stupéfaction, je me rendais compte que ma peur constellait la mort autour de moi.

Et le sixième jour, les deux petites ne se montrèrent pas. Je sortis dans la rue et aperçus une Américaine. Sans même me saluer, elle s'arrêta net devant moi.

«Vous êtes seule?» fit-elle.

Mes lèvres formaient un «oui» quand soudain, il y eut un vide dans mon ventre. Quand j'ouvris les yeux, je me trouvais dans sa chambre d'hôtel.

«C'est le choc culturel,» m'affirma-t-elle. «Depuis dix ans que je vis ici, je m'y connais. Nous irons à votre hôtel chercher vos bagages et je vous remettrai dans l'avion. Vous devez retourner chez vous. Maintenant.»

«Impossible,» lui répondis-je. «Je ne pourrais pas vivre avec l'idée d'une telle défaite. Il me faudrait revenir et essayer à nouveau, et cela aussi m'est impossible.»

«Il n'est pas question de rester, dit-elle. Les coopérants américains eux aussi subissent un choc culturel et ils finissent parfois à couteaux tirés... avec de vrais couteaux.»

Mais je suis restée. Les mots de mon Zen Koan préféré m'ont soutenue:

Chevauche sur le tranchant
de l'épée
Cache-toi au milieu
des flammes
Les fleurs de l'arbre fruitier
s'épanouissent dans le feu
Le soleil se lève le soir.

L'Inde n'est peut-être pas le feu de tout le monde, mais ce fut le mien. Chacun est jeté dans son propre feu et, pour moi, le foyer de ce feu a été ma chambre de l'hôtel Ashoka. Pas de téléphone, pas de visites, rien à faire. Toutes les issues étaient bouchées. Je devais agir à l'intérieur de mon propre silence pour découvrir qui l'habitait. Quand je regardais à l'intérieur, mon imagination débordait d'images effrayantes et trompeuses; quand je regardais dehors, des corbeaux trempés par la mousson envahissaient mon balcon et croassaient: «Jamais plus!» Enfuie à jamais la vie que j'avais vécue! Sans savoir vraiment ce qui m'était arrivé, j'avais sacrifié mon ancien système de valeurs, ma compréhension sentimentale de la vie et de l'amour. En moins d'une semaine, j'avais été forcée de laisser derrière moi mon besoin de tout diriger. Ici, ce n'était pas moi qui menait. J'avançais dans ce qui semblait être le chaos, chaque chose se produisant avant même que je la soupçonne. Pour pouvoir survivre, il fallait se laisser emporter par la vie telle qu'elle se présentait à chaque instant. Chaque moment apportait du nouveau et exigeait une réponse nouvelle. Rien ne venait me rappeler le monde que j'avais connu. Même la baignoire se remplissait de cafards quand je cherchais à me détendre dans un bon bain.

Je me souviens d'être tombée sur le parquet de tuiles, affaiblie par la dysenterie, mais je ne saurais dire combien de temps je suis restée là. J'ai repris conscience au plafond: mon esprit regardait mon corps qui gisait en bas, couvert de croûtes de vomissure et d'excréments. Je le regardais, allongé, sans défense, immobile, puis je l'ai vu respirer. Mentalement, je lui ai donné un coup de pied. Soudain, je me suis rappelé mon petit terrier: «Je ne traiterais pas Duff de la sorte, pensai-je. Je ne traiterais pas un chien comme je traite mon propre corps. Je me demande ce qu'il en adviendra si je le laisse ici. Vont-ils le brûler? Le retourner chez moi?» Paralysée par l'ampleur de la décision à prendre – j'allais abandonner mon corps ou le réintégrer –, je l'ai vu prendre une autre respiration. J'ai alors été remplie de compassion pour cette pauvre créature gisante qui attendait fidèlement mon retour, qui s'efforçait de respirer, confiante que je ne l'abandonnerais pas, plus fidèle envers moi que je ne l'étais envers elle.

Toute ma vie, j'avais détesté mon corps. Il n'était pas assez beau. Il n'était pas assez mince. Je l'avais épuisé, privé, gavé, maudit, et à présent j'allais jusqu'à le rouer de coups de pied. Et il restait là, s'efforçant de respirer, convaincu que je retournerais le prendre, trop stupide pour mourir. Je savais aussi que le choix m'appartenait. J'avais vécu, presque toute ma vie, en marge de mon corps, mon énergie coupée de mes sentiments, sauf peut-être lorsque je dansais. Maintenant, j'avais le choix: j'allais retourner dans mon corps et vivre comme un être humain ou en sortir pour trouver ce que j'imaginais être la liberté. Je l'ai vu prendre une autre respiration et ce geste comportait quelque chose de si infiniment innocent et confiant, de si familier, que j'ai décidé de descendre du plafond et de réintégrer mon corps. Ensemble, nous nous sommes traînés jusqu'au lit. J'ai fait de mon mieux pour prendre soin de lui. J'avais l'impression de l'entendre chuchoter: «Repose-toi, esprit perturbé, repose-toi.» Pendant des jours, neuf peut-être, je suis demeurée dans le ventre de l'Ashoka.

Après maintes réflexions, j'avais arrêté mon choix sur deux livres à emporter en voyage: le Nouveau Testament et les *Sonnets* de Shakespeare. Avec mon passeport, c'étaient là toutes mes lectures. Je me sentais libérée de la boule de feu qui me brûlait la poitrine quand je parcourais mon passeport. Dans l'enfer où j'étais plongée, il m'importait de savoir que j'avais un nom. Il m'était encore plus important de voir les images et de sentir le rythme de la prose et de la poésie que j'aimais tant. Leurs accords vibraient au même diapason que la personne que j'étais et vainquaient la peur. Un jour, lisant à haute voix, j'entendis un vers qui m'était familier mais dont la résonance me semblait tout à coup très différente: «Et une fois morte la Mort, rien n'a plus à mourir.» Je savais que ma terreur de la mort était morte. Ayant élu domicile dans mon corps, je vivais ma vie et, aussi étranges qu'aient été ces journées et ces nuits passées dans ma chambre de l'hôtel Ashoka, elles étaient réelles. Paradoxalement, le fait d'avoir trouvé la vie me rendait désormais libre de la perdre. Je pouvais accepter tout ce que le Destin me réservait. Pour la première fois, je sentais que mon squelette soutenait ma chair avec fierté. Forte de cette unité corporelle, je descendis les marches qui conduisaient au salon de l'hôtel.

Je pris place à une des extrémités d'un divan pour écrire une lettre. Une Indienne de forte taille, vêtue d'un sari brodé d'or, vint se faufiler entre moi et le fond du divan. Je pouvais sentir la chaleur douce de son bras potelé. Je me poussai afin d'avoir un peu plus d'espace pour écrire. Elle se pressa contre moi. Je me poussai encore. Elle répéta son geste. Je lui souris. Elle sourit. Elle ne parlait pas ma langue. Ma lettre terminée, nous étions toutes deux à l'autre extrémité du divan, son corps toujours blotti contre le mien. N'osant toujours pas m'aventurer en dehors de l'hôtel, je retournai dans le salon, le jour suivant. Encore une fois, cette femme grave apparut, et le même petit manège recommença. Il en fut de même pendant plusieurs jours. Puis, un matin, au moment de quitter l'hôtel, un Indien s'avança jusqu'à moi.

– Vous allez bien à présent, dit-il.

– Que voulez-vous dire? lui demandai-je, surprise de son indiscrétion.

– Vous étiez mourante, fut sa réponse. Vous aviez l'air détaché de ceux qui se meurent. Je vous ai envoyé ma femme pour qu'elle s'assoie à côté de vous. Je savais que la chaleur de son corps vous redonnerait la vie. Elle n'aura plus besoin de venir.

Je le remerciai. Je la remerciai. Ils franchirent la porte et disparurent – deux parfaits étrangers qui avaient intuitivement entendu mon âme, quand j'étais incapable, moi, d'appeler au secours.

J'avais réclamé mon corps et, ce faisant, je m'étais abandonnée à mon destin. Je faisais l'expérience de la vraie vie, avec ses joies et ses peines. J'étais comme un nouveau-né qui essaie de découvrir ses cinq sens d'un seul coup. Le parfum du jasmin se mêlant à l'odeur de l'urine, l'éclat de la soie rouge se confondant avec les mouches sur les yeux des bébés; la douce mélodie du sitar un soir d'été se mêlant aux hurlements d'un chien battu – tout se juxtaposait au milieu des textures et des saveurs exotiques, étrangères, insondables. Cependant, je n'étais plus victime. Je n'avais plus l'impression d'être violée psychologiquement ou en danger de mort. Je prenais part à la vie avec un cœur ouvert, ravie par les scènes, les sons et les odeurs de ce monde extraordinairement contradictoire.

Puis, un beau jour, je me suis retrouvée assise sur la banquette aux ressorts bondissants d'un vieux taxi, essayant de convaincre mon chauffeur italo-indien que je n'étais pas venue en Inde pour connaître les joies du Kâma sûtra. Nous nous rendions aux grottes, du moins je l'espérais. Le sourire énigmatique du chauffeur, la route étroite et la vue des champs nus à perte de vue m'en faisaient douter. Soudain, j'aperçus un chien avec un œil jaune serin. Quelques minutes plus tard, je vis une vache aux cornes turquoise. Je suis fatiguée, pensai-je. C'est alors que j'aperçus un éléphant, plus gros que le taxi, d'un rose translucide. Le chauffeur ne semblait pas s'en préoccuper. Il cherchait par tous les moyens à me faire passer sur la banquette avant.

– Est-ce que cet éléphant était rose? me résignai-je à lui demander.

– Oui, dit-il, comme si tous les éléphants étaient roses.

– Et les cornes de la vache, elles étaient turquoise?

– Oui.

– Et le chien avait un œil jaune?

– Oui! C'est l'anniversaire de Krishna, ajouta-t-il. Nous célébrons. Voulez-vous venir avec nous?

Le hasard voulut que ce fut aussi mon anniversaire et, pendant

La Sagesse (Sophia) s'adresse à nous dans les Proverbes (8:30): «Je fus maître d'œuvre à son côté.» (Michel-Ange, détail de **La création d'Adam,** ***chapelle Sixtine, Vatican.)***

le court instant où cette pensée m'effleura l'esprit, je répondis «oui», sans même réfléchir.

Le moment d'après, mon taxi traversait un fossé en bondissant et nous filions à travers champs, sans que le chauffeur s'arrête un instant de chanter. Puis la voiture s'immobilisa et des hommes s'empressèrent de nous entourer. Quelqu'un ouvrit la portière et me fit signe de sortir. Je n'avais pas sitôt mis pied par terre que quatre paires de mains m'enlevaient sandales, sac, appareil-photo et ceinture. Mon chauffeur avait disparu. Je restai là, debout, à contempler les visages impénétrables de ces hommes qui étaient au moins une vingtaine à me regarder eux aussi, avec la même intensité.

On m'avait laissée entendre que des sacrifices humains avaient toujours lieu en Inde et l'idée me vint tout à coup que je n'aurais jamais pensé connaître une mort pareille. Soudain, les hommes me firent un long salamalec, puis se redressèrent; nos regards s'entrecroisèrent – yeux verts, yeux d'un noir ardent – dans un moment de silencieuse concentration. Malgré mes craintes, je sentais que leur révérence ne m'était pas adressée personnellement mais qu'elle était destinée à Quelqu'un que je représentais. «Si je dois mourir, je mourrai!» pensai-je. «C'est certainement une situation intéressante. Je ne vais pas manquer ça. Pas question de m'évanouir.»

Ils me prirent dans leurs bras, me soulevèrent au-dessus de leur tête et me transportèrent en chantant jusqu'à un autel près duquel ils me déposèrent, face contre terre. Convaincue que j'allais bientôt être offerte en sacrifice, j'étais, au-delà de toute peur, à la fois morte et férocement vivante. Ces hommes me communiquaient une énergie puissante: un amalgame d'amour, de fierté et d'effroi. L'un d'eux, qui semblait être leur prêtre, me mit de l'herbe dans la bouche tout en chantant avec les autres. Il pria sur moi. Puis il prit l'herbe et la partagea entre les hommes qui la mangèrent comme s'il se fut agi d'une herbe sacrée. Ils me soulevèrent, me placèrent sur l'autel et, sans cesser leurs chants, entreprirent une lente danse autour de moi.

Seule et vulnérable, entièrement à la merci des événements, je savais que ce n'étaient pas ma volonté ni mon amour qui se trouvaient en jeu, mais la volonté de Sophia, l'amour de Sophia; je savais que ma vie revêtait un sens infiniment plus profond que tout ce que j'avais pu imaginer jusque là, et que mon corps délicat – dans toute sa laideur et dans toute sa beauté – était le temple par lequel j'étais venue faire Sa connaissance sur terre. C'est grâce aux bras noirs de ces étrangers, dans ce champ poussiéreux, en Inde, que Sophia était venue à moi, m'avait atteinte. À cet instant, cet instant intemporel, éternel, j'ai entendu son magnifique JE SUIS.

Les hommes me saluèrent à nouveau, me transportèrent à l'écart de ce lieu sacré et me rendirent sandales, appareil-photo, sac et ceinture. Mon chauffeur réapparut, un sourire nonchalant aux lèvres, puis nous repartîmes à travers les champs cahoteux.

Ces rites initiatiques peuvent paraître extrêmes mais pendant qu'ils se sont déroulés je savais que j'étais au bon endroit. Je savais que les choses passaient par le feu et que cela était nécessaire pour que je puisse vivre ma vie. Je savais que cette douleur était mienne.

Pièce d'orfèvrerie du sud-ouest de l'Iran,
(Période proto-élamite, vers 2900 av. J.-C.).

Je n'y comprenais rien mais je savais que cela devait arriver, que j'étais en train de vivre mon destin.

Et ce destin rejoignait en quelque sorte la vision répétitive que j'avais pendant mon enfance: trois vaches Hereford m'apparaissaient chaque fois que j'avais peur; elles avaient la tête frisée, de longues cornes, des yeux semblables à de grandes mares brunes et calmes, et elles ruminaient sans arrêt, en m'observant. Tant qu'elles étaient là, je me sentais en sécurité. Lors du rituel consacré à Krishna, qui s'est déroulé peu de temps après que j'aie eu revendiqué mon corps animal, l'herbe revêtait un caractère sacré et mon corps de trayeuse devenait le véhicule de l'amour de Krishna. Il n'y avait plus contradiction entre l'animal et le divin.

Les vaches Hereford à tête frisée ont joué un rôle essentiel dans mon comportement en Inde. Fréquemment, quand l'irréel menaçait de faire éclater les frontières de ma propre réalité, je me heurtais à une vache, en pleine rue. Aussi peu habituée que j'étais à être en contact avec la peau des vaches, tout en ayant l'habitude de les regarder dans les yeux, j'éclatais de rire. Deux mondes s'étaient entrechoqués pour n'en faire plus qu'un. La description du jeu, que nous donne Victor Turner, m'a aidée non seulement à comprendre ce qui m'a sauvée en Inde, mais ce qui m'a amenée à un niveau de perception renouvelé.

> L'envie de jouer est une essence volatile, dangereusement explosive à l'occasion. Les institutions culturelles voudraient bien l'apprivoiser, la dompter en la canalisant dans des jeux de compétition, de hasard, de force physique; dans des stimulants tels que le théâtre, et dans la désorientation dosée allant des montagnes russes à la danse des derviches.[...] Si le jeu est dangereux, c'est qu'il peut contrer le balancement régulier entre l'hémisphère gauche et l'hémisphère droit, ce balancement qui permet de garantir la stabilité de l'ordre social.[...] Pourtant, bien qu'elle semble «tourner dans le vide», la roue du jeu nous révèle [...] la possibilité de changer nos buts et, par le fait même, de restructurer ce que notre culture affirme être la vérité.
> Vous aurez peut-être deviné que le jeu est pour moi un mode liminal.[...] Incongru par définition, il est d'une innocuité dangereuse parce qu'il ne connaît pas la peur. Sa légèreté et sa fugacité le protègent. Il possède la force du faible et une audace enfantine face aux forts.[...]
> Le jeu, c'est le sceptique aux ailes et aux doigts légers, un lutin entre le monde diurne de Thésée et le monde nocturne d'Obéron, qui remet en question les postulats que chérissent les deux hémisphères, les deux mondes. Le jeu ne revêt pas un caractère sacré; il est irrévérencieux et trouve sa protection contre les luttes du monde du pouvoir, dans son manque d'à-propos apparent et dans son costume de clown[2].

N'appartenant pas à la culture indienne – me trouvant hors d'elle –, je portais le costume du clown. Je regardais l'Inde et je me regardais en elle. Une fois séparée de ma peur, j'étais détachée, libre de jouer le genre de jeu qui vient de la concentration totale et sans crispation, à la fois intense et dénuée de tension. Et tel un clown archétypique, je vivais le noir et le blanc, la tragédie et la comédie; je devenais le médiateur qui ne porte aucun jugement et qui, en même temps, transcende la tragédie et la comédie, le noir et le blanc.

J'aimerais pouvoir dire qu'en Inde, je suis passée par la réclusion, la métamorphose et l'émergence, et qu'après une initiation triomphale, je suis revenue au Canada en femme transformée, libérée de ses chaînes bourgeoises et libre d'Être. Il n'en a rien été. La tâche la plus ardue dans un conte de fée est de ramener, dans la vie, le trésor caché des profondeurs. Quand j'ai traversé la barrière à Amsterdam, j'étais tellement accablée par le bruit, qu'il m'a fallu m'asseoir. Dans cet état d'hébétude, j'ai aperçu une jeune femme très blonde, chaussée de bottes, qui portait du rouge à lèvres et de l'ombre à paupières bleu turquoise. Je me suis surprise à penser: «Elle s'en va sûrement à l'anniversaire de Krishna.» Ceci marquait le début d'une série de chocs, qui me conduisirent chez l'analyste, deux ans plus tard.

Mon analyste, un sage Irlandais, d'âge avancé, le docteur E.A. Bennet, me demandait à chaque séance: «Pourquoi êtes-vous allée en Inde?»

Pendant que je m'évertuais à répondre à sa question, il hochait la tête en silence. Je me rendais compte que ma réponse était insuffisante. Finalement, désespérée, je lui lançai: «Docteur Bennet, la sénilité vous guette, sûrement. Vous me posez cette question chaque fois que je viens vous voir.»

«Et chaque fois, vous me donnez une réponse différente,» me dit-il. Il se redressa alors dans son fauteuil et me raconta une histoire: «Quand j'étais général de brigade dans l'armée, en Inde, nous avions bien du mal avec certains de nos soldats. Ils refusaient de se battre. Ils se mettaient dans les yeux, des graines qui causaient la cécité, afin qu'on les renvoient chez eux. Ils préféraient être aveugles plutôt que d'avoir à combattre. Faites de cela votre sujet de réflexion!»

Voilà seize ans que je m'enlève des graines des yeux, et je continue de m'en enlever. Intégrer l'initiation peut s'avérer le travail d'une vie entière. Même si une part importante de l'initiation s'inscrit dans le secret des mystères individuels, une autre se réclame de l'âme universelle et cherche à faire surface dans chaque conscience individuelle.

L'illusion m'a amenée en Inde; ma réalité m'y attendait. L'Inde était mon voyage vers mon Inde à moi, ma descente aux enfers. Comme les baleines dans la mer, les gens vivent dans le seul monde qu'ils aient jamais connu – celui de la naissance, de la copulation et de la mort. À moins d'être brutalement rejetés sur la rive, ils ne savent même pas qu'ils habitent la mer ni ce qu'est la mer. L'Inde a opéré cette scission dans ma vie. Avant de m'y rendre, je regardais avec mes yeux; à mon retour, je voyais *à travers* mes yeux. La naïve Perséphone qui avait vécu dans l'ombre sécurisante de sa Mère l'Église, sa Mère la Société, sa Mère l'École avait fini par entendre la question quintessenciée: «Qui suis-je?» Attirée en Orient par une vision romantique, je m'étais embarquée dans une sorte de pèlerinage sentimental en quête de ce qui était, en fait, une parodie de la Déesse Lune. Le viol psychologique qui s'ensuivit dans les rues grouillantes de l'Inde était inévitable. La terre s'ouvrit sous mes pieds. La question, d'abord posée comme sujet de conversation, devenait la vraie question à partir du moment où il me fallait répondre: «Oui, je suis seule.»

L'épée que l'Américaine m'avait plantée dans le cœur avec le mot *seule* a tué l'enfant indépendante et a ouvert la voie à la naissance de la femme. Je ne pouvais plus désormais me contenter d'être ce que les autres voyaient en moi: la fille d'un pasteur, l'épouse d'un professeur, l'enseignante. Je ne pouvais pas davantage demeurer prisonnière de mon petit monde qui me voulait plus mince, où je montais chaque matin sur la balance pour mesurer mes succès quotidiens, en fonction de quelques kilos de graisse gagnés ou perdus. Je ne pouvais plus me leurrer en croyant que la vie serait ce que je voulais qu'elle soit, si seulement j'arrivais à changer de corps, si seulement j'arrivais à prétendre que mon corps n'existait pas. Si seulement je pouvais me débarrasser de ce monstre gourmand, robuste, ardent, que je traînais partout. Cette illusion m'avait permis d'éviter de regarder la personne que j'étais et de me poser trop de questions sur ma destinée. L'idée que je pouvais m'en sortir par une mort tranquille s'était évanouie. Évanouie, elle aussi, l'illusion de pouvoir commander mon destin. Évanouie également, la fausse image de mes parents – cette image, qu'enfant, je m'étais créée, et que je tenais responsable de tout ce qui m'était ou ne m'était pas arrivé. Débarrassée de mes dieux de pierre, je pouvais pardonner.

Et la rêveuse romantique, qui façonnait son monde imaginaire avec des mots, était morte, elle aussi. Aussi longtemps que je ne m'étais pas aventurée hors de mon âme, j'avais su cacher mon moi réel et mystérieux au fond de mon cœur. N'ayant jamais séparé âme et corps, je pouvais, en mangeant ou en jeûnant, éviter de contempler le vide qui m'habitait. Face à la mort réelle, il m'avait fallu choisir: mourir ou vivre; accepter ma condition d'humain, aimer l'âme qui habitait mon corps et intégrer la vie, ou rejeter mon destin d'humain, suivre l'esprit et mourir. Privée du langage courant, j'ai appris à entendre les Indiens avec mon cœur, comme je savais qu'ils m'entendaient, eux aussi. Et le grand cadeau reçu en Inde, le Silence, m'a appris à entendre mon âme.

Je devais d'abord affronter ma propre haine. Et de cette confrontation a coulé le sang du sacrifice. Le sang qui a jailli du mot seu*le* a ouvert mon cœur à mon corps fidèle, créature abandonnée sur le parquet et dont la loyauté a transformé ma haine en honte. Par l'amour qui s'élançait jusqu'à mon être instinctuel, personnifié par mon petit terrier Duff, mon moi féminin est né à nouveau et a admis qu'il ne pouvait plus rouer son corps de coups de pied. Ce corps serait sa demeure tant que durerait sa condition d'être humain sur terre. Et l'âme qui l'appelait, du fond de son abandon et de sa misère sur le parquet, était *sienne*, était le cœur de son être au centre de la matière; elle demandait qu'on la réclame, qu'on lui donne la chance de grandir et de s'exprimer enfin.

Quand il n'y eut plus de mère pour s'occuper de moi, une autre Mère prit la relève – une Mère remplie de compassion pour cette créature fidèle, qui m'aimait et dont j'avais trahi la dévotion silencieuse. Je pleurai. J'avais enfin «le courage de déclarer que le mal en moi était le meilleur de moi-même». Je lavai ses cheveux souillés de vomissure séchée et ses cuisses maculées d'excréments. L'Inde me forçait à regarder la redoutable Déesse droit dans les yeux et ce regard me mettait en contact avec un niveau d'amour profond. Au lieu de fermer les yeux devant le mystère humain, au lieu de pleurer devant la saleté, la pauvreté et la douleur des rues, j'étais capable de vivre l'horreur tout en aimant la dignité de l'âme qui s'accroche à la vie. Dans mon cœur, la rose commençait à s'ouvrir. Le Verbe, qui avait été verbe uniquement dans ma tête, se faisait chair.

Et cette métaphysique de la chair était tout aussi fondamentale que celle de l'esprit. Couchée dans sa chrysalide, elle retrouvait son monde de symboles, résonnait au même diapason et avec la même tonalité que leurs images. Corps, âme et esprit étaient jetés ensemble dans le feu. Là, ils renouaient avec mon voyage intérieur, avec les images transformatrices qui modelaient ma vie, qui faisaient de moi celle que je suis. Sans ces images, je parlais avec ma langue, mais la voix n'était pas la mienne.

C'est là que j'ai découvert une âme qui n'avait jamais perdu Sophia de vue, qui n'avait jamais oublié ce qu'est l'immobilité, qui n'avait pas oublié non plus la pulsation lente et irrévocable de la terre. L'Inde habite la Déesse comme moi je l'ai habitée quand j'étais enfant, comme tous les enfants l'habitent: grenouilles tachetées de rosée, corps se consumant sur les ghâts de Bénarès, papillons sur un rideau de cuisine, bougies qui suspendent le temps. L'enjouement de la Déesse, son détachement, sa fureur, son amour pour toute chose. Son monde original et vierge qui renferme la semence de toute possiblité: tout cela, enfant, je l'avais accepté. J'ai aussi vu le papillon, que j'étais autrefois, qui voletait de bourgeon en bourgeon dans le midi de mon imagination, qui voltigeait dans le midi de Son amour, ne possédant rien, n'étant possédé par rien. Je l'ai vu se métamorphoser en chenille, lourde de ses obligations, de ses responsabilités, presque sans souvenance de son passé ailé. Lentement, imperceptiblement presque, l'hiver est venu et, guidé par quelque compas interne, le papillon s'est déplacé vers l'est. Et là, avant terme, il s'est libéré de son cocon pour regarder avec compassion, depuis le plafond de la chambre de l'Ashoka, la chenille qui se mourait.

Voilà seize ans qu'il explique à la chenille pourquoi elle est chenille. «Lâche prise, dit-il, laisse faire.» Et la chenille commence enfin à comprendre; elle peut maintenant devenir papillon. Elle sait ce que cela signifie:

> [...] d'arriver là d'où nous étions partis
> Et de savoir le lieu pour la première fois.
> À travers la grille inconnue, remémorée
> Quand le dernier morceau de terre à découvrir
> Sera celui par quoi nous avions commencé;
> À la source du plus long fleuve
> La voix lointaine de la cascade
> Et les enfants dans le pommier
> Non sus parce que non cherchés
> Mais perçus, à demi perçus dans le silence
> Entre deux vagues de la mer
> Vite, ici, maintenant, toujours
> Une simplicité complète
> (Ne coûtant rien de moins que tout)[3].

Qui donc est né de cette union des opposés, union de la conscience avec l'esprit, de l'esprit avec la matière? J'ai été enceinte de moi-même pendant sept ans, jusqu'à ce rêve, dans lequel mon voyage à travers le canal de la naissance a commencé:

Je suis debout, pieds nus, dans le sable du désert, en Inde. Je porte une robe de chiffon et un voile de couleur pêche. Il est midi. Sur une estrade en bois repose une sorte d'ancienne horloge astrologique. Dans son axe, un trou descend profondément dans le sol. Deux énormes roues: l'une rouge et or, l'autre bleu et argent, marquent sa circonférence. La roue rouge tourne dans le sens horaire, à l'intérieur; la roue bleue, plus grande, tourne dans le sens opposé, à l'extérieur. Les maisons du Zodiaque sont tracées nettement dans le sable. Un homme qui m'aime, et que j'aime, se tient debout près de la roue rouge, sa roue; la mienne, c'est la bleue. Un feuillage vert pousse dans les deux premières maisons du Zodiaque.

Ma tâche consiste à danser entre les dents des roues, ce qui est dangereux en raison des couteaux tranchants qui sortent de l'axe central. Je dois danser jusqu'à ce que les deux roues épousent un mouvement synchronisé. Un groupe d'indigènes se tiennent là, chantant, prêts à changer de ton pour s'harmoniser avec la musique qu'émettent les sphères lorsque les roues tournent.

La musique commence. Au début, je danse avec précaution. Puis mon corps devient musique. Je ne crains plus les couteaux. Je suis emportée par la danse. Soudain, les indigènes, d'une seule voix, passent à un autre registre et la musique remplit les cieux. Les roues tournent. Des bambous verts et une fontaine jaillissent dans la troisième maison du Zodiaque. Je m'arrête devant l'homme, qui m'enlève mon voile et dit: «À présent, je sais ton nom.»

La sonnerie du téléphone a retenti et je me suis réveillée avec l'impression de m'être fait voler mon nom. Mais, par la suite, j'ai senti que je serais morte si je l'avais entendu. Je savais que le moment n'était pas encore venu. Il restait encore quelques voiles à arracher.

Ce rêve constituait un don précieux, un don à partager. L'Inde, qui avait été une île au cœur de ma psyché pendant presque toute ma vie, avait maintenant rejoint la terre ferme, elle était en fait devenue un mandala en son centre. Cette image émergée de l'inconscient collectif fournit une perspective à l'expérience tant personnelle que transpersonnelle. L'aspect personnel n'a de signification que dans la mesure où il est imprégné du transpersonnel. Il s'agissait sans aucun doute d'un rêve intuitif, qui venait indiquer le chemin que l'énergie cherchait à emprunter plutôt que l'endroit où elle se trouvait.

Le rêve se passe dans le désert. Selon la Bible, le désert est une chrysalide, une vaste étendue de mouvance et de transition. Moïse et les Israélites sont demeurés quarante ans dans le désert;

***William Blake,* The First Temptation (La Première Tentation),**
(Musée Fitzwilliam, Cambridge).

Jésus a passé quarante jours dans la solitude du désert. On abandonnait derrière soi l'ancienne vie en attendant celle encore à venir; entre les deux se trouvait la dislocation qui ouvrait la voie vers les profondeurs spirituelles. Le désert donne naissance à un ordre nouveau qui reconnaît les vrais sentiments et les vraies valeurs.

Errant seul dans un paysage sans frontières, on croit apercevoir un mirage – une vision de ce qui se trouve peut-être à l'horizon. Les rêves qui se passent dans le désert sont d'abord irrécupérables, puis «inintelligibles», du fait que leur contenu est si peu familier. Ils préfigurent ce qui peut se produire, ce que deviendra le rêveur, ce qu'est le rêveur essentiellement. Et le voyageur se sent encore tellement aliéné qu'il ne peut que dire: «Malgré l'aspect chaotique de ma vie consciente, je sais qu'il y a un ordre significatif dans ce qui se passe en dessous. Je n'ai qu'à attendre.» Dans le désert, la peur vient de la terreur des illusions que l'on peut créer. Et si ce n'était qu'un mirage? S'il n'y avait rien là-bas? Si toutes ces choses que j'imagine étaient des tentations du diable? Et si le soleil et le sable allaient m'écorcher les pieds à un tel point que je ne pourrais plus continuer de marcher? Graduellement, on ne perçoit plus les choses de la même façon; graduellement, les pressentiments s'accomplissent. Les quarante ans ou les quarante jours sont révolus. Désormais, c'est le moi qui a pour tâche d'amener à la réalité ce qui a été révélé dans le désert, de rapporter le trésor à la maison. Vivre sa destinée, c'est créer l'harmonie entre le monde interne et le monde externe.

L'image onirique résonne et retentit de son propre écho; l'union du masculin et du féminin, de l'or et de l'argent, de l'esprit et de la matière, de l'Orient et de l'Occident, du Yang et du Yin. À la façon des initiés des tribus primitives, la danseuse de mon rêve devra bondir dans l'arène cosmique et, par les liens qui l'unissent à ses propres racines intérieures, elle sera en contact avec «l'eau de la vie avec laquelle elle alimentera l'arbre cosmique» (page 27). Dans ces terres arides, toute végétation dépend de la capacité du féminin de surmonter la peur personnelle et de s'ouvrir aux fontaines intérieures. La femme doit attendre que l'énergie consciente, libérée de la peur des lames et des dents de la roue, s'accorde avec la source inconsciente, toutes deux étant nourries et guidées par le Soi. Dans le monde impersonnel, l'énergie circule de haut en bas, horizontalement, depuis le trou dans l'axe; dans le monde personnel, elle circule à travers la relation érotique entre la femme et l'homme. Finalement, c'est lui qui arrache le voile, la liant ainsi à lui, au monde, et à la signification plus vaste de la danse. Le rythme devient synchronisé avec les deux dimensions, impersonnelle et personnelle. Le corps de la femme qui danse devient l'axe central, entre ciel et terre. De cette union jaillit la création. Comme dans tout rituel, le corps se déplace à partir de son propre centre archétypique. Il ne danse plus. Il est emporté par la danse.

Les deux roues forment un double mandala. Dans ce rêve, le bleu et l'argent symbolisent l'âme féminine tandis que le rouge et l'or sont le symbole de l'esprit masculin. Tous deux s'inscrivent dans l'axe dont le trou descend profondément dans le sol. En alchimie, le *spiraculum æternitatis* «est un vide d'air par lequel l'éternité jette son souffle sur le monde temporel[4]». Le point de rencontre est un vide où le royaume de la psyché touche à l'éternel, l'inconscient collectif. C'est l'endroit de l'annonciation, c'est l'endroit où l'esprit remplit l'âme de son souffle, la fécondation de la vierge, «l'intersection du moment intemporel» (page 112), où le moi libéré des confins étroits de sa cage temporelle entrevoit la réalité éternelle.

Au Moyen Âge, l'anima, ou la matière en tant qu'anima, alors identifiée avec la Vierge Marie[5], était une autre image de cette «fenêtre sur l'éternité» ou «fenêtre de l'évasion». Ainsi, par exemple, les rosaces étaient les grandes roses de la vierge par lesquelles le feu de l'esprit brillait dans la cathédrale. Dans l'image de ce rêve du vingtième siècle, c'est à travers le féminin, psychologiquement conscient chez l'homme et chez la femme, que l'esprit se manifeste sous forme de vie nouvelle. Tel le blé éternel d'Éleusis, les graines mortes du désert revivent et les participants au mystère reconnaissent la vie nouvelle en donnant à leur chant une nouvelle résonance. La vie nouvelle devient la «troisième maison», qu'on appelle en astrologie: la maison de la communication; c'est peut-être une nouvelle compréhension entre le masculin et le féminin, entre l'esprit et l'âme, entre l'Occident et l'Orient. Les images oniriques contribuent toutes à donner un sens à ce que les alchimistes appelaient l'*unus mundus* – une seule réalité des royaumes physique et psychique, une vision de l'ultime harmonie entre la réalité interne et la réalité externe –, une harmonie que Jung appelle la synchronicité.

La danse a lieu à midi – heure de l'initiation à un niveau de conscience spirituelle renouvelé, heure de la renaissance spirituelle, heure qui ne jette aucune ombre parce qu'elle l'absorbe. Ayant regardé par «la fenêtre de l'éternité», ayant vu, sans le voile, la danseuse est sur le point de recevoir son nom spirituel quand le

***Natalia Makarova, dans* Waldman on Dance, collection de photos**
de Max Waldman, (William Morrow and Company, New York, 1977).

monde temporel intervient. Elle n'était pas encore prête à se confronter à cette perception de la mort, à cette rencontre avec le visage qu'elle avait avant de naître. Mais pour un bref instant, la dualité a cessé d'exister. L'intérieur et l'extérieur n'ont plus fait qu'un.

L'unité, l'essence du rêve, réside dans l'image d'une androgynie grandissante. La vie est lancée dans la danse entre les couteaux et les dents, mais ceux-ci perdent leur importance quand le féminin différencié est assez fort pour s'abandonner au masculin indifférencié. Le corps de la danseuse devient le calice relié au centre du monde autour duquel les deux roues se meuvent. Elle est le vaisseau de l'esprit, tout en maintenant ses pieds nus en contact avec la terre – la terre de son être, dans laquelle circule la vie. C'est dans cette matière que reposent son authenticité et sa créativité. Et ce n'est que lorsque les roues épousent un mouvement synchronisé que le chant de la psyché (le chant des indigènes) s'harmonise avec la loi universelle. Et l'harmonie vient du sacrifice des désirs du moi, de la naissance d'un moi prêt à gagner, prêt à perdre, libre, non possédé et ne possédant pas, d'un moi qui sait jouer. Le corps, l'âme et l'esprit dansent, résonnant de leur propre vérité intérieure, qui s'harmonise avec la signification plus vaste de la danse.

La danse a lieu, que nous soyons en Inde ou dans notre propre salon, et nous sommes les danseurs. La façon de danser dépend de nous. Si nous gardons des graines dans nos yeux, nous nous rendons captifs des sombres énergies terrestres qui nous maintiennent dans notre état de reptation. Si nous osons défier les lois de la nature, nous sommes détruits par les dents et les couteaux. Si nous osons demander «Qui suis-je?», nous nous engageons alors à nous tailler un chemin vers notre propre vérité intérieure. C'est dans le silence de la chrysalide que notre calice d'argent est œuvré, le calice d'argent qui porte l'enfant doré. Méditer avec le cœur, ce n'est pas faire un voyage sentimental vers la Déesse. Un cœur méditatif passe par la joie et la douleur qui consistent à laisser consciemment notre propre «Je suis» amplifier le grand «JE SUIS» jusqu'au moment où:

> [...] les langues flamboyantes
> S'infléchiront dans la couronne
> Du nœud ardent et que le feu
> et la rose ne feront qu'un[6].

NOTES

CW– *The Collected Works of C.G. Jung*, traduction anglaise de R.F.C. Hull, éd. H. Read, M. Fordham, G. Adler, Wm. McGuire, Bollingen Series XX, Princeton, Princeton University Press, 1953-1979.

Introduction

1 — Voir Joseph Campbell, *The Mythic Image*, Bollingen Series C, Princeton, Princeton University Press, 1974, p. 217, fig. 199a.
2 — Nietzsche, *Crépuscule des idoles*, traduction française de Jean-Claude Hemery, coll. Idées, Paris, Gallimard, 1974.
3 — Carolyn Heilbrun, «What She Was Silent About», *New York Times Book Review*, 10 février 1985.
4 — *Ibid.*
5 — Mary Hamilton et Barbara Fidler étaient les directrices artistiques du théâtre d'improvisation.

Chapitre 1

1 — T.S. Eliot, *Le Voyage des Mages*, lignes 29-43, traduction de Pierre Leyris dans T.S. Eliot, *Poèmes 1910-1930*, Paris, Seuil, 1947.
2 — *Hamlet*, acte I, scène 2, ligne 134, traduction d'André Gide dans *Œuvres complètes de Shakespeare*, coll. Bibliothèque de la Pléiade, Paris, Gallimard, 1959.
3 — William Blake, *Le Mariage du ciel et de l'enfer*, traduit de l'anglais par M.L. Cazamian dans *William Blake, poèmes*, Paris, Aubier-Flammarion, 1968.
4 — Edmond Rostand, *Cyrano de Bergerac*, acte I, scène 4, Paris, Eugène Fasquelle, 1910.
5 — Arnold van Gennep, *Les Rites de passage*, Mouton & Co. et Maison des Sciences de l'Homme, 1969. Réimpression intégrale de l'œuvre publiée par Émile Nourry, Paris, 1909.
6 — Bruce Lincoln, *Emerging from the Chrysalis: Studies in Rituals of Women's Initiation*, New York, Harvard University Press, 1981, p. 103-104 (traduction libre).

7— *Ibid.*, p. 104 (traduction libre).
8— C.G. Jung, «On the Nature of the Psyche», *The Structure and Dynamics of the Psyche,* CW 8, par. 388 (traduction libre).
9— Psaume 118:22.
10— Voir, entre autres, «The Tavistock Lectures» dans *The Symbolic Life,* CW 18, par. 389: «La névrose est en réalité une tentative d'auto-guérison, au même titre que toute autre maladie physique... C'est la tentative du système psychique auto-régulateur de rétablir l'équilibre.» (traduction libre)
11— Marie-Louise von Franz, *Alchemy: An Introduction to the Symbolism and the Psychology,* Toronto, Inner City Books, p. 137 (traduction libre).
12— C.G. Jung, *Psychologie et Alchimie,* CW 12, par. 563, traduit de l'allemand par Henry Pernet et le Docteur Roland Cahen, Paris, Buchet-Chastel, 1970.
13— *Le Roi Lear,* acte V, scène 3, lignes 22-23, traduction de Pierre Leyris et Élisabeth Holland dans *Œuvres complètes de Shakespeare II,* coll. Bibliothèque de la Pléiade, Paris, Gallimard, 1959.
14— Job 10:2, 42:5.
15— Matthieu 26:39-42.
16— R.M. Rilke, *Lettres à un jeune poète,* traduit de l'allemand par Bernard Grasset et Rainer Biemel, Paris, Bernard Grasset, 1956.
17— Monica Furlong, *Merton, A Biography,* San Francisco, Harper and Row, 1980, p. 330 (traduction libre).
18— *Ibid.*, p. 328 (traduction libre).
19— *Ibid.*, p. 332 (traduction libre).

Chapitre 2

1— Emily Dickinson, «L'amour», n° 14, *Poèmes choisis,* Collection des classiques étrangers, Paris, Aubier, 1956.
2— *Puer æternus* (du latin, «jeunesse éternelle») se réfère au type d'homme qui demeure trop longtemps un adolescent du point de vue psychologique, état généralement associé avec un attachement inconscient très fort à la mère (réelle ou symbolique). Sa contrepartie féminine est la *puella æterna,* «fille éternelle» ayant un même attachement au monde du père.
3— C.G. Jung, «On the Nature of the Psyche», *The Structure and Dynamics of the Psyche,* CW 8, par. 367, 417 (traduction libre). Voir aussi Marion Woodman, *The Owl Was a Baker's Daughter: Obesity, Anorexia Nervosa and the Repressed Feminine,* Toronto, Inner City Books, 1980, p. 66-67 (traduction libre).
4— Percy Bysshe Shelley, «Adonais», ligne 463 (traduction libre).
5— Au moment où j'ai écrit ceci (mars 1985), Ann Landers, journaliste de renom, rendait publiques les réponses à une question qu'elle avait posée à ses lectrices, à savoir: *Que préférez-vous: qu'on vous enlace*

avec tendresse ou faire «la chose»? Des 90 000 répondantes, 72 % préféraient être enlacées (et 70 % de ces dernières avaient moins de 40 ans).

6 — Emily Dickinson, *The Complete Poems of Emily Dickinson,* Boston, Little, Brown and Company, 1960, n° 315, p. 148 (traduction libre).

7 — *Ibid.*, n° 443, p. 212 (traduction libre).

8 — Sylvia Plath, *Ariel,* Londres, Faber and Faber, 1965, p. 86 (traduction libre).

9 — *Antoine et Cléopâtre,* acte V, scène 2, traduction d'André Gide, dans *Œuvres complètes de Shakespeare,* coll. Bibliothèque de la Pléiade, Paris, Gallimard, 1959.

10 — Emily Dickinson, *op. cit.*, n° 777, p. 379 (traduction libre).

11 — Je suis redevable de cette expression, qui cerne si bien la psychologie de ce type de femme, au Dr Anne Maguire, analyste jungienne de Londres, Angleterre.

12 — William Wordsworth, «Michael», ligne 202 (traduction libre).

13 — C.G. Jung, «The Transcendent Function», *The Structure and Dynamics of the Psyche,* CW 8 (traduction libre).

14 — Voir Mary Esther Harding, *The Way of All Women,* New York, Harper Colophon, 1975, plus particulièrement le premier chapitre «All Things to All Men» (traduction libre).

15 — Voir Gary Zukaw, *The Dancing Wu Li Masters: An Overview of the New Physics,* New York, Bantam Books, 1980, p. 92 *et seq.* (traduction libre).

16 — Adrienne Rich, *Diving into the Wreck: Poems 1971-1972,* New York, W.W. Norton and Company, 1973, p. 6 (traduction libre).

Chapitre 3

1 — James Hillman, «On the Necessity of Abnormal Psychology», *Facing the Gods,* éd. James Hillman, Dallas, Spring Publications, 1980, p. 17 (traduction libre).

2 — William Blake, «Le Mariage du ciel et de l'enfer», gravure 4.

3 — *Hamlet,* acte III, scène 1, lignes 63-64.

4 — Marion Woodman explore cette analogie en profondeur dans son ouvrage *Addiction to Perfection: the Still Unravished Bride,* Toronto, Inner City Books, 1982.

5 — A. Tennyson, «The Lady of Shallot», *The Complete Works,* New York, R. Worthington, 1878, p. 12.

6 — Il est également fait mention de l'influence des complexes maternel et paternel sur les troubles de l'alimentation dans *The Owl Was a Baker's Daughter* et dans *Addiction to Perfection* de Marion Woodman.

7 — Mary Esther Harding, *Psychic Energy: Its Source and Goal,* Bollingen Series X, Washington, Pantheon Books, 1947, p. 210-211 (traduction libre).

8 — Voir le point de vue de Marie-Louise von Franz dans *On Divination*

and *Synchronicity: The Psychology of Meaningful Chance,* Toronto, Inner City Books, 1980, p. 87.

9 — C.G. Jung, «On the Nature of the Psyche», *The Structure and Dynamics of the Psyche,* CW 8, par. 440 (traduction libre).

10 — *Ibid.,* par. 418 (traduction libre).

11 — Depuis quelques années, trois séries d'ateliers hebdomadaires sont offerts, à Toronto, à des hommes et des femmes qui répondent aux exigences de base (un minimum de cinquante heures d'analyse personnelle jungienne). À l'automne, Mary Hamilton et moi travaillons avec le groupe sur les images et l'imagination active par le biais de l'écoute du corps. Pendant l'hiver, je travaille avec Beverly Stokes sur des modèles de mouvements premiers (par exemple, ramper). Au printemps, Ann Skinner et moi faisons travailler les participants sur leur voix. La séquence des ateliers est importante étant donné que le travail de chaque étape sert à préparer l'étape suivante.
Puisque l'irruption des émotions réprimées peut se faire avec violence, il est fortement suggéré que les participants soient parallèlement en analyse. L'expérience de quelque forme de travail sur le corps (par exemple, le yoga, le T'ai Chi, les cours Feldenkrais) leur est bénéfique. Nous n'avons pas conçu ces ateliers en fonction d'un travail de groupe faisant appel à l'interaction du groupe, mais plutôt en fonction d'individus se concentrant chacun sur son propre matériel. Nul doute que l'énergie du groupe influence l'individu. L'aspect transpersonnel de cette énergie est respecté et, autant que possible, nous n'y contrevenons pas. Nous attachons beaucoup d'importance au *tenemos* individuel.
J'ai fondé le contenu de ce chapitre presque entièrement sur les données obtenues au cours de ces ateliers et des séances d'analyse individuelles subséquentes.

12 — Voir Jung, «The Spirit Mercurius», *Alchemical Studies,* CW 13, par. 262: «L'*âme* est un concept plus élevé que l'*esprit* au sens de l'air ou de gaz. Le corps subtil ou souffle-âme se rapporte à quelque chose de non matériel et de plus raffiné que l'air. Sa caractéristique essentielle est d'animer et d'être animé; il représente donc le principe de vie.» Voir aussi «The Phenomenology of the Spirit in Fairytales», *The Archetypes and the Collective Unconscious,* CW 9, 1, par. 392, dans lequel Jung tire une analogie entre «l'idée du corps subtil et l'âme-*kuei* chinoise», et affirme que «l'esprit et la matière pourraient bien être les formes d'un seul et même être transcendant.»
Jung a exploré plus en profondeur le concept du corps subtil dans ses conférences en langue anglaise, «Psychological Analysis of Nietzsche's Zarathustra» (Zurich, 1934-1939). Des copies miméographiées de ces conférences sont disponibles dans certaines bibliothèques du Jung Institute, mais ne peuvent être citées.

13 — *Ibid.,* par. 282 (traduction libre).

14 — Fritjof Capra, *The Tao of Physics,* New York, Bantam Books, 1984, p.

310 (traduction libre).

15 — C.G. Jung, «The Practical Use of Dream Analysis», *The Practice of Psychotherapy*, CW 16, par. 340 (traduction libre).

16 — Un personnage de dessins animés amusant qu'on a inventé pour faire la réclame des produits alimentaires préfabriqués de Pillsbury et qui ressemble au bonhomme Michelin (image qui revient elle aussi fréquemment hanter les rêves des femmes souffrant de troubles de l'alimentation).

17 — Edward Albee, *Le Rêve de l'Amérique*, traduction de Georges Belmont, Paris, Robert Laffont, 1965.

Chapitre 4

1 — T.S. Eliot, *Quatre Quatuors*: «Little Gidding», traduction de Pierre Leyris pour les Éditions Rombaldi, Les Presses du Compagnonnage, Paris et l'Imprimerie Sainte-Catherine, Bruges, 1963.

2 — Pour un exposé plus complet sur le voyage de l'homme primitif jusqu'à la caverne sacrée (en tant qu'inconscient collectif duquel peut émerger une image surnaturelle), voir Erich Neumann, «The Psychological Meaning of Ritual», *Quadrant*, volume 9, n° 2 (hiver 1976), pp. 5-34.

3 — *Ibid.*, p. 16.

4 — *Time Magazine*, 4 mars 1985.

5 — Mary Esther Harding, *Woman's Mysteries, Ancient and Modern*, New York, Rider & Company, 1955, p. 125.

6 — *We are the World*, CBS Records, 1985, paroles de Lionel Ritchie et Michael Jackson.

7 — C.G. Jung, *Métamorphoses de l'âme et ses symboles*, CW 5, traduit de l'allemand par Yves Le Lay, Genève, Librairie de l'Université, 1978, p. 708.

8 — John Layard, *The Virgin Archetype*, New York, Spring Publications, 1972, pp. 290-291 (italiques de M. Woodman), (traduction libre).

9 — *The Aprocryphal New Testament*, traduction anglaise de Montague Rhodes James, Oxford, Clarendon Press, 1972, p. 40 (traduction française libre).

10 — M. Zimmer Bradley, *The Mists of Avalon*, New York, Ballantine Books, 1982, p. 810 (traduction libre).

11 — C.G. Jung, «On Psychic Energy», *The Structure and Dynamics of the Psyche*, CW 8 (traduction libre).

12 — Victor W. Turner, *The Ritual Process*, Chicago, Aldine Publishing Co., 1969, p. 95 (traduction libre).

13 — Voir Van Gennep, *Les Rites de passage*.

14 — Bruce Lincoln, *Emerging from the Chrysalis*, p. 101 (traduction libre).

15 — Selon T. Kimbali, Introduction de la version anglaise *The Rites of Passage* de Van Gennep, Chicago, University of Chicago Press, 1960, p. ix (traduction libre).

16 — Il ne faut pas confondre le processus décrit ici avec le modèle de «la

belle et la bête» selon lequel le rôle de la femme est d'accepter un aspect naturel mais «laid» de sa masculinité afin de le transformer.

17 — Voir Mary Esther Harding, *Woman's Mysteries*, pp. 134-136.

18 — Jung, *Tow Essays on Analytical Psychology*, CW 7, par. 258 (traduction libre).

Chapitre 5

1 — C.G. Jung, *Two Essays*, CW 7, par. 78.

2 — Ce type de «modelage» où l'on ne reconnaît pas les besoins féminins de l'enfant grandissant contraste nettement avec le «modelage» physique de l'initiée de Navajo pendant la «Kinaalda de la femme transformée». Au cours de cette cérémonie, la jeune fille est massée par plusieurs femmes de bonne réputation, la croyance voulant qu'«au moment de l'initiation, le corps de la fille retrouve la souplesse qu'il avait à sa naissance»; elle est ainsi recréée. (Bruce Lincoln, *Emerging from the Chrysalis*, p. 20) (traduction libre).

3 — Voir Arthur Avalon, *The Serpent Power*, New York, Dover Publications, 1974.

4 — C.S. Lewis, *Till We Have Faces*, Grand Rapids, William B. Eerdman's Publishing Co., 1978, p. 282 (traduction libre).

5 — *Ibid.*

6 — *Ibid.*, p. 292, 294.

7 — *Ibid.*, p. 250.

8 — *Ibid.*, p. 295.

9 — C.G. Jung, «On the Nature of the Psyche», *The Structure and Dynamics of the Psyche*, CW 8, par. 425 (traduction libre).

10 — L'homme a pour tâche de trouver sa place dans le monde patriarcal, une place différente de celle des femmes, sans toutefois s'opposer à elles.

11 — Derrière la psychologie de «l'orphelin» (l'impression d'être seul au monde) se cache le modèle archétypique de l'enfant abandonné. Voir Jung, «The Psychology of the Child Archetype», *The Archetypes and the Collective Unconscious*. CW 9, 1, par. 285-288; et Daryl Sharp, «Alienation and the Abandoned Child», *The Secret Raven: Conflict and Transformation*, Toronto, Inner City Books, 1980, p. 95-99.

12 — *Macbeth*, acte I, scène 5, traduction de Maurice Maeterlinck dans *Œuvres complètes de Shakespeare*, coll. Bibliothèque de la Pléiade, Paris, Gallimard, 1959.

13 — L'usage d'antibiotiques, de pilules anticonceptionnelles et de médicaments qui affectent le système immunitaire, et même un régime riche en hydrocarbures sur une longue période peut provoquer une prolifération pathogène de la levure dans le corps. Voir C. Orian Truss, «The Role of Candida Albicans in Human Illness», *Orthomolecular Psychiatry*, vol. 10, nº 4, (1981), p. 228-238. Voir aussi William G. Crook, *The Yeast Connection*, Jackson, Tennessee, Professional Books, 1984.

14 — «The Thunder, Perfect Mind», *The Nag Hammadi Library*, éd. James M. Robinson, San Francisco, Harper & Row, 1981, p. 271-272 (traduction libre).

15 — Marina Warner, *Alone of All Her Sex*, Londres, Quartet Books, 1978, p. 274 (traduction libre).

16 — *Ibid.*, p. 145.

17 — *The Aprocryphal New Testament*, p. 44 (traduction libre).

18 — *Ibid.*

19 — *Ibid.*, p. 45. Pour une description quelque peu différente de la douleur de Marie, voir *Le Coran*, Sourate 19:24 — Marie: «Plût à Dieu, dit-elle, que je fusse morte et à jamais oubliée!» Traduit par Le Cheikh Si Boubakeur Hamza, Paris, Fayard-Denoël, 1972.

20 — On retrouve également, dans la généalogie de Jésus, quatre personnsages perdus: Tamar (Gen. 38:24), Rahab (Josh. 2:1), Ruth (Ruth 3:1-18) et la femme d'Uriah (2 Sam. II).

21 — *The Apocryphal New Testament*, p. 43 (traduction libre).

22 — C.G. Jung, «The Psychology of the Transference», *The Practice of Psychotherapy*, CW 16, par. 469: «Il est contre nature de ne pas succomber à un désir ardent.» (traduction libre)

23 — *Coleridge* par Bernard Delvaille, «Kubla Khan» ou Vision à l'intérieur d'un Rêve: Fragment – 1798, traduction de G. D'Hangest, Paris, Pierre Seghers, 1963, p. 126.

24 — Voir Jung, *Psychologie et Alchimie*, Paris, Buchet-Castel, 1970.

25 — William Wordsworth, «Ode: Intimations of Immortality» (traduction libre).

26 — Aujourd'hui, on admet que le fait «d'être» sans rien de plus, au lieu «d'agir» en fonction d'objectifs déterminés, aide à traiter l'anxiété, le stress et les tensions qui sont le «mal des gens pressés». Des méthodes de traitement plus récentes exigent du patient qu'il sorte de son habitude chronique, courante de ressentir le temps comme un processus continuel inexorable, et adopte une autre façon de le percevoir. On demande au malade «d'arrêter le temps». On l'invite à «pénétrer dans le royaume de l'Espace-Temps». (Larry Dossey, M.D., *Space, Time & Medicine*, Shambhala, Boulder, 1982, p. 166-167 (traduction libre).

27 — Robert Graves, *The White Goddess*, Londres, Faber and Faber, 1975, p. 180-181 (traduction libre).

28 — Voir Marie-Louise von Franz, *Shadow and Evil in Fairytales*, Zurich, Spring Publications, 1974, p. 331-332; et *On Divination and Synchronicity*, p. 105-108.

29 — Walter F. Otto, *Dionysos*, Dallas, Spring Publications, 1981, p. 151 (traduction libre).

30 — *Ibid.*, p. 136-137.

31 — *Ibid.*

32 — *An Interrupted Life: The Diaries of Etty Hillesum, 1941-1943*, traduction anglaise de Arno Pomerans, Toronto, Lester & Orpen Dennys, 1983, p. 186-187 (traduction libre).

Chapitre 6

1 — Emily Dickinson, *op. cit.*, nº 1333, p. 578 (traduction libre).
2 — T.S. Eliot, *Quatre Quatuors*: «Burnt Norton», lignes 63-76 (traduction libre). Voir aussi la traduction de Pierre Leyris (Éditions Rombaldi, Les Presses du Compagnonnage, Paris, et l'Imprimerie Sainte-Catherine, Bruges, 1963):
Au point-repos du monde qui tourne. Ni chair ni privation de chair;
Ni venant de, ni allant vers; au point-repos, là est la danse;
Mais ni arrêt ni mouvement. Ne l'appelez pas fixité,
Passé et futur s'y marient. Non pas mouvement de ou vers;
Non pas ascension ni déclin. N'était le point, le point-repos,
Il n'y aurait nullement danse, alors qu'il n'y a rien que danse.
[...] concentration
Sans élimination, à la fois nouveau monde
et l'ancien rendu explicite.
3 — C.G. Jung, *Aion*, CW 9, par. 126 (traduction libre).
4 — Marie Louise von Franz, «Le processus d'individuation», *L'homme et ses symboles, conçu et réalisé par C.G. Jung*, Paris, Robert Laffont, 1964, p. 185.
5 — William Shakespeare, *Othello*, acte V, scène 2, ligne 4, traduction de François-Victor Hugo dans *Œuvres complètes de Shakespeare*, coll. Bibliothèque de la Pléiade, Paris, Gallimard, 1959.
6 — *Ibid.*, acte IV, scène 2, ligne 90.
7 — *Ibid.*, scène III, lignes 50-51.
8 — *Ibid.*, acte V, scène 2, ligne 7.
9 — *Ibid.*, lignes 1-2, 6.
10 — *Ibid.*, lignes 20-22.
11 — C.G. Jung, *Letters*, vol. 2 (1951-1961), éd. G. Adler, Bollingen Series XCV, Princeton, Princeton University Press, 1975, p. 581 (traduction libre).
12 — *Rilke, Selected Poems*, traduit de l'allemand en anglais par J.B. Leishman, Middlesex, England, Penguin Books, 1964, p. 69 (traduction libre).
13 — C.G. Jung, *The Visions Seminars, 1940-1934*, Zurich, Spring Publications, 1976, p. 504 (traduction libre).
14 — *Ibid.*
15 — Robert Browning, «À deux dans la campagne romaine», dans *Hommes et femmes, Poèmes choisis*, traduction de Louis Cazamian, Paris, Fernand Aubier, Éditions Montaigne, p. 266.
16 — Emily Dickinson, *op. cit.*, nº 47, p. 26 (traduction libre).
17 — C.G. Jung, «Psychological Aspects of the Mother Archetype», *The Archetypes and the Collective Unconscious*, CW 9, 1, par. 164 (traduction libre).
18 — C.G. Jung, *The Visions Seminars*, p. 504 (traduction libre).

19 — Nombres 22:23-27.
20 — *Ibid.*, 28, 30.
21 — L'instinct féminin indifférencié d'un homme apparaît souvent en rêve ou dans les contes de fées sous la forme d'un chien. Voir à ce sujet Marie-Louise von Franz, *An Introduction to the Psychology of Fairytales*, Zurich, Spring Publications, 1973, p. 54.
22 — Emily Dickinson, *op. cit.*, n° 627, p. 309 (traduction libre).
23 — On approfondit ce type d'expérience dans les disciplines du yoga s'inspirant du tantrisme. Voir, entre autres, Ajit Mookerjee et Madhu Khanna, *The Tantric Way: Art, Science, Ritual*, Londres, Thames and Hudson, 1977.
24 — Robert Frost, «Réticence», *Anthologie de la poésie américaine*, traduction d'Alain Bosquet, Paris, Stock, 1956.
25 — T.S. Eliot, *Quatre Quatuors*: «Little Gidding», lignes 150-159, traduction de Pierre Leyris pour les Éditions Rombaldi, Les Presses du Compagnonnage, Paris, et l'Imprimerie Sainte-Catherine, Bruges, 1963.
26 — Matthieu 5: 23-24.
27 — Dante, «Convivio», *The Divine Comedy*, IV, 27.4 (traduction libre).
28 — Voir Mary Esther Harding, *Woman's Mysteries*, p. 170 *et seq.*
29 — John Donne, *Selected Poems*, éd. Matthias A. Shaaber, New York, Appleton-Century-Crosts, 1958, Sonnet 14, p. 105 (traduction libre).
30 — Percy Bysshe Shelley, «Adonais», ligne 462 (traduction libre).
31 — T.S. Eliot, *op. cit.*, «East Coker», lignes 123-128.

Chapitre 7

1 — William Shakespeare, *Poèmes et Sonnets*, traduction d'Armel Guerne, coll. Bibliothèque Européenne, Bruges, Desclée de Brouwer, 1964.
2 — Victor Turner, «Body, Brain, and Culture», *Zygon*, Journal of Science and Religion, septembre 1983.
3 — T.S. Eliot, *op. cit.*, «Little Gidding», lignes 241-254. 4 — Marie-Louise von Franz, *On Divination and Synchronicity*, p. 109 (traduction libre).
5 — *Ibid.*
6 — T.S. Eliot, *op. cit.*, «Little Gidding», lignes 257-259.

TABLE DES MATIÈRES

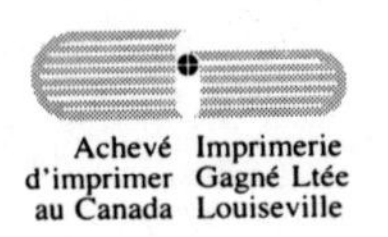

Achevé d'imprimer au Canada

Imprimerie Gagné Ltée Louiseville